英語プレゼンテーション

Effective Presentations
Useful Techniques and Expressions

すぐに使える技術と表現

妻鳥千鶴子 著

CD BOOK

ベレ出版

はじめに

　通信産業技術革命のおかげで、世界がどんどん小さくなっている現代、英語でプレゼンテーションをする機会は誰にでもあります。特に会社員や研究者は、英語が得意・不得意であるにかかわらず、数名から大人数までを相手に、ある程度まとまった話をしなくてはならないことがいくらでもあるでしょう。

　本書は、英文を自分で作成する場合の理論についてもわかりやすく短くまとめてあります。さらに基本的には、できるだけ多くのシンプルでわかりやすい英語を集めることに徹しました。実際のプレゼンテーション8例を始めとし、索引に掲載した日本語は約1600、それに対応する英語のパーツが4200、そのパーツを使っての例文が1800あります。どのパーツも例文を豊富に載せましたので、英語を専門としない方にとっても使いやすい本となっていると確信しています。

　また英語学習が進んでいる方にも楽しんでいただけるのは、Chapter 7 プレゼンテーションに使える光る表現集です。ここには、「差し出がましい」「花を持たせる」などといった、日本語でよく使い、プレゼンテーションにも使える表現を集めました。なるほどっ！　と納得、どんどん使って、ますます素晴らしいプレゼンテーションにしてください。

　急にプレゼンテーションをすることになり、資料を集める一環で、この本を手にされた方もいるでしょうし、勉強のために読んでおこうと思われた方もいるでしょう。いずれにしても、英語でプレゼンテーションをすることは、①英語力を伸ばす　②できることを周囲に示す　③仕事の幅（チャンス）が拡大する　など、皆さんの可能性を広げてくれるチャンスが詰まっているわけです。プレゼンテーションの機会があれば、ぜひ引き受けてください。そして本書を使い準備をすれば、必ず「良かった！」と言われるプレゼンテーションができます。簡単にはいかないことも多々あるかもしれませんが、だからこそ得られることも限りなくあるのです。共に頑張りましょう！

　最後になりましたが、本書作成にあたり、データの入力・校正、その他多方

面にわたりサポートしてくださった、アルカディアコミュニケーションズの松井こずえさん、戸辺紀子さん、英文校閲にご尽力いただいた講師・ライターのMiguel Cortiさん、常に自己研鑽の機会と叱咤激励をくれる、英語道を共に歩む友人であり師である水本篤さん、いつも的確なご指導・温かい励ましをくださる植田一三先生、石井隆之先生そしていつも励まし、元気の源をくれる生徒の皆さんや友人、家族にも心からお礼申し上げます。
　　　次の世代に平和な地球を送れることを祈りつつ

2004年9月
妻鳥千鶴子

本書の使い方

　本書では序文にも書きましたように、「できるだけ多くの例文を集める」ことに工夫をしました。それは、キーワード＝パーツだけでは使い方がわかりにくいからです。理想的には、全部書き換えて並べることができればいいのですが、さすがに紙面の都合上無理ですので、いくつかルールを決めて、わかりやすい範囲なら1文ですませたものもたくさんあります。それらのルールとは、以下のようなものです。

①例文の前に示したキーワード（パーツ）は、基本的に全部小文字で始めました。例えばことわざは1つの文ですので、大文字で示す辞書が多いのですが、As they say, **a crisis once past is too soon forgotten**.（喉元過ぎれば熱さ忘れるって言うから）のように、小文字から始まる場合は十分あり得るからです。

② break［drop］a［the］habit とある場合、［　］の中の単語は直前の単語と入れ替えても差し支えないことを示しています。また stated <u>another way</u>［differently］とある場合は、下線を引いてある another way と differently を入れ替えて同じような表現として使えることを示しています。

③日本語の索引を大いに活用してください。例えば本書では「覚悟しておく」と「腹をくくる」という表現は、おなじところにありますが、索引を使えばどちらからでもその表現が探せるようになっています。

④例えば「～について述べます」という表現を探したい場合、基本的に「～」にあたる部分を省いて索引を作るようにしました。つまり「について述べます」という方向で探してください。それで自分の言いたい表現が見つからない場合は、「について」や「述べます」などから検索することも試みてください。

⑤（　）は、あってもなくても支障がない部分です。

本書はプレゼンテーションに役立つばかりでなく、索引の日本語を見て自分ならどう言うかを考えて、口に出して英語で言う、英作文をするなどの練習を行えば英語力全般を上げるための学習書としても有効です。

　また CD にはネイティブスピーカーによる流暢なプレゼンテーションが 2 通りの速さで吹き込まれています。8 つのプレゼンテーション例を、ナチュラルスピード（1 分間に 150 〜 160 ワード程度）と、ゆっくり目（1 分間に 120 ワード程度）の両方で録音されていますので、リスニング教材としても使えますし、一緒に英文を見ながら読めば、発音向上にもつながります。英文をたくさん書いて、覚えて、スラスラ言えるようにしておけば、スピーキング力は必然的に伸びていきます。（もちろん、同時にリスニングをしたり、シャドウイングをしたりすることも必要です）CD を使うと、英文を覚えるのが楽になりますので、そういった方法でも活用してほしいと思います。

CD の収録一覧

CD 1 …… p.44	CD 8 …… p.195	CD15 …… p.212
CD 2 …… p.44	CD 9 …… p.199	CD16 …… p.212
CD 3 …… p.77	CD10 …… p.199	CD17 …… p.217
CD 4 …… p.77	CD11 …… p.203	CD18 …… p.217
CD 5 …… p.155	CD12 …… p.203	CD19 …… p.222
CD 6 …… p.155	CD13 …… p.208	CD20 …… p.222
CD 7 …… p.195	CD14 …… p.208	

CONTENTS

はじめに
本書の使い方

Chapter 1　アウトラインを作る

- **1** プレゼンテーションの重要ポイント ……………………………………12
  - ❶ プレゼンテーションの目的は？　12
  - ❷ 聴衆は誰？　12
- **2** アウトラインが決まれば全体が見える！ ……………………………14
- **3** アウトライン作成練習 ……………………………………………………17
- **4** 英文作成のヒント …………………………………………………………26
  - ❶ 英英辞書はライティングのヒントが詰まっている！　26
  - ❷ 論理的に話す！　27
  - ❸ 英文は5つのパターンからできている！　28
  - ❹ 英語はできる限り能動態・一般動詞で書く　36

Chapter 2　イントロダクションの作り方

- **1** イントロダクションの作り方 ……………………………………………42
- **2** イントロダクションの例 …………………………………………………44
- **3** 使える表現パーツ！ イントロ用 ………………………………………46
  - 1．最初の一声　46
  - 2．来ていただいたお礼を言うための表現　46
  - 3．紹介するための表現　48
  - 4．プレゼンテーションの目的を伝えるための表現　55
  - 5．スムーズな出だし　59
  - 6．全体の流れを説明する　61

7．本格的な話に移る前に・ボディへのつなぎ　64
8．質問について　65
9．設備・相手の状態などに関する表現　66
10．問いかけることで聞き手の心をつかむ　68
11．どういう利益があるかを伝え、聞き手の心をつかむための表現　69
12．聞き手の心をつかむ、その他の表現　71

Chapter 3　ボディの作り方

1　ボディの作り方 ……………………………………………76
2　ボディの見本 ………………………………………………77
3　使える表現パーツ！ボディ用 ……………………………85
　1．ポイント・話の流れを伝える＝signpost の表現　85
　2．メッセージ・情報を伝える表現　87
　3．強調・確信の表現　92
　4．時・時間の推移などの表現　102
　5．状況・特徴などを説明するための表現　107
　6．意見の根拠（理由）を述べるための表現　124
　7．根拠（理由）の1つとして資料などを見せるための表現　128
　8．意見を述べるための表現　131
　9．例をあげる・仮定するための表現　136
　10．話を次へと移していく・視点を変えるための表現　139
　11．言い換え・比較・追加など注意を引くための表現　142
　12．前例・事例・研究などがないことを伝えるための表現　147
　13．一般論・常識などを言うための表現　148
　14．対象外・除外することを表すための表現　149
　15．その他　150

Chapter 4　コンクルージョンのまとめ方

1　コンクルージョンの作り方 ……………………………154

2　コンクルージョンの見本 ··· 155
　3　使える表現パーツ！ コンクルージョン用 ······························ 157
　　1．まとめる表現　157
　　2．締めくくる表現　165
　　3．質問に関係する表現　169
　　4．終わりの挨拶に使える表現　177
　　5．時間不足を謝る表現　186
　　6．送る言葉に使える表現　187
　　7．表彰式で使える表現　188
　　8．新年の集まりに使える表現　189
　　9．冠婚葬祭に使える表現　190

Chapter 5　プレゼンテーションの実例

　1　いろいろなプレゼンテーション ·· 194
　2　もう一つのボディ ·· 195
　3　励ましのプレゼンテーション ·· 199
　4　就任の挨拶 ·· 203
　5　出資者へのお礼と報告を兼ねたスピーチ ································ 208
　6　会社の説明 ·· 212
　7　学術研究の発表 ·· 217
　8　講座の説明 ·· 222

Chapter 6　プレゼンテーションに使える数字・単位・役職の英語表現

Useful Expressions ・会社の組織 ·· 228
　■1　部や課そのものの表し方　228
　■2　各部・各課の名称　228
　■3　会社の各施設などの呼び方　233

Useful Expressions・会社の役職名 ……………………………………… 233
- **1** 役職の名称　234
- **2** 役職名を言う時　237

Useful Expressions・数値・記号などの読み方 ……………………… 238
- **1** 数値の読み方　238
- **2** 計算式の読み方　241
- **3** 相互の関係の表し方　241

Useful Expressions・応用表現・ことわざ …………………………… 242
よりよいプレゼンテーションに向けての練習方法 …………………… 247
- **練習1**　とにかく読む！　247
- **練習2**　小道具その①　レコーダー　247
- **練習3**　小道具その②　鏡　247
- **練習4**　小道具その③　デジカメ・ビデオ　247
- **練習5**　小道具その④　家族・友人　248

Chapter 7　プレゼンテーションに使える光る表現集

1 プレゼンテーションを生き生きとしたものにする表現 ……… 250
- ●あ行…… 250　●か行…… 256　●さ行…… 266
- ●た行…… 281　●な行…… 299　●は行…… 307
- ●ま行…… 325　●や行…… 336　●ら行…… 344
- ●わ行…… 346

●参考文献 ………………………………………………………………… 348
●日本語索引 ……………………………………………………………… 349

Chapter 1
アウトラインを作る

1　プレゼンテーションの重要ポイント

　プレゼンテーションをすることになったら、最初にすることは原稿作成です。原稿作成にあたっては以下の重要ポイント2つをしっかりカバーしなくてはなりません。

● プレゼンテーション（原稿作成事前対策）重要ポイント2

① プレゼンテーションの目的をつかむ！
② 聴衆をつかむ！

1　プレゼンテーションの目的は？

　プレゼンテーションの目的は、大きく分けると次の2つです。
1. **情報を伝える**　典型的なものは講演です。話し手 lecturer が持つ知識や情報を伝えることで、聞き手 audience は知識を得たり、さらに深めたりすることができます。
2. **相手に行動を起こさせる**　典型的なものは、ビジネスで自社の製品を売り込むプレゼンテーションです。相手にその商品を買わせるという行動を起こさせることができれば成功です。職場で上司が行う士気向上のためのスピーチ pep talk や学校で教師が生徒に対して語りかけ行動を改めさせたり、勉強意欲をかき立てさせたりするのも、この分野に入ってきます。

　他には、1と2の混合型も考えられますので、全部で3種類あるとも言えるでしょう。

2　聴衆は誰？

　audience をよく知ること＝**相手が求めている情報を的確に知り、求めているものをプレゼンテーション**することです。人数、求められている情報、どの程度まで何を知っているのか、といったことを事前にしっかり調べておきましょう。

とにかく、皆さんが**人前である程度まとまった話をすること**、これがプレゼンテーションです。ビジネスから学問研究、あるいは教室や仲間内で意見・体験談などを伝えるものなどから、検定・就職試験などの面接試験などもプレゼンテーションです。
　これら全部に共通していることは、前述のとおり、**自分の考え（情報）を明確に相手に伝え、理解してもらうこと、そして相手に何らかの行動を起こさせること**です。つまり根底にあるのは、人間同士のコミュニケーションなのです。「英語でプレゼンをするだけでも大変なのに、ましてや相手に行動を起こさせなくてはいけないとは大変だ！」と思ってらっしゃる方、大丈夫です！ これからしっかり本書を使って、良い原稿を用意し、アドバイスに基づいてしっかり練習を積めば、必ず成功します。大船に乗ったつもり（You are as good as home now because I am behind you.）で最後までついてきてください。

2 アウトラインが決まれば全体が見える！

　スムーズな原稿作成に欠かせないのがアウトラインです。アウトラインとは、自分が話すことを短くまとめた覚え書き、あるいはメモで、とても重要です。このアウトラインを考える時に、いかなるプレゼンテーションにも必須である、次の3本柱を念頭におきましょう。

● プレゼンテーションの3本柱！

> ① 序論／導入（イントロダクション）introduction
> ② 本論（ボディ）body
> ③ 結論（コンクルージョン）conclusion

　英語でのプレゼンテーションは、1〜2分の短いスピーチからアカデミックな発表に至るまで、みなこの3本柱に沿って構成されています。まずはイントロダクションから入って、ボディで説明・説得して、結論で決める！　これで、わかりやすい明確なプレゼンテーションができあがるわけです。それでは実際に、どのようにアウトラインを作ればいいか見ていきましょう。

プレゼンテーション例
新商品を本社の上層部に伝える

　皆さんは、環境に優しい製品作りを方針としている会社の社員である、と仮定します。このたび、新製品の石鹸「グリーンソープ」を作り、新製品として生産・販売ラインに乗せてもらえるよう、イギリス本社の上層部にプレゼンテーションを行うことになりました。まずはアウトラインを考えましょう。これは日本語でも英語でもかまいません。

A good example of an outline　使えるアウトライン

イントロダクション	① 自己紹介 ② 新製品グリーンソープを生み出すことになった背景 ③ 新製品のどの点を話すかを紹介する
ボディ	① コストパフォーマンス・品質がいかにすぐれているか ② 環境保護に貢献する安全な素材だけで製造できる ③ 会社のイメージアップになり、会社を繁栄させる
コンクルージョン	ボディのキーアイデアのみを繰り返して、ポイントを強調して終わる

いかがですか？　こうして書き出してみると、自分が何を話すべきか、どこを強調すべきかなどが、かなりはっきりするでしょう。このアウトラインは、さらにプレゼンテーションを実際に行うときの資料としても使えます。例えば、ポイント中のポイントとなる部分だけを書き出すと、

グリーンソープ導入について	Introducing Green Soap
● グリーンソープを生み出すことになった背景（イントロダクション②） ● グリーンソープの長所（ボディ全体） ● まとめ（結論）	● How did Green Soap come to be ? ● Strong points of Green Soap ● Re-cap

とすれば、プレゼンテーション全体の流れがわかる資料となります。あるいはボディ（グリーンソープの長所）の3点だけをまとめて、次のような資料としてもいいでしょう。

グリーンソープの長所	Strong Points of Green Soap
● 低コストで高品質（ボディ①「コストパフォーマンス・品質がいかにすぐれているか」をさらにまとめたもの）	● Low cost and high quality
● 環境にやさしい材料（ボディ②「環境保護に貢献する安全な素材だけで製造できる」をさらにまとめたもの）	● Made from eco-friendly ingredients
● 社のイメージアップと利益（ボディ③「会社のイメージアップになり、会社を繁栄させる」をさらにまとめたもの）	● Boosts our image and brings in profit

　このようにまとめたハンドアウトを配ったり、OHP = overhead projectorあるいはパワーポイント用の資料にしたりすれば、聞き手がさらに理解しやすいプレゼンテーションとなります。

　アウトラインを作成することで、プレゼンテーションの全体像も見えてきたのではないでしょうか？　では今度は実際に皆さんが、アウトラインを作成してみてください。練習問題形式になっていますが、時間がない人は、プレゼンテーション時の資料を作る場合の表現集として使ってください。

3 アウトライン作成練習

問題①　励ましのプレゼンテーション　pep talk

> あなたは、新人たちに会社概要を伝え、これから頑張ってください、という励ましのプレゼンテーションをする。どんなアウトラインを作る!?

　期待や不安でいっぱいの新入社員に、pep talk ができるなんて光栄です！あるいは、毎年のことでもう飽きてしまった？

　ところで、この問題①、ややあいまいです。会社概要が主体なのか、励ます方が主体なのか？　こういった pep talk のケースとしては、大まかに言えば①3〜5分程度の短いもの、②研修として行われる長いものの中で、1時間程度担当する、③数時間かかる研修を全部担当する、の3通りが考えられます。そこで、まとめて次のようなアウトラインにしてみました。

A good example of an outline　使えるアウトライン

イントロダクション	① 自己紹介 ② 祝いの言葉
ボディ	① 会社（あるいは所属する部署）の概要説明 ＊長時間の場合は、丁寧に順序立てて説明する ② 新入社員の役割 ＊長時間の場合は、配属部署ごとに分かれて説明を受けたり担当者に直接指導を受けたりすることが考えられる ③ 私が皆さんに望むこと ＊例としては 　「社会人として、会社の一員として、大人の女性／男性として」自己向上に努めてほしいなど、これから仲

	間となる人たちの心に触れる大切な部分
コンクルージョン	まとめ ＊キーアイデアをもう一度全部まとめて並べるより、ボディの③で盛り上がったまま終わる方がよいので、ここは手短に力強くきりあげる

資料の例（1）　短時間の場合

歓迎の辞	Words of Welcome
● 会社（部署）の概要	● Overview of our company [department]
● 新入社員の役割	● What you can do for the company [your department]
● 皆さんに望むこと	● What I want you to achieve

資料の例（2）　長時間の場合

新入社員への研修	Training Program for Newcomers
1.　会社（部署）の概要	1.　Overview of the company [department]
1-1. 組織全体	1-1. Getting a perspective on our company
1-2. 各部署の役割と相互の関連性	1-2. The roles of each department and their interrelationships
2.　新入社員の役割	2.　Newcomers' roles
2-1. 各部署にある各係の役割と相互の関連性	2-1. The roles of sections under the departments and their interrelationships
2-2. 各係の特徴・特に注意すべき点	2-2. Characteristics or important points of the sections

3. 皆さんに望むこと	3. What I want you to achieve
3-1. 会社の一員として	3-1. Being member of this company
3-2. 社会人として	3-2. Being member of society

いかがですか？ だいたいコツがつかめてきたでしょうか？ もちろんこれは一案ですので、与えられた時間の長さも考慮に入れ、プラスしたりマイナスしたりして上手にアウトラインを作ってください。では、もう少し練習してみましょう。

問題② 就任の挨拶　inauguration speech

> あなたが会社の中で重要な役職に抜擢された！ 就任の挨拶に向けて、どういうアウトラインを作る！？

例えば課長になった、部長になった。あるいは大きなプロジェクトのリーダーとなり、社員をまとめていくことになった。そういううれしい場面を想定して、希望いっぱいにアウトラインを作ってみてください。

A good example of an outline　使えるアウトライン

イントロダクション	① 自己紹介（過去のポジション）
ボディ	① 新しいポジション・そこでの仕事の説明 ② 自分がそこでしたいこと ③ チームとして部下の皆さんに望むこと
コンクルージョン	まとめ ＊このスピーチもキーアイデアをもう一度全部まとめて並べるよりは、ボディの③で盛り上がったまま終わる方がいい場合もあるでしょう

資料の例

就任の挨拶	Inauguration Speech
● 自己紹介 ● 新ポジションでの仕事内容 ● 新ポジションでしたいこと ● 皆さんに望むこと	● Self-introduction ● The new position and what I am supposed to do ● What I want to achieve ● What I want you to achieve

問題③　出資者へのお礼と報告を兼ねたスピーチ
A thank-you speech with a report

> あなたは国際的なボランティア団体に所属しており、多額の寄付を寄せてくれた団体に対して、お礼と寄付金の使い途についてプレゼンテーションをすることになった。アウトライン、どうする!?

　これは作りやすいでしょうか？　まずはお礼を述べて、あとはいただいたお金をどう使ったか、具体的に説明していけばいいのです。

A good example of an outline　使えるアウトライン

イントロダクション	①お礼 ②団体の概要と現在の活動状況
ボディ	いただいた金額をどこへ、どれだけ、どう割り振ったか、具体的に述べる ① 100万円→寄付をしてくれた団体がある、地元のボランティア団体 ② 100万円→アフガニスタン・メキシコ大地震 ③ 100万円→南アフリカへAIDSの薬・食料として

コンクルージョン	まとめ・これからどういう活動をするか・最後にもう一度礼を言う

資料の例

いただいた寄付金の使い道	Report on Your Donation
● 100万円→寄付をしてくれた団体がある茨木市のボランティア団体 ● 100万円→アフガニスタン・メキシコ大地震 ● 100万円→南アフリカへAIDSの薬・食料として	● One million yen for the volunteer group in Ibaragi City ● One million yen for the earthquake-stricken areas in Afghanistan and Mexico ● One million yen for food and medicine in South Africa

アウトラインのコツ、いかがですか？ 英語もすらすら出ますか？ もう少し練習してみましょう。

問題④　会社の説明　An overview of my company

> あなたは株式会社「みなと」の社員。取引を検討中だという相手の会社に出向き、会社の説明をすることになった。この説明を聞いて、ぜひ取引を決めてほしいところ。さぁ、まずはアウトラインをどうする！？

どんなプレゼンテーションもそうですが、特にこういった「社運がかかっている」ようなケースの場合は責任重大。事実に基づいた社の歴史を伝え、信念・方針などをしっかり理解してもらい、取引をしたい会社だと思ってもらわなくてはなりません。

A good example of an outline　使えるアウトライン

イントロダクション	現在の会社について、創立何年であるとか、何をしているかという大まかな紹介をし、①社の歴史、②社の現状、③社の方針・信念、④今後の展望をこれから話すことを伝える
ボディ	① 社の歴史 ② 社の現状 ③ 社の方針・信念 ④ 今後の展望
コンクルージョン	まとめ・ぜひ取引をして長いつきあいを！　と結ぶ

資料の例

株式会社みなとの概略	A Profile of Minato
● 社の歴史 ● 社の現状 ● 社の方針・信念 ● 今後の展望	● The history of Minato ● Current conditions at Minato ● The policies and beliefs of Minato ● The future of Minato

問題⑤　学術研究の発表　Academic research

あなたは研究者。最近研究した日本語と英語における発想の違いについて発表することになった。大きく分けて「メッセージの伝え方」「文の作り方」の2つに基づいて、英語と日本語の違いがよく出てわかりやすい実例をあげようと思っている。アウトラインはどうする！?

　こういった学術的研究 academic research の発表も全部次のようなアウトラインにまとめて、すっきりわかりやすくできます。

A good example of an outline　使えるアウトライン

イントロダクション	日本語と英語の発想の違いを発表することを言う 「メッセージの伝え方」「文の作り方」という2つの面から違いを見ていくことを伝える
ボディ	① メッセージの伝え方に見られる違い 　（例）日本語と英語の発想の違いが出るメッセージの例をいくつか取り上げて、その違いをさぐる ② 文の作り方に見られる違い 　（例）日本語と英語の発想の違いが出る文の例をいくつか取り上げて、その違いをさぐる
コンクルージョン	日本語と英語の発想の違いを、メッセージの伝え方と文の作り方から見たこと、を伝えて終わる

資料の例

日本語と英語における発想の違い	Mind-sets in Japanese and English
● メッセージの伝え方に見られる違い （例）日本語と英語の違いが出るメッセージの例をいくつか取り上げて、その違いをさぐる ● 文の作り方に見られる違い （例）日本語と英語の違いが出る文の例をいくつか取り上げて、その違いをさぐる	● Different ways of thinking shown in discourse communication 　sample 1 / sample 2 / sample 3* ● Different ways of thinking shown in making sentences 　sample 1 / sample 2 / sample 3*

＊実際には sample のところに具体的な例をあげるといいでしょう。例えば①の sample 1 として "Shut up" and "*Urusai*" or Noisy. のように、自分がこれから話すものを書いておくわけです。

さぁ、ではもう1つだけ。これでアウトラインの練習は最後です。

問題⑥　TOEIC講座の売り込み　promotion of TOEIC 730 Course

> あなたは語学学校の営業パーソン。TOEIC730点突破コースなる講座を作り、いろいろな会社・団体などに売りにいきます。TOEICに詳しい現場の講師たちにも相談して、プログラムも準備した教材も完璧！　さぁ、このお役立ちコース、ぜひ売り込んでください！　まずはアウトライン、どう作りますか？

A good example of an outline　使えるアウトライン

イントロダクション	① TOEICの一般的な紹介 ② 当社の講座がどれだけ他と違うかをこれから話すと伝える
ボディ	① 時間数（最低20時間から、先方の希望によって増可能） ② 教材（オリジナルで、いかにTOEIC本試験に基づいた効率のいい教材かを強調） ③ 講師（英語については当然のこと、TOEICについても知識豊かなベテランで、教え方もうまい） ④ 生徒さんへのケア（充実した小テストや復習テストでペースメーカーとなり、独学につきもののだれてしまうという心配がなく、勉強の悩みにも対応）
コンクルージョン	まとめ

資料の例

TOEIC 730 講座	TOEIC 730 Course
本講座の特徴	What makes us different from others
① 時間数（最低20時間から、先方の希望によって時間数増可能）	① Number of instruction hours (The minimum is 20 hours and can be increased according to demand.)
② 教材（オリジナルで、いかにTOEIC本試験に基づいた効率のいい教材かを強調）	② Materials (Only original textbooks with strictly handpicked TOEIC questions.)
③ 講師（英語については当然のこと、TOEICについても知識豊かなベテランで、教え方もうまい）	③ Instructors (Only seasoned instructors with high-level teaching skills and a deep knowledge about both English and TOEIC.)
④ 生徒さんへのケア（充実した小テストや復習テストでペースメーカーとなり、独学につきものえだれてしまうという心配がない。勉強の悩みにも対応）	④ Extra attention (Given students in the form of tests, encouragement, and pep talks.)

　さぁ、いかがでしたか？　もう皆さん、大丈夫ですね。**絶対伝えなくてはならないポイントを書き出しておくこと**、これでアウトラインができあがるのです。そしてアウトラインができれば、プレゼンテーションの原稿は半分できあがったようなものなのです。

　さて本書では、できるだけパーツを見ていただくだけで、言いたいことが見つかるように例文をたくさん採用していますが、それでも当然、皆さんが自分で文を作らなくてはならない場合は出てきます。そこで、次に英文を作る場合のコツをできるだけ簡単に説明しておきます。

4 英文作成のヒント

　文章を書くのは、日本語でも大変な作業です。文章だけでやりとりをしていると、こちらが思っていることが相手にスムーズに伝わらなかったり、気軽に出した E メールが、相手の気分を損ねてしまったり、感情を傷つけてしまったという経験をされた方もいるでしょう。
　母国語でさえこうなのですから、外国語で文章を書くとなると「もう大変！」で当然なのです。ここでは少しでもそれが楽になるようなヒントを載せておきますので、参考にして、正確な伝わる英文を作成してください。

1　英英辞書はライティングのヒントが詰まっている！

　本書を使ってプレゼンテーションの原稿を作っていても、きっと思ったとおりの言い方が見つからない場合もあるでしょう。そのような時は、まず自分の言いたい日本語は、別の言い方ができないかを考えてみましょう。例えば「お話しさせていただきます」だったら「話します」でも同じことですね。少し見方を変えると、きっと言いたい表現は見つかることと思います。
　ただどうしても、しっくりこないなぁと思われたら、皆さんはきっと「和英辞書」を引かれて、英語を探すでしょう。その場合、たくさん表現が載っているのは、アルクのオンライン辞書『英辞郎 on the Web』(http://www.alc.co.jp/index.html)です。例えば「かもしれないが」と入力すると、「間違っている**かもしれないが、**(**that** 以下)だと思う。」など、ズラズラといくつか「かもしれないが」を使った表現が出てきます。ここから自分が言いたいことに一番近い状況を見つけることができればいいわけです。
　ただし、**英和辞書で見つけた表現は、必ず英英辞書でチェックする**ことを忘れないでください。『ロングマン現代英英辞典』や『コウビルド英英辞典』が使いやすいと思います。特に『コウビルド英英辞典』は、定義を見るだけで用法がわかるようになっています。例えば、improve を引いたとしましょう。第 1 の定義に「If something improves or if you improve it, it gets better.」とあります。これを見ただけで、something improves という形で、人間以外

のものを主語にして使える自動詞であること、(例 The weather improved. 天気は回復した、のように使えるのです) そして、人間を主語にすれば、何かをよくすること、という他動詞として使えることが一目でわかってしまうのです。

　英英辞書を使いこなすのは、ちょっと大変かもしれませんが、最近の電子辞書なら「ジャンプ」機能がついており、英和辞書ですぐ確認ができるので思ったより使いやすいはずです。ぜひ早めに英英辞書に切り替えて、英語を英語のままつかむ練習をしてください。また『コウビルド英英辞典』は、電子辞書でも例文がたくさん収録されているのが魅力！　特に動詞や形容詞の場合は、例文を見てどういう使い方をするのかを、しっかり確認する必要があります。CD-ROM の『コウビルド英英辞典』には「ワードバンク」なる機能があり、例文がたくさん出てきます。基本的な単語だと何百もズラズラ出てくる単語もあり、それらを読んでいるだけでも、それぞれの単語がどういう使われ方をするのか、かなりわかってきます。

2　論理的に話す！

　詳しいことは前著『英語で意見を論理的に述べる技術とトレーニング』(ベレ出版) や『英語資格三冠王へ！』(明日香出版社) を参考にしていただくとして、ここでは Chapter 2 からどんどん実例で見ていただくので、必要最低限のルールだけ書いておきます。

① イントロダクション・ボディ・コンクルージョン、この 3 部から成り立つ英文を書こう！

　2 分間のスピーチ原稿であろうが、長いアカデミックな論文であろうが、この 3 部から全体の文章を組み立てるのがコツです。イントロダクションで「何を述べるのか」という目的や「なぜこの話をするのか」「現在の一般的な傾向はどうか」などだけを紹介し、聞き手が今からこういう話をするんだなぁとわかるようにします。そしてボディで、その肝心の内容を 2 つから 3 つ、多ければ 5 つ 6 つに分け、一番言いたいこと (キーアイデア) を最初に言い、あとはその主張を強めるためのサポートをしていくのです。そしてコンクルージョンで締めくくる！という構成になります。

② ボディで話す順番は、重要なことから述べる！

　一番大切なこと、差し迫ったこと、規模が大きな話、影響力が強い内容、などなど、とにかく話す順番は大切なことから述べていきます。大切なことだから一番最後に取っておこう、というのはだめです。ボディで3点話すのだけど、3点とも同じように大切である、というなら、それはそれで一言言っておく方法もあります（各 Chapter を参考にしてください）が、大切なものからそう重要でないものへと話を移していくのが、基本の形となります。

③ ボディで話すために分けた内容が重複していないか、気をつけよう！

　例えば「新製品の特徴を3つ申し上げます」と言いながら、「1つ目は軽量・小型であること。2つ目はデザインの斬新さ。3つ目は軽量・小型なので持ち運びに便利なデザインが可能となったことです！」と言ってしまうと、3つ目に1と2で述べた特徴をまた繰り返すことになってしまいます。ここは、すっきりと 1．軽量であること　2．小型であること　3．デザインが斬新であること、と分けて、持ち運びに便利だという点は1か2のサポートで述べると、きれいに収まります。

3　英文は5つのパターンからできている！

　学校で習ったように、どんな英文も5つのパターンに分かれます。ということは、この5パターンを理解し、パターンに基づいて英文を作れば、そんなに間違った英文にはならないわけです。もちろん、どの単語を選ぶか、使った単語の用法に間違いがないかなど、気をつけなくてはならない点は他にもあるので、5つのパターンだけで完璧な英文ができあがるというわけではありませんが、まずは5つのパターンに当てはめて、自分の英文が間違いないかをチェックするだけでも、全然違ってきます。では、その5つのパターンについて、ここで復習しておきましょう！

　説明にあたって、これだけは我慢して覚えてほしいのが、主部 **S**（subject）、述部 **V**（正確には predicate verb で述語動詞といいます）、目的語 **O**（object）、補語 **C**（complement）という用語です。では、実際にそれらの用語を使いながら、英文を見ていきます。

パターン①　陽は昇る！

The sun rises.　＝ S ＋ V

　これは、主部 S（太陽 **the sun**）と述部 V（昇る **rises**）だけが中心となってできている文です。例えば、この英文に「修飾部」、つまり他の語を詳しく説明する部分がついてきても、この英文はパターン①なのです。例えば The sun rises <u>in the east</u>. / The sun rises <u>every day</u>. などの下線部分は、文のパターンに影響を与えません。例えばこれが長くなり、The sun rises even after you have suffered a lot of pain and life just goes on.（あなたがどれだけ苦しんだって陽は昇り、生きていかなくっちゃならんのだよ）などとなっても、基本の「陽は昇る」の部分に影響はないのです。even after you have suffered a lot of pain and life just goes on の部分は、you have suffered a lot of pain という後から説明するパターン③の文と、life just goes on というパターン①の文が続いて、長い文を作っているわけです。

　さて、このパターン①の述部 V に使えるのは、「自動詞」と分類される動詞だけ！ つまり目的語を必要としない動詞なので、「〜が〜する」という文を作ることができるのです。では自動詞・他動詞を少し見てみましょう。

（自）　私たちは**集まった**　　　　We **gathered** together.
（他）　私たちは ゴミを **集めた**　　We **gathered** [collected] garbage .
（自）　コマが**回る**　　　　　　　The top **spins**.
（他）　 コマを **回す**　　　　　　　I **spin** the top .

　まずは日本語で自動詞・他動詞 の違いをつかんでもらい、英語では同じ単語でも、自動詞にも他動詞にも使えるものが多いこともわかっていただきたいと思います。迷ったら、必ず辞書を引き確認しましょう！

　さて他動詞は「〜を」という目的語部分を必要とすることは、もうわかりましたね。ところが、「を」が「〜に」「〜へ」などに変わると、間違いやすくなるのです。

　例えば次の日本語を、すらすらと英語にできますか？

● 要注意他動詞クイズ
① 私は駅に着いた。（arrive と reach を使って 2 文）
② 彼が部屋に入ってきた。（come と enter を使って 2 文）
③ 日本は 4 つの主な島でできている。（consist と compose を使って 2 文）
④ 私たちはその問題について話し合った。（discuss を使って）
⑤ 市長は集まった市民に話しかけた。（address を使って）
⑥ 兄は母に似ている。（resemble を使って）
⑦ 私はその犬に近づいた。（approach を使って）
⑧ 人の気持ちを考えなくてはだめですよ。（consider を使って）
⑨ あのとき、彼女はそのことについて言ってました。（mention を使って）
⑩ 彼は彼女と結婚した。（marry を使って）

《　解答＆解説　》

①	I **arrived** at the station.	自
	I **reached** the station.	他
②	He **came** into the room.	自
	He **entered** the room.	他
③	Japan **consists** of four main islands.	自
	Four main islands **compose** the Japan archipelago.	他
④	We **discussed** the issue.	他
⑤	The mayor **addressed** the citizens.	他
⑥	My brother **resembles** my mother.	他
⑦	I **approached** the dog.	他・自
⑧	You have to **consider** others' feelings.	他・自
⑨	She **mentioned** it at that time.	他
⑩	He **married** her. / He **got married** to her.	他・自

　いかがですか？　①～③で並べてみるとよくわかるように、他動詞は前置詞なしで目的語を取れますが、自動詞は必ず前置詞を必要とするので、注意しましょう。また③の compose ですが、これはよく Japan **is composed [made up] of** four main islands. と受動態で用いられる動詞です。consist

30

は、自動詞なので受動態にはできません。間違って使わないように要注意！
　また⑦⑧⑩などに見られるように、他動詞・自動詞両方の機能を備えた動詞はたくさんあります。ですが、ここで問題にした⑦「〜に近づく」、⑧「〜について考える」という意味で使う場合、後に前置詞を続けて用いることはまずありません。
　では、もう一度重要なところだけを押さえておきますので、絶対忘れないように！

重要ポイント　①自動詞だけが前置詞を必要とする
　　　　　　　②自動詞は受動態にできない

　パターン①の英文を作る自動詞の重要ポイントです。ぜひ覚えてください。そして英文を作っていく際に、迷ったら必ず辞書で、自動詞だったか他動詞だったかチェックしましょう。英英辞書だと、『ロングマン現代英英辞典』がわかりやすいでしょう。自動詞（intransitive verb）は I、他動詞（transitive verb）は T で明記されています。

パターン②　これはペンです！
This is a pen. ＝ S ＋ V ＋ C

　出ました！　英語と言えば、私たちの時代は This is a pen. とか She is Susie. とかから習いはじめ、どんなに英語を知らない人も、「あなた、英語を勉強しているって？ This is a pen!」などと英語の代名詞のごとく使った、この表現。実はこれはパターン①の英文で、**S**（This）**V**（is）という、このまま終わってしまうにはあまりにも不自然、不安定な文を完全にする役割を持つ補語 **C**（a pen）を持ってきた文となっています。
　つまり、この **C** がなければ、パターン②の文は途中でいきなりブツッと切れた不完全な文となってしまうのです。そして、文を完成させ、主語の説明をしてくれるこの**補語 C は、当然ながら主語 S と同じもの**ということを、しっかり覚えておいてください。
　では、ここでパターン②に当てはまる英文を集めました。訳が正確にわかるかどうか確かめてください。

● 要注意パターン②の文型クイズ

① You look very happy today.
② I feel quite at home in England.
③ The leftover juice tasted very sour.
④ To teach someone English is to learn English yourself.
⑤ The incredibly talented writer remained very miserable all her life.

《 解答＆解説 》

① あなたは今日とても楽しそうだ。　**S**（you）= **C**（happy）
　　例えば **You look** at it happily. となると、「あなたはそれを楽しそうに見る」となり、パターン①になります。
② 私はイギリスでは、とてもくつろいだ気分になる。
　　I feel（quite）**at home**（in England）. で、**S** の I と、**C** の at home がイコールって変？　と思われるかもしれませんが、動詞 feel があるため、主語が「感じている」内容が補語になっているので、イコールだと解釈してください。
③ 残り物のジュースはかなり酸っぱかった。
　　（The leftover）**juice tasted**（very）**sour.** ジュース（**S**）= 酸っぱい（**C**）
④ 誰かに英語を教えることは、自分も学ぶことになる。
　　To teach is to learn. つまり To teach = to learn となっていることに注目！
⑤ そのすごい才能に恵まれたライターは、生涯不幸なままだった。
　　（The incredibly talented）**writer remained**（very）**miserable**（all her life）. ライター（**S**）= 不幸（**C**）

だいたいパターン②の形はわかりましたか？　さて、もう一度重要ポイントの確認です。

重要ポイント　パターン②では主語＝述部となる

パターン③　愛してる！
　I love you !　= S + V + O

中国語では我愛称、フランス語では……と、外国語を学ぶとき、これもまず誰もが覚えてしまう表現ではないでしょうか？　このI love you.は典型的なパターン③なのです。

　パターン③で重要なのは、目的語Oをしっかり理解することです。そして、パターン②はS＝Cでしたが、パターン③のI love you.では「私≠あなた」となっているように、S≠Oとなります。つまり主語と目的語はまったく別物であるわけです。

　では、いくつかパターン①〜③までの文型を並べた文を見ていただきます。どのパターンか、すぐわかりますか？

● 要注意パターン①〜③比較クイズ

① (a) I tasted the bread.
　(b) The bread tasted strange.
② (a) My mother sings merrily.
　(b) My mother sings merry songs.
③ (a) I put the book on the desk near the window.
　(b) The book on the desk near the window is yours.
④ (a) You have to eat to live.
　(b) You have to give the food to them so that they can live.
⑤ (a) I hear that many tourists visit this island every summer.
　(b) Many tourists come to this island every summer.

《　解答＆解説　》

① (a) パターン③　私はそのパンを少し食べてみた。　　I ≠ bread
　(b) パターン②　そのパンは変な味がした。　　bread ＝strange
② (a) パターン①　母は楽しそうに歌う。　　My **mother sings** merrily.
　(b) パターン③　母は楽しい歌を歌う。　　mother ≠ merry songs
③ (a) パターン③　窓のそばの机にその本を置いた。　　I ≠ book
　(b) パターン②　窓のそばの机にある本は君のだ。　　book ＝ yours
　　　　　　　＊be動詞がつなぐものはイコールなのです！
④ (a) パターン①　生きるために食べなくては。

1 アウトラインを作る

(b) パターン③　　**You**（have to）**eat**（to live）.
　(b) パターン③　　彼らに食べ物をあげなくては。そうすれば彼らは生きられる。　you ≠ food
⑤ (a) パターン③　　大勢の観光客が夏になるとこの島に来るそうだ。
　　　　　　　　　　I hear that（many 〜）　I ≠ that
　　(b) パターン①　　大勢の観光客が夏になるとこの島に来る。
　　　　　　　　　　（Many）tourists come to（this island every summer）.

　さぁ、だいたいパターンの見分け方、慣れてきましたか？　パターンを見分ける場合、前置詞から先はパターン分析の対象外にしていいのです。

|重要ポイント|　パターン③では S ≠ O となる

　さて、残すはあと2つ。最後の2つは似ているので、まとめて面倒みてしまいましょう！　そして、この2つをしっかり理解してしまうと英文パターンがよくわかり、読む場合も書く場合も楽になります。頑張りましょう！

パターン④　英語を手ほどきしましょう
|I will teach you English.|　＝ S ＋ V ＋ O ＋ O
パターン⑤　英語の教師にしてみせましょう
|I will make you an English teacher.|　＝ S ＋ V ＋ O ＋ C

　さて、いかがですか？　パターン④では英語を教えて、パターン⑤では、英語を教えることができるまでに育て上げましょう！　というわけです。
　まずはパターン④を見てください。**S** と **V** の I（will）teach まではいいですね。「私は教える（教えましょう）」と言い、次に「あなたに英語を」と続いています。ここでは「あなた」という目的語 **O** と、もう1つ「英語」という目的語 **O** の、2つの **O** が続いています。この2つの目的語の間にはいつも **O** ≠ **O** という関係が成立します。
　ではパターン⑤を見てください。これも I will make の **SV** まではいいですね。直訳すれば「私は作る」と言っているわけです。ところが次に you an English teacher と続いていますので、「あなた」を「英語の教師」に作る、つ

まり「英語の教師にする（育て上げる）」と言っています。ここは you が目的語 **O** で、an English teacher は、you の補語 **C** となります。ここではいつも **O**=**C** という関係が成立するのです。補語 **C**（complement）は、**O** に欠けているものを補ってよりよいものにする役割をするため、**C** の内容を表す、つまり **O**=**C** になってくるのです。

　だいたい、わかっていただけたと思います。では、少し問題を解いてみましょう。どのパターンの文型かをすっきり区別できて、意味がすらすらわかりますか？

● 全パターン比較クイズ

① (a) I will make you a drink.
　 (b) I will make my daughter a doctor.
② (a) The teacher kept all the students quiet during class.
　 (b) The teacher kept all the books on the shelf.
③ (a) My grandmother left me a fortune.
　 (b) My grandmother left for France early this month.
④ (a) His idea brought the company huge profits.
　 (b) His idea of expanding branches was a big success.
⑤ (a) After reading the book, I found it very intriguing.
　 (b) After reading the book, please return it to Ben.

《　解答＆解説　》

① (a) パターン④　飲み物を作ってあげよう。　you ≠ drink なので SVOO
　 (b) パターン⑤　娘は医者にする。　daughter =doctor なので SVOC
② (a) パターン⑤　その教師は生徒全員、授業中静かにさせておいた。
　　　　　　　　　all the students=quiet なので SVOC
　 (b) パターン③　その教師は本は全部棚に置いた。
　　　　　　　　　the teacher ≠ books　　SVO
③ (a) パターン④　祖母は私に遺産を残してくれた。
　　　　　　　　　me ≠ fortune　　SVOO

(b) パターン①　祖母は今月初めフランスへ旅立った。
　　　　　　　　（My）grandmother left for ～　　SV
④ (a) パターン④　彼のアイデアは会社に巨額の利益をもたらした。
　　　　　　　　the company ≠ huge profits　　SVOO
(b) パターン②　支店増設という彼のアイデアは大成功だった。His idea（of expanding branches）was a big success.
　　　　　　　　＊ be 動詞で結ばれているものはイコールでしたね！
　　　　　　　　SVC
⑤ (a) パターン⑤　読んでみて、その本は面白いと思った。
　　　　　　　　it（book）＝ intriguing　　SVOC
(b) パターン③　その本を読んだらベンに返しておいてください。
　　　　　　　　（you）return it　　you ≠ it　　SVO

　さぁ、これでひととおり、文型パターンを見ました。もう一度パターン④と⑤の重要ポイントを見ておきましょう。

|重要ポイント|　　パターン④は O ≠ O、パターン⑤は O = C になる

　英語はどんなに長く複雑そうに見える文も、全部この 5 パターンに分類できるのです。この 5 つのパターンが、いくつか組み合わさったり、倒置用法などで複雑な文に見えたりもするのですが、一部の本当に難解とされる作家をのぞいては、こういった文型をしっかりのみこんでおけば、あとは単語さえわかればかなり読めるようになります。読めるようになれば、次は読んだ表現を自分が使っていけばいいわけです。日頃からいい表現に出合ったり、「あ、こういう時はこう言えばいいのか！」と思ったことは、1 冊のノートにまとめておくようにしましょう。文章修業とは地道な作業なのです。
　さて文型以外にも、いくつかライティングに役立つ話を続けましょう。

4　英語はできる限り能動態・一般動詞で書く

　私たち日本人が英語で何かを書くと、「受動態が多い」「be 動詞が多い」とよく言われます。つまり全体的に SVC のパターン②の文型が多くなるようで

す。日本語が、「これは〜」「私が思いますことは〜」という具合に、be 動詞でつなぎたくなるような構造になっているからでしょう。

　例えば、「この知らせは、御社の浅井さんから伺いました」という英語を作る場合、私たちはついつい The news was broken by Ms. Asai of your company. としてしまいますが、ここで、能動態・一般動詞を使えないか、もう一度見直してみるように心がけると、自分のライティングに英語らしさを加えていくことができます。Ms. Asai of your company gave me the news. とか I heard the news from Ms. Asai. のようにすると、英語らしくなるのです。英語は、SVO 型、つまりパターン③の文型が多いのです。

　では、ここで少しだけ SVC のパターン②から、SVO のパターン③に変える練習をしておきましょう！　まずは日本語だけを見て（横に書いてある SVC 型の英語を隠して）自分で英語を作ってみてください。最初から SVO 型の英語ができれば、それが一番ですね！

● 日本語から英語へ！　SVC → SVO クイズ

1	私は上司に怒られてしまった。	**I was reprimanded** by the boss.
2	その提案は役員会で拒否された。	The proposal **was turned down** at the board meeting.
3	その話は昨日の新聞に出ていましたよ。	The story was **in** the newspaper yesterday.
4	次にどうすればいいか、誰にも教えてもらわなかったのですか？	Were you not **told what to do** next by anybody?
5	社長は社員全員から尊敬されております。	The president **is looked up to** by all the employees.
6	こういった傾向は、現在日本の若い人たちの間によく見られます。	That tendency **is often observed** among young people in Japan these days.
7	あの高価で機能満載のマウンテンバイクを盗まれたそうで、お気の毒に思っています。	I feel very sorry that you **had your mountain bike stolen** since it was expensive and feature-packed.

| 8 | 彼の言うことは良いことなのに、あまり誰も聞かないのです。 | Although he says good things, he **is not heard** by many people. |

いかがですか？ 全部文法的には正しいのですが、ちょっと手を加えることで、もっと英語らしい生き生きした文になります。

1. reprimand は通常 be reprimanded の形で使い、特にある程度権威ある人から叱られる場合に使いますので、上司から注意を受ける場合などはぴったりです。この 1 は、このままでも十分ですが、他に get を用いて、get scorched（かなりガミガミ怒られる感じが出てます）、get chewed out by 〜（〜に怒られる）、get yelled at for 〜（〜で怒られる）、get yelled at by 〜（〜に怒られる）、といった表現があります。そして 1 は、もちろん上司を主語にして、My boss got angry with me.（for を持ってきて、その原因を続けます。例えば、遅刻したのなら for being late. のように）としてもいいです。また例えば「準備不足のプレゼンテーションをしたために、上司に怒られた」と言う場合、My ill-prepared presentation incurred [faced] the wrath of my boss. とも言えます。
2. turn down は低下する、（音量などを）下げる、といった意味以外に「拒絶[却下]する」でもよく使われます。役員会を主語にして、The board meeting turned down the proposal. とすれば能動態になります。
3. 新聞や雑誌に出ている、という場合の前置詞は **in** を使いますので注意しましょう。ここは新聞を主語にして、The newspaper **carried the story** yesterday. とすれば能動態です。
4. イギリス人の友人が「〜に頼まれて電話しています」と言う場合に " I was told to call you by 〜" と言っていましたが、相手の口調があまり話しやすい感じではなかったため、友人はちょっと「うっ…」となりながら、言われたからかけてるのよ、という気持ちをこめて言ったそうなのです。そう言えば、ニュートラルな場合は "〜 told me to phone you." と言うことが多かったようです。詳しい調査をしていませんので、断言は避けたいところですが、もちろん「頼まれているから」ということで be told と受動態に

しても、口調が普通であれば嫌みな感じを与えることはありません。4も問題文の横にあるような受動態で述べても全然問題はないですよ。さて、これを Did nobody tell [Nobody told] you what to do next? とすれば能動態になります。

5. respect や admire という意味でよく使われる look up to です。能動態にすれば All the employees look up to the president. となります。

6. 「よく見られる」にも be commonly [frequently] found [seen] など、いろいろな言い方があります。6の問題文の横に出ている受動態の英文は、be 動詞が The tendency の次に出てきて、後ろにずらずらと単語が続いていますね。受動態や be 動詞を使うにしても、このように be 動詞を文の前の方に用いることで、スマートな英文になります。be 動詞までを「頭」の部分と考えますので、be 動詞が後ろの方に出てくる英文は、頭でっかちの文として嫌われてしまうのです。例えば 6 を That tendency among young people in Japan these days **is often observed**. としてしまうと頭でっかちの文となるわけです。

　さて、6はこのままでも十分ですが、受動態にするなら I often notice that tendency among young Japanese [people in Japan] these days. 専門家が言っているのであれば、Critics [Analysts / Experts] point out that tendency in young Japanese these days. としてもいいでしょう。

7. これは気の毒な話！　さて、この「盗まれる」という文を作る場合は要注意です。よく見られる間違いは「私は財布を盗まれた」と言いたくて I was stolen my purse. としてしまうことです。これだと私「が」（私という人が）盗まれたことになってしまいます。「〜された」ということを言いたい場合は **have ＋モノ＋ p.p.（過去分詞形）** で表しましょう。特に 7 のように被害を受けた場合は、get より have を使う方が多いようです。さて 7 も完璧な英文ですが、I heard someone stole your expensive and fully-featured mountain bike. I am very sorry. とすれば、have ＋モノ＋ p.p. を忘れてしまっても大丈夫！

8. 問題文の横に出ている英文は、少々直訳的ですね。これは、Although he says good things, [what he says is good としてもよいのです] people don't pay much attention to him. という具合に、あまり彼に対して注意を

向けない、とすればいいでしょう。

　以上、いろいろ注意したい点はたくさんありますが、本書の目的はプレゼンテーション表現集として皆さんに使っていただくことです。そこでできるだけいろいろな言い方を集め、その中で細かい話を盛り込むようにしました。では今からイントロダクション・ボディ・コンクルージョンを実際に見ていただきましょう。きっと皆さんが言いたいことに近い表現があるはずです。では、伝わるプレゼンテーションのために、頑張りましょう！

Chapter 2
イントロダクションの作り方

1　イントロダクションの作り方

　さて、これからいよいよ本格的にプレゼンテーションの原稿作りに取りかかりましょう！　原稿を作る場合、力がある人はいきなり英語で書き始めればいいのですが、あまり自信がない場合は、日本語で原稿を作っておきましょう。あとで誰かに英語をチェックしてもらう場合、自分が言いたかったことを残しておくと役に立つからです。

　と同時に**日本語で原稿を作る時から、英語にすればどうなるかを考えながら作る**ことが大切です。英語にすることを意識するだけでも、主語と述語が明確なわかりやすい日本語になり、英語を書く時の役に立つからです。英語はローコンテクスト言語 **low context** language と言われるように、主語や述語が明確で、言いたいことをクリアに言葉にし、文章中に盛り込みます。それにひきかえ日本語は世界でも有数のハイコンテクスト言語 **high context** language と言われるように、何を言いたいのかわかりにくい言語です。主語を省略し、「あれ」「それ」といった代名詞を多用することに始まり、全部言わなくても当然にわかるだろうという「察し」の文化も手伝って、一番大切なことを最後に言う傾向があります。英語と日本語の間にあるこういった大きな違いが、私たち日本人にとって、英語を使う場合の大きなネックとなっています。ですから日本語で下書きをする段階から、英語でどうなるかを考え、結論を先に言い、強い理由・サポートを考え、主語を明確にしていくだけでも英語の原稿を書く時に楽になってきます。

　さて、イントロダクションを作る際に大切なことは次の 2 点です。

> ① これから何を話すかを明確に述べる
> ② ボディで述べることは今は言わない

　「これから当社の新製品について話します」と言えば、①の何を話すか明確に述べることになりますが、例えば「新製品の特徴について 3 点お話しした

いと思います。それはまず……」と特徴を述べ出すと、すでにボディに入ってしまっていることになります。早く内容を伝えたい気持ちはわかりますが、イントロダクションには導入部分としての役割があるのですから、今はしっかりその役割に徹しましょう！

　46ページから、イントロダクション部分に使える表現パーツを載せておきますので、Chapter1 で紹介した英文の作り方を参考にしながら、パーツをどんどん使って、皆さんのプレゼンテーション原稿を作ってください。

2 イントロダクションの例 CD 1 CD 2

では、早速ここでイントロダクションのいい例を見ていただきましょう。Chapter1 でアウトラインを作ったグリーンソープについて、いよいよプレゼンテーションをしていくための導入部分となります。

> プレゼンテーション例
> **新商品を本社の上層部に伝える**　　　イントロダクション

アウトラインを作った時、イントロダクションでは次の3点を述べることにしました。
① 自己紹介
② 新製品を生み出すことになった背景
③ 新製品のどの点を特にこれから話すか、紹介する

では、この3点に基づいて作成したイントロダクションの例を見てください。

A good example of an introduction　使えるイントロダクション

おはようございます。本日当社が誇る新製品「グリーンソープ」のプレゼン役を仰せつかった貝渕大祐です。

この「グリーンソープ」は、皆さんもご存じのように、消費者からの声を参考③に、当社が誇る精鋭②開発チームが数週前に作り出した自慢の作品です。

Good morning, everybody. I am Daisuke Kaibuchi, and it is a great honor to be here. Today I would like to proudly present ① you our new product, "Green Soap."

As you already know, "Green Soap" was created by our hand-picked ② development team a couple of weeks ago. In fact, consumer feedback really contributed to the production ③ of

44

| 本日は、この「グリーンソープ」の特徴・長所を皆さんに知っていただき、本製品④を世に送り出す⑤ことで、わがグローバル社にどういった利益をもたらしてくれるかをお話しさせていただきます。 | "Green Soap."
　I'd like to introduce you to this brainchild ④ and let you know how beneficial it will be for our company, (Global Co.) once it hits the market ⑤. |

英語の解説

① proud と言えば「自慢する」と思い込んでいる人はとても多いですが、英語の **proud** は「それがあって幸せ！　それを所有できてラッキー！」という happy が基本になる単語です。気をつけましょう！　不自然になるので特に訳出していませんが「当社が誇る」「プレゼン役をおおせつかった」という部分に意味あいがでています。

② **hand-picked** は「選り抜きの」という意味。

③ 消費者の意見に基づいて、という日本語どおりに英語にすれば Green Soap was created based on consumers' opinions. とすることもできます。ここでは、「消費者の意見が大いに役立った」という表現になっています。

④ 製品＝ product という同じ単語や表現の繰り返しは、英語では嫌うので、**brainchild**（頭脳の副産物）という別の表現を使っています。こういった言い換え表現は類語辞典を見て探しますが、見つけた単語が本当に正しいか、必ずもう一度英英辞書でチェックを入れることが大切です。

⑤ **hit the market** は市場に出る、商品化するという重要イディオム。「世に送り出す」とは、つまり商品として売り出すことなので、この表現を使いました。ここを日本語どおりに send our product to the world としても、意味がわかりません。日本語の単語を英語に置き換えて英文を作ろうとするのでなく、**意味をつかんで内容を英語で表す**よう注意しましょう！　英作する時、皆さんは、和英辞書を使用されると思いますが、そのままのみにして使ってはだめです。必ず英英辞書を引いてその使い方が正しいか、あるいは自分がイメージしている単語であるかをきっちり調べることが、直訳でわけのわからない英語から脱出するためには必要不可欠です。

3 使える表現パーツ！ イントロ用

1. 最初の一声

皆さん、おはようございます［こんにちは／こんばんは］	Good morning [afternoon / evening], everybody [everyone].

□ 皆さん、おはようございます。本日はここ沖縄に集まり、皆さんにまたお目にかかれて大変うれしく存じます。
Good morning, everybody. It's <u>nice</u> [great] to be here in Okinawa and see you all again.

（メモ）これが一番無難な始まりのパターンです。Good morning ladies and gentlemen. という呼びかけは、フォーマルで大勢いる場に向きます。Hi, everyone. だと、社内や知っているメンバーだけで行うプレゼンテーション向きです。

ご列席の皆様	to all of you present here

□ ご列席の皆様、本日は参加いただき心からお礼申し上げます。
I'd like to express my heartfelt thanks **to all of you present here**.

2. 来ていただいたお礼を言うための表現

お越しいただきありがとうございます／来てくれて感謝している／心からお礼を言いたい	○ thank you for ○ be <u>happy</u> [glad] ○ appreciate ○ it is a great pleasure to ○ express one's sincerest gratitude

□ 本日はお越し（お集まり）いただきありがとうございます。
○ **Thank you（all）for** coming（today）.

- ○ I am [We are] very happy [glad] that you came (over) for my [our] presentation.
- ○ I appreciate your being here today.
- ○ I appreciate your presence [appearance] today.
- ○ It is a great pleasure to have you here today.
- ○ We would like to thank you for your time today.
- ○ I want to thank you for joining us today.

メモ みな同じように使ってください。細かい訳を考えれば、最後の2つの例文は「お礼を申し上げたい」という言葉が入っていますが、どれも「来てくださってありがとう！」という気持ちを伝えることのできる表現です。

☐ お越しいただきありがとうございます。
We would like to **express our sincerest gratitude** to you for coming today.

メモ これも同じく「来てくれてありがとう」という表現ですが、感謝する人の前に **to**、感謝する内容は **for** を使って表す点に注意してください。

時間をいただき感謝している	○ thank you for taking (the) time to ～ ○ thank you for taking (the) time for ～
忙しい中から時間をさいていただき	○ out of your (busy) schedule ○ from your (busy) schedule
急な連絡	○ short notice

☐ お越しいただき、大変感謝しております。
- ○ Thank you for **taking (the) time to** come here.
- ○ Thank you for **taking (the) time for** coming to this meeting.
- ○ Thank you for **taking (the) time for** this presentation.

メモ to の後には動詞を続け、for の後には名詞・動名詞を続けましょう。

☐ 忙しい中お越しいただき、大変感謝しております。
- ○ Thank you for taking time **from your busy schedule** to visit us.

○ Thank you for taking time **out of your schedule** for this meeting.

☐ 本日は急にもかかわらず、お集まりいただき感謝しております。
Thank you for coming on such **short notice.**

3. 紹介するための表現

紹介させてください	○ let me introduce ○ let me talk about ○ allow me to introduce

☐ 自己紹介をさせてください。
Please **let me introduce** myself（to you）.

☐ 私の上司を紹介させてください。
Please **let me introduce** my boss to you.

☐ 私が現在かかわっておりますプロジェクトについて紹介させてください。
Let me talk about the project I am engaged in now.

【メモ】 talk about は「〜について話す」ということですが、そう日本語にとらわれなくてもよいわけです。皆さんにお話しするということは、ご紹介することになりますね。

☐ 当社の紹介をさせてください。
○ Please **let me introduce** our company（to you）.
○ Please **let me talk about** who we are .
○ **Allow me to introduce** our company.

【メモ】 「当社」で our company の代わりに who we are を使っています。私たちがどういう人物か、つまり何をしているか＝どんな会社かということです。

紹介ありがとう	○ thank you for the introduction ○ appreciate your kind words

- [ ] 紹介していただきありがとうございました、佐藤さん。
  - ○ **Thank you**, Ms. Sato, **for the introduction**.
  - ○ I **appreciate your kind words**, Ms. Sato.

- [ ] ご紹介にあずかり大変うれしく思います。
  I am very flattered by the introduction.

  メモ ほめてもらった場合は be flattered を使って素直に喜ぶのもいいものです。

ご紹介いただきましたように	as introduced,

- [ ] ご紹介いただきましたように、私は長年このプロジェクトに参画してまいりました。
  As introduced, I have been engaged in this project for years.

  メモ 「当社は」と言いたい場合は I を we に変えるだけで OK。例えば「当社は環境にやさしい商品作りをしております」だと We have been producing eco-friendly products. となります。

A 社の B と申します	○ B of ［from］ A ○ B has been working for A ○ B is with A

- [ ] 私はアース社の貝渕大介と申します。
  - ○ I am Daisuke Kaibuchi **of ［from］** Earth Corporation.
  - ○ I am Daisuke Kaibuchi and I **have been working for** Earth Corporation.
  - ○ My name is Daisuke Kaibuchi. I **am with** Earth Corporation.

- [ ] 私はアース社企画部の貝渕大介と申します。本日の司会を務めさせていただきます。
  - ○ My name is Daisuke Kaibuchi. I **am with** the Planning Department of Earth Corporation. I'm going to be your emcee for today.

メモ 司会は an emcee［emsi:］、a master of ceremonies という言い方ができます。

☐ 私はアース社の貝渕大介と申します。本日のプレゼンテーションを務めさせていただきます。
My name is Daisuke Kaibuchi **from** Earth Corporation and I'm going to <u>make</u>［give］a presentation today.

A 社に〜以上勤務している	○ have been with A for more than 〜 ○ have been working <u>for</u>［at］A for more than 〜

☐ 私は波平出版に 10 年以上勤務しています。
I have been with Namihei Publishing **for more than** 10 years.

☐ 彼はアース社に 15 年以上勤務しています。
He **has been working** <u>**for**</u>［**at**］Earth Co. **for more than** 15 years.

〜に所属している	○ belong to ○ be <u>on</u>［with / in］ ○ member of ○ be affiliated with

☐ 私は企画部に所属しています。
I **belong to** the planning division.

メモ 部署の英語での言い方は、会社によって異なる場合がよくあります。日本語でも同じような仕事をしている部署なのに異なった呼び方をするのと同じです。本書でも巻末によく使われる名称を紹介していますので、参考にしてください。

☐ 私はこの会社に 10 年所属しております。
I have **been with** this company for ten years.

☐ 彼女は委員会に所属しています。
She **is on** the committee.

□ 当社はマーケティングに従事しております。
　We **are in** marketing.

メモ　全部「所属する」系統の表現で、with が会社に勤めているという感じに一番近く、on はメンバーであることを表現するのによく使い、in はその分野に関係していることを表現しています。また「彼は海軍に所属している」で He is in the Navy. のように使ったりします。

□ 私はこの会社のコンサルタントとして合併後も残ることにしました。
　I have decided to remain **affiliated with** this company as a consultant even after the merger.

メモ　The research center is affiliated to [with] the university.（その研究所は大学付属だ）のように「〜と関係がある、〜に所属している」という意味で使われます。特に専門的な職業を持った人が be affiliated with a company [an organization] となっていれば、その人は正式にその会社や組織と提携している、関連がある、ということです。

〜を担当しております	○ be assigned to ○ be responsible for ○ take charge of ○ in charge of
責任者（リーダー）として担当している場合	○ be head of

□ 私はこのたびニューヨーク本社に配属が決まり、来年の春からあちらへ行くことになりました。
　I have **been assigned to** the head office in New York and I am scheduled to go there next spring.

メモ　be assigned to は同じ仕事を割り当てられるにしても、どこかに派遣されたり送られたりする意味合いが強くなります。またここは I have been という現在完了形を使っていますが、これはつい最近決まって、まだ知らない人もいる場合などに、ニュースの新鮮さを出すために使っています。少し落ち着いたら I was assigned と過去形で使ってください。

☐ 私は、経営合理化について研究し提案申し上げる担当をしております。
I **am responsible for** research on downsizing [operation efficiency / rationalization of business operations] and for offering our know-how to businesses.

メモ 「経営合理化」はいろいろな言い方があります。streamline という単語もありますが、これは動詞ですので、I **am responsible for** streamlining operations and offering our know-how to businesses. のように使ってください。

☐ 彼女が、新しいプロジェクトの担当者になった佐藤さんです。
She is Ms. Sato, and she has **taken charge of** the new project.

☐ 浅井さんが今回の新製品開発担当者です。
Mr. Asai is **in charge of** the new product's development this time.

☐ 新製品開発担当者は浅井さんです。
The person (who is) **in charge of** the new product's development is Mr. Asai.

☐ 私がこのチームの責任者です。不都合な点があれば私に何でもおっしゃってください。
I **am head of** this team, so if you have any problems, please feel free to talk to me.

メモ head of a company だと社長になりますが、このように team などを持ってくるとそのグループの長となります。

～をしている	○ be
	○ be engaged in
	○ be in charge of
	○ be responsible for
～を引き継ぐ	○ take over the responsibility for ～

☐ 私は講師をしております。
 ○ I **am** a lecturer.

○ I have **been engaged in** teaching.

□ 金融アナリストの浅井陽子と申します。
I **am** Yoko Asai, a financial analyst.

メモ （職業名）をしている〜（名前）と申します、と言いたい場合はこのように、名前を述べて職業名を続ければ OK。

□ 私は岡山支店の主任アナリスト、浅井智子と申します。
I **am** Tomoko Asai, chief analyst at the Okayama branch.

メモ 職種（アナリストやライターなど）を言う場合は an analyst や a writer のように不定冠詞 a をつけますが、肩書き（主任や部長）の場合、冠詞はつけません。

□ いくつかの企業で 2000 年からプログラマーとして仕事をしました。
I have **been** a programmer for different companies since 2000.

□ アース社の研究開発部門で、長年消費者志向の商品開発に従事しております。
I have **been engaged in** consumer-oriented product development at the R&D division of Earth Corporation for many years.

□ 過去（ここ）3 年間、東京支社の責任者をしておりました。
○ For the last three years, I have **been in charge of** the Tokyo office.
○ I have **been responsible for** the Tokyo office for the past three years.

□ 新しく部長になりました浅井陽子です。前部長の貝渕大祐さんから当部を引き継いだところです。
My name is Yoko Asai, and I am the new director. I have just **taken over the responsibility** for this department from the former director, Mr. Daisuke Kaibuchi.

メモ この文では new director、former director は人名についている役職でなく、新しい部長、前の部長という地位を表しているため、the がついています。

代表として	as the representative

☐ 私は商品開発部の代表として来ました。
I have come here **as the representative** of the product development department.

横におりますのは	next to me is

☐ チーフプログラマーの浅井智子と申します。私の横におりますのは助手の波平です。
My name is Tomoko Asai, chief programmer. Standing **next to me is** my assistant, Namihei.

メモ standing の代わりに、The person next to me と紹介しても OK。

～をご紹介いたします／～をご紹介させていただきます	○ let me introduce you to ○ it is a great pleasure to introduce ○ I would like to introduce you to ○ what I would like to introduce you to is

☐ 本日は私たちの新製品、スーパープリンターをご紹介させていただきます。
Today, **it is a great pleasure to introduce you to** our new product, Super Printer.

☐ 皆様にお目にかけたいのは、特にスピードアップと小型化に成功した新製品、スーパープリンターです。
What I would like to introduce you to is our new product, Super Printer, with which we succeeded in speeding up and making smaller.

メモ introduce の正確な用法は、大きく分けて 3 つあります。
① **introduce**+モノ 「導入する」「取り入れる」という意味合い。
 ＊ The government introduced some countermeasures.（政府は対処策を導入した）＊ Buddhism was introduced into Japan in the sixth century.（仏教は 6 世紀に日本に入ってきた）

② **introduce 人 to モノ**　「モノを披露して、人がそのモノのことを知ったり経験したりできるようにする」という意味合いで、ここで使ったプレゼンテーション用の例文もまさしくこの②に当てはまる。＊I would like to introduce you to the miracle world of art.（芸術の素晴らしい世界へとお連れします）

③ **introduce 人 to 人 = introduce two people**　皆さんもよくご存じの「人と人を紹介する」という意味で、一般に面と向かって紹介する場合に使います。

4. プレゼンテーションの目的を伝えるための表現

ご存じのように／お聞き及びとは思いますが	○ as (some of/many of) you (already) know, 〜 ○ as you (probably) heard , 〜

□ ご存じのように、社長が昨日名古屋支店を閉じることを発表しました。
　As you already know, our president broke the news that the Nagoya branch was to be closed down.

　メモ　break the news でニュースを伝える、という意味がありますが、この場合たいてい悪いニュースであることがほとんど。注意して使おう！

□ お聞き及びとは思いますが、資本金500万円で事業を始めた当社が、ついに上半期で10億円の売上高にまで伸びました。
　As you probably heard, this company started business with five million yen in capital and now our sales have increased to a billion yen for the first half year.

　メモ　with 〜 in capital（資本金〜で）なども、ぜひ覚えて使ってください。

本日ここに参りました理由は	○ the reason I'm here today is ○ I'm here (today) to 〜 ○ I'm here (today) to talk about

□ 本日ここに参りました理由は、新型を皆さんに紹介するためです。
　And the reason I'm here today is to introduce the new model to you.

☐ 私たちの商品開発研究についてお知らせするために参りました。
I'm here to present our research on product development.

私の本日の話の目的は	the purpose of my talk today is

☐ 私の本日の話の目的は、オクラホマにある開発部門についてお話しすることです。
The purpose of my talk today is to tell you about the development department in Oklahoma.

～についてお話ししたいと思います	○ I would like to talk [tell you] about ～ ○ I would like to cover ～ ○ let me tell you about ～ ○ I would like to present ～ ○ my presentation will deal with ～ ○ I would like to select, as the subject of my lecture, ～

☐ 本日は私たちの長年にわたる領土問題の進展について全部お話ししたいと思います。
Today **I would like to** cover all the development in the long-standing territorial issue.

（メモ） cover は deal with や include、つまり「取り上げる」「講義する」の意味で使われています。例えば The lecturer covered a lot of key points in the last seminar.（あの講師は、この前のセミナーで多くの重要点を講義した）のように使えます。

☐ もっと効率的な販売促進キャンペーンについてお話ししたいと思います。
Let me tell you about a more efficient sales promotion campaign.

☐ 私が行っている研究経過についてお話ししたいと存じます。
I would like to present the progress of the study which I have been conducting.

☐ 私がこれまでに実施してきた実験の経過を、お話ししたいと思います。

My presentation will deal with the progress in the experiment which I have been carrying out.

☐ 本日は、皆さんに創立した年から現在までの当社の歩みについてお話ししたいと思います。
I would like to select, as the subject of my lecture, the information about the company's growth from the year the company was established to present.

> **メモ**　文字どおり訳せば「話のテーマとして選びたいのは」という切り出しになっています。「過去から現在まで」はよく from past to present という表現が用いられます。

特に、～について話します	○ in particular I am going to talk about ～ ○ I would like to focus on

☐ 特に成功に欠かせない3つの重大要素についてお話ししたいと思います。
In particular I am going to talk about the three key ingredients of success.

☐ 特に、売り上げの急激な落ち込みとその理由、対処策についてお話ししたいと思います。
I would like to focus on the sudden slump in sales, what caused the slump, and possible countermeasures.

本日は～についてご報告いたします	○ in my presentation today, I'm going to report on [about] ～ ○ today I'm going to report ～
本日は～についてお話しします	○ in my presentation today I am going to [will] show (you) ～

☐ 本日は、私がこの数年かかわってきました欧州のソフトウェア市場調査についてご報告いたします。
In my presentation today, I'm going to report on the European

software marketing research I have been engaged in for the past few years.

- [ ] 本日は、私たちの長年にわたる調査の結果についてお話しします。
  Today I am going to report the results of the research we have been conducting over the years.

- [ ] 本日は、当社の最新ソフトが皆様のニーズにいかにぴったり合うか、お話ししたいと思います。
  In my presentation today I will show our latest software and how it is ideally suited to your needs.

- [ ] 本日は、当社の製品が御社の事務をいかに合理化できるかについてお話しします。
  In my presentation today I am going to show you how our product will streamline your clerical work.

本日ここに集まったのは	○ today we are（all）here to ○ today we have all gathered here to

- [ ] 本日ここに集まったのは、既存の服装規定を見直すためです。
  Today we are all here to rethink the present dress code.

～の背景をお話ししたいと思います	I'd like to give you the background to

- [ ] 本日は、この現在の問題にある背景についてお話ししたいと思います。
  Today I'd like to give you the background to the current troubles.

～を提案したいと思います	I'd like to propose

- [ ] 工場移転に伴う問題の解決策を提案したいと思います。
  I'd like to propose some solutions to the problems caused by the relocation of the plant.

～を検討したいと思います	I'd like to consider［go through / examine / go into］～

☐ 本日は上半期の実績について検討したいと思います。
Today, **I would like to go through** the performance of the first half of the year .

メモ　go through は特に1つ1つ順を追って検討していくような場合にぴったりです。上半期という言い方は他に the first half、the first half year など。

5. スムーズな出だし

まず～についてご説明します	○ I'll ［I would like to］ start by explaining ［reviewing］ ～
最初に～について簡単にご説明申し上げます	○ first, I would like to briefly explain ～

☐ まず第1四半期の販売実績についてご説明します。
I'll start by explaining the sales results of the first quarter (of the year).

☐ まずはこの問題に関する状況を再検討し、それから分析していきましょう。
I'll start by reviewing the situation concerning this issue and then move on to a full analysis.

☐ 最初に、私たちがこの新製品をどのようにして開発したかを簡単にご説明したいと思います。
First, I would like to briefly explain how we developed this new product.

簡単に説明する	○ explain briefly
詳しく説明する	○ explain ～ in (more) detail
要約して説明する	○ give a summary of

☐ お手元にさしあげたテキストの順序で、このシステムについて簡単にご説明させていただきます。

2 イントロダクションの作り方

Let me **explain briefly** the system according to the lines indicated in the text you have received.

☐ 当社が力を注いできました、書籍や CD-ROM、DVD などによる教育ソフトについて詳しくご説明します。
I would like to **explain** our educational software such as texts, CD-ROMs, and DVDs **in detail**（to you）.

☐ では、問題点と解決方法について、要約してご説明しましょう。
Now I would like to **give** you **a summary of** the problem and solutions.

では〜から見ていきましょう	○ start by looking at 〜 ○ start by reviewing 〜

☐ では現在の状況から見ていきましょう。
Let us **start by looking at** the present situation.

（メ モ）　let us は let's にしてもかまいませんが、let us の方が改まった感じが出ます。

☐ では、当社がこの 10 年間で作った商品をまとめた配布資料を見ていただきましょう。
Now I'd like to **start by reviewing** the handout about the products we have manufactured over the last ten years.

〜から始めさせていただきます	○ I would like to start（my presentation）by 〜 ○ first, I would like to say a few words about 〜 ○ first, I would like to share（with you）〜 ○ let me begin by

☐ まずは、わが社の業績を検討することから始めさせていただきます。
I would like to start（my presentation）**by** reviewing our performance.

- [ ] まずは、お手元の資料をごらんいただけますでしょうか。
  First, I would like to start by asking you to look at the handout you have.

- [ ] まずは、わがチームの方針について少しご説明させてください。
  First, I'd like to say a few words about our team's policy.

- [ ] 最初に、私がこの課題に興味を持った理由をお話ししたいと思います。
  ○ **First, I'd like to share with you** how I became interested in this subject.
  ○ **Let me begin by** sharing the reason why I became interested in this subject.

> **メモ** 全部「〜から始めさせていただきます」ということなのですが、上記のように少しずつニュアンスは違います。例文を参考にして、ぜひ自分のプレゼンテーションに最適の表現を使ってください。

6. 全体の流れを説明する

3部に分ける／3点について話す	○ divide 〜 into three（main）parts ○ talk about three points

- [ ] 私のプレゼンテーションは3部に分かれております。＝大きく3部に分けました
  I have **divided** my presentation **into three (main) parts**.

- [ ] 3つの主な分野についてお話しします。
  I'm going to **talk about three main fields** [areas].

話したい項目は	items［issues / topics / subjects］（I'd like）to talk about

- [ ] 本日話し合いたい項目は3点あります。
  ○ There are three **items** [issues / topics / subjects] **I'd like to talk about** today.

2 イントロダクションの作り方

○ I have three **issues to talk about** today.

メモ I'd like to talk about の部分は I'd like to tell you about、I'd like to discuss、I'd like to state、I'd like to report on、I'd like to point out など、いろいろ変えて使ってください。

初めに（第1に）……、次に（第2に）……、最後に……	○ I'll talk about ～ first, then ～, and finish with ～ ○ First ～. Second [next / then]. And finally [lastly] ～. ○ I'll start ～, next [then]～, and finally [lastly] ～.

□ 初めに現状をお知らせし、次に対策方法、最後にどのような効果があるかをお話ししたいと思います。
First, I would like to show you the current situation. **Second,** I will present our counter measures, **and finally**, I'll talk about what effects you can expect.

□ まずわが社の歴史について、次にわが社の方針をご説明し、その後わが社が直面している問題点、そして最後に対処策をお話しさせていただきます。
I'll start by explaining the history of our company. **Next**, I'll explain our policy, **then** I will tell you about the problems we are facing. **And finally**, I'll focus on some countermeasures we should be taking.

□ 最初に、当社のマーケティング戦略の簡単な背景、次に東欧市場の概略、最後に東欧市場における当社の見通しをお話ししましょう。
First, I'll give you a brief background of our marketing strategies. **Next**, I'll outline the eastern Europe market. **And finally**, I'll talk about the possibilities [prospects] of marketing in the eastern Europe.

□ 工場での製造過程から始め、それから国内外における主な市場、そして最後に、新しい流通方法についてお話ししたいと思います。
I'll start with the production process in the factory. **Then**, I'll move on to our main markets both home and abroad. **And lastly**, I'll describe new distribution methods.

☐ 最初に当社の概略をご紹介いたします。次に、当社の方針を詳細にわたりご説明申し上げます。
First, I will give you an outline of our company. **Then**, I will cover the details of our company's policy [I will talk about the company's policy in detail].

メモ 「詳細」には in detail、at length、minutely、fully、in full などがあり、「詳細に述べる」「詳細にわたる」は go [enter] into detail [particulars]、give a full account of、relate in detail、detail the particulars of などがあります。

☐ 最初に新製品について簡単に説明し、それから、コメントをいただきたいと思います。
I would like to **first** briefly explain [present] the new product. **Following this**, I would like to welcome comments from you [I would like your comments].

☐ 私のプレゼンテーションの初めは、昨年の業績、そして 2 番目に本年度の見通しに焦点を当てたいと思います。
The first part of my presentation will cover last year's performance, **and the second part** will focus on this year's prospects.

メモ このようにイントロで、何を話すかを述べておくと、聞き手は何を聞かされるのかよくわかり、話に入っていきやすくなります。

(時間が) かかる	take / last for

☐ 私の話は、1 時間ほどかかります。
 ○ My speech will **take** about one hour.
 ○ I'll only **take** about an hour.

☐ 私のプレゼンは、およそ 90 分になります。
My presentation will **last for** about ninety minutes.

メモ 1 時間半は an hour and a half と one and a half hours で表しますが、『英辞郎』によれば an hour and a half の方がよく使われる（ネイティブは好

んで使う）そうです。

7．本格的な話に移る前に・ボディへのつなぎ

〜する前に	○ before moving on ［onto］ ○ before I ［we］ begin

□ 本論に入る前に、この研究に関する政治的・経済的背景についてご説明したいと思います。
Before moving onto the main subject, let me explain the political and economic background of this research.

□ 次に移る前に、私がこの分野に興味を持った理由をお話ししたいと思います。
Before moving on, I'd like to share the reasons why I got into this field.

□ 始める前に、ご質問はありますか？
Before I begin, do you have any questions?

□ 始める前に、質問をさせてください。
Before I begin, let me ask you a question.

□ 本日の議題に移る前に、お手元に資料がそろっているかご確認ください。
Before we move onto today's meeting agenda, make sure you have all the handouts（needed）for the presentation.

〜に入る／移る	○ enter ○ move onto ［on to］ ○ go onto ［on to］

□ では、これから議論の主題に入りたいと思います。
Now, let us **enter** the main subject of discussion.

□ では、わが社の新ソフトが、いかに御社のニーズに合っているかについてのご説明に移りたいと思います。

I would like to **move on to** how our new software perfectly meets your needs.

☐ ご質問がなければ、次の議題へ移りたいと存じます。
If you don't have any questions, I would like to **go on to** the next subject of the agenda.

8. 質問について

質問をお待ちいただければ	if you held your questions

☐ 今日は盛りだくさんですので、ご質問は話の最後までお待ちいただければ幸いです。
We have a lot to cover today, so I'd be grateful **if you held your questions** until the end of my presentation.

メモ　「盛りだくさん」＝話をすることがたくさんある、ということで、we have a lot to cover という表現になっています。hold your question は質問を持っておくということで、if に続けて if you held [if you could hold] 〜で「持っていただけたら」という丁寧さを出しています。

質問と討議の時間 質疑応答	○ time for questions and a discussion ○ question (s) and answer (s)
質疑応答（の）時間	○ discussion [question] period ○ question-and-answer period ○ question-and-answer session ○ time for questions and answers

☐ 私の話の最後に、質疑応答の時間があります。
　○ There will be **time for questions and answers** at the end of my presentation.
　○ We'll have **a question-and-answer session** at the end.

もしご質問があれば／何かご質問	if you have any questions

があれば	

- □ もしご質問があれば、いつでもご自由に話をとめてください。
  If you have any questions, feel free to interrupt me at any time.

- □ 何かご質問があれば、手をあげてください。
  Please raise your hand **if you have any questions**.

- □ 何かご質問があれば、いつでも聞いてください。
  Please ask me anytime **if you have any questions**.

- □ どなたかご質問はございますか？
  Does anyone **have any questions**?

- □ 他にご質問がございますか？　ありませんか？
  Are there **any** more **questions**?　No?

皆さんのご質問に喜んでお答えします	I'll ［I would］ be happy to answer your ［any］ questions.

- □ プレゼンテーションの最後に、皆さんのご質問に喜んでお答えします。
  I'll be happy to answer your questions at the end of my presentation.

- □ プレゼンテーションの終わりに、ご質問には喜んでお答えします。では最初のポイントから始めさせていただきます。
  Please note that **I would be happy to answer any questions** at the end of my presentation. Now, I would like to start with my first point.

9．設備・相手の状態などに関する表現

後ろの方 両端の方	○ everyone in the back ○ everyone on both sides

- □ 後ろの方、OHP がはっきり見えますか？
  Can **everyone in the back** see the overhead projector clearly?

□ 後ろの方、聞こえますか?
　Can **everyone in the back** hear me well?

□ 両端の方、ホワイトボードの字がはっきりと見えますか?
　Can **everyone on both sides** see the letters on the whiteboard clearly?

メモ　everyone の代わりに you を使ってもいいですが、その場合はアイコンタクトを取り、多くても 2～3 名に語りかけている感じになります。everyone の方が不特定多数の感じが強くなります。

わかりやすくする	make ～ easier to understand

□ 私のプレゼンテーションをわかりやすくするため、パワーポイントで作成した資料と DVD を使います。
　In order to **make** my presentation **easier to understand**, I will use the Power Point material and DVD.

見えにくい	not clear to see

□ 画面の両端が見えにくくて申し訳ありません。
　I'm sorry, but both sides of the screen may **not** be **clear** enough **to see**.

メモ　文字などが見にくい場合は see の代わりに read としても OK。

（電気などを）つける 消す （電気・音量などを）落とす／下げる	○ turn ～ on ○ turn ～ off ○ turn ～ down

□ 電気を消していただけますか?
　Would you please **turn** the lights **off**?

□ スイッチをつけていただけますか?
　Would you please **turn** the lights **on**?

□ ボリュームを下げていただけますか?

Could you please **turn** the volume **down**?

10. 問いかけることで聞き手の心をつかむ

始める前に、**1** つ伺います	Before we begin, let me ask you a question.

☐ 始める前に1つ伺いましょう。どなたか、この数字が何を表すか、ご存じの方いらっしゃいますか？
Before we begin, let me ask you a question. Does anyone know what this figure means?

〜についてお聞きになった方はいらっしゃいますか？ 〜について聞いたことがありますか？	○ Has anyone heard of [about / that] 〜？ ○ Have you heard of [about / that] 〜？

☐ どなたか、わが社の新製品についてお聞きになったことがある方はいらっしゃいますか？
Has anyone heard of [about] our new product?

（メモ） hear of A は、「A のことについて聞き知っているが、詳しくは知らない」という hear about （〜について聞いている）とは細かいニュアンスの違いはあるのですが、プレゼンテーションでここにあげた例文のような使い方をする場合はほぼ同じように使って OK です。ただし、hear that とする場合は that の後は文を持ってきますので、次のように使います。まずは、同じ日本語を表す場合でも英文は変わってくることを見てください。

☐ どなたか、わが社の新製品についてお聞きになったことがある方はいらっしゃいますか？
　○ **Has anyone heard that** we have announced our new product?
　○ **Has anyone heard that** our new product has hit the market?

☐ わが社の新製品が出たことをお聞きになりましたか？　では、わが社の新製品

がいかに皆さんのニーズに合うか、ご説明いたしましょう。
Have you heard that our new product has been placed on the market? Well, let me explain how this new product meets your demands perfectly.

〜はご存じでしたか？	Did you know that 〜 ?

□ この企業が現在急成長中で、株価も高騰していることをご存じでしたか？
Did you know that this company is rapidly growing and its stock prices are skyrocketing ?

メモ　「株価が高騰する」は他にも Stock prices soar. Their stock price went through the roof. など、いろいろな表現があります。逆に「下落する」は plummet や plunge、fall with no bottom（底なしに下落する）、free-fall、nosedive など、こちらもいろいろあります。

11. どういう利益があるかを伝え、聞き手の心をつかむための表現

このプレゼンテーションが終わる頃には	by the end of this presentation

□ 私の話が終わる頃には、この問題に対処するためにはどうすればいいか、はっきりわかります。
By the end of my presentation, you will get a clear picture [idea] of what to do in order to deal with this problem.

メモ　get a clear picture [idea] of の部分は understand very well としても OK。

□ このプレゼンテーションが終わる頃には、環境にやさしい商品開発にとって何が必要かということを完璧にご理解いただけることと思います。
By the end of my presentation, I hope you will thoroughly understand what is needed for the development of eco-friendly products.

☐ このプレゼンテーションが終わる頃には、私たちの組織が 21 世紀における世界平和にどれだけ貢献しているか、ご理解いただけることと思います。
By the end of my presentation, I'm sure you will understand [see] how much our organization has been contributing to world peace in the twenty-first century.

メモ our organization has のところは we have としても OK。

☐ このプレゼンテーションが終わる頃には、新しい製品の情報が十分お伝えでき、最先端技術に基づいた商品でありながら驚きの低価格であることに、ご納得いただけると確信しております。
By the end of my presentation, I am sure you will have enough information to understand that our new product is based on cutting-edge technology and it is still being offered at a world-beating price.

メモ 「最先端の」という表現には、他にも leading-edge、state-of-the-art、most-advanced など、いろいろあります。world-beating も「最新の」という意味で用いられますが、基本的には世界で一番、という意味合いが強い単語です。

肝心な部分は／ポイントは	the main point is

☐ 今日のポイントは、これからお話しする方法が本当にうまくいくということなのです。
My **main point** today **is** that the method I am going to tell you really works.

メモ work は一見簡単そうですが、奥の深い単語。ここでは successful、effective（効く、役立つ）という意味で使われています。Finally I've found a diet that really works!（ついに効果があるダイエットを見つけた！）のように使えます。

これは重要です、なぜなら〜 〜は重要です	○ this is important, because ○ it is important to 〜

☐ これは重要です、というのも御社の販売を本当に伸ばすからです。
This is important, because it will certainly boost your company's

sales.

☐ このシステムが御社の各部署にどう影響するかを、事前に理解しておくことは重要です。
It's important to understand in advance how this system affects your divisions.

私のプレゼンテーションを聞いていただくと	○ my presentation will give you ○ my presentation will help you

☐ 私のプレゼンテーションを聞いていただくと、問題の本質がわかりやすくなるでしょう。
My presentation will help you understand the nature of this issue.

☐ 私のプレゼンテーションを聞いていただくと、現代の教育の問題点と対処策が明確になります。早速明日からのクラス運営に応用していただける実践的ノウハウも、たくさんお伝えします。
My presentation will give you a clear vision of the present educational issues and countermeasures, and it will give you a lot of practical know-how [knowledge] that you can use immediately for running your class.

12. 聞き手の心をつかむ、その他の表現

● インパクトの強いニュースや数字で驚かせる

☐ 去年、日本での自殺者は3万人以上だったとニュースで言っていました。
According to the news story, more than thirty thousand people committed suicide last year in Japan.

☐ 社員が職場のパソコンから、私用でインターネットに接続することで、年間数千万円を超す損失を被る会社もあるそうです。
I read that companies can lose more than some ten million yen a year due to their employees' private use of the Internet.

● 最近の出来事や新聞記事などを取り上げて、親近感を持たせる

☐ 昨日の新聞に御社のことが載っていましたね。
　○ **I read the article** about your company in the paper yesterday.
　○ **There was an article** about your company in the paper yesterday.

☐ 最近、テレビで面白いドキュメンタリー番組を見ました。
　I saw an interesting documentary on TV recently.

☐ 最近、びっくりするような話をインターネットで読んだのですよ。
　○ **I read** a surprising story on the Internet recently.
　○ **I came across** some impressive stories on the Internet recently.

> **メモ**　「びっくりする」といっても、いい意味なのか悪い意味なのかによって選ぶ単語には注意しましょう。英語の surprising には「予期していない」「変わっている」「素晴らしい」といった意味合いがあります。似た意味の単語には amazing、remarkable、marvelous など。悪い意味なら shocking、dreadful、horrible、hideous などがあります。

● ニュースの話題から、自分たちの話へと導入する

☐ ニュースで言っていましたが、不況の昨今でも、健康・美容関係だけは元気だそうです。今日は、この不況にも強い分野で、効率よく利益を上げる方法についてお話ししたいと思います。
　The news I listened to the other day said that health fitness and cosmetic industries are doing a brisk business even under this recession. **So today I would like to talk about** an effective way of making profits in these markets.

> **メモ**　「元気」というのは、ここでは景気がいいということなので do a brisk business となっています。

● 同じような状況ですねと語りかけ、一体感・親近感を得る

☐ あの大雪で、一日中列車ダイヤが乱れ、私も仕事に支障をきたしました。皆さ

んはいかがでしたか？
Due to the heavy snow, trains did not run on schedule all day and interfered with my work. **How about you**?

□ 皆さんと同じように、今朝とても早起きをしました。濃いコーヒーのおかげで目が覚めました。皆さんは、コーヒーを飲んだり朝食を取ったりする時間がありますか？
Like all of you [Like most of you], I got up very early this morning. Strong coffee woke me up. Do you have enough time to enjoy coffee or breakfast in the morning?

> **メモ** 「皆さんと同じように」は like all of you（そこにいる人全員）でも like most of you（そこにいる人のほとんど）でもかまいません。どちらも聞き手に直接話しかけ、親しみを感じさせる呼びかけとなっています。

□ 皆さんも、私と同様、素晴らしい景色を見ながら食事を楽しまれたことと思います。国定公園に指定されている森林に囲まれた、この素晴らしい環境を次の世代に確実に残していくために、本日私は話をさせていただきます。
I hope you all enjoyed that wonderful meal and the great view as **much as I did**. This woody surrounding within the area designated as a quasi-national park has to be handed over to the following generations, and I am here today to talk about how.

● ことわざや人の言葉を引用して話に引き込む

□ ジェームズ・ケラーという人の言葉で直訳風に言えば「他のろうそくを明るく照らしたからといって、そのろうそくは何も失うものはない」という言葉がありますが、これは「情けは人のためならず」といいますか、自分が元気で輝くことで、人をも明るい気持ちにさせることができればよいではないか、という私なりの解釈をしております。
To quote James Keller: "A candle loses nothing by lighting another candle." I myself read his words in a saying, "One [A] good turn deserves another." I mean if my being energetic and willing makes someone happier, it would be wonderful.

> **メモ** 「情けは人のためならず」とは、良いことをしておけば自分に良い

2 イントロダクションの作り方

ことが起こる（情けを人にかけておけば自分もまた情けをかけてもらえる）という意味で、英語では他に次のような表現があります。
- He who gives to the poor, lends to the Lord.
- He that gives lends.
- Sympathy is not merely for others' sake.

ことわざで、プレゼンテーションに使えそうなものをコラムに集めてあります。ぜひ参考にして、スパイスのきいたプレゼンテーションにしてください。

● 気のきいたせりふなどを引用して、聞き手を引き込む

□ ジャーミーの引用です。「私たちは一生かけてさまざまな恩恵を楽しみはするが、奪われて初めて、それらの恩恵をありがたいと思えるようになる」
To quote Jami: 'We can spend a whole lifetime enjoying various benefits and not appreciate their value until we are deprived of them.'

メモ **To quote ＋人名**、という形でその人が言った（書いた）ことを引用すれば、という意味になります。**not ～ until** …は、「……まで～しない」＝「……して初めて～する」という意味のことを言いたい場合に、よく使われる構文です。ぜひ皆さんも活用してください。ジャーミーが言いたかったのは、いろいろありがたいことがいっぱいあるのに、なくなって初めてその価値に気がつくということです。ちなみに、ジャーミー（1414 ～ 1492）はイランの詩人です。

□ ジャックのセリフを引用します。「一日一日を大切に！」 ジャックとは誰かと申しますと、映画『タイタニック』でレオナルド・ディカプリオが演じた主要登場人物の１人です。
To quote Jack: 'Make each day count.' Who is Jack? He's one of the main characters portrayed by Leonardo DiCaprio in the movie "Titanic."

さて、いかがですか？ 皆さんが言いたいことや参考にしたいことは、ちゃんと見つかりましたか？ くどいようですが、あまり日本語にとらわれずに、「自分が言いたいのは、これだよ！」というところを英語で伝えるようにしましょう。さぁ、次はいよいよボディです。いいプレゼンテーションにしましょう！

Chapter 3
ボディの作り方

1　ボディの作り方

　さぁ、いよいよ本題です。ボディでは、自分が一番言いたいことを述べていくわけですが、ここで大切なのは次の2点です。

> ① キーアイデアを最初に述べる
> ② 的確で説得力あるサポートを続ける

　簡単そうで難しいこの2点。何しろ私たち日本人は何かを話す場合、ダイレクトに本題に入らず、禅問答のごとく、周辺から話していく傾向があります。なかなか「深み」があると言いますか、それはそれで日本語と日本人の特徴となっているわけですが、英語でプレゼンテーションする場合は、スパッと割り切りポイントを述べ、そのポイントをしっかりサポートしてください。ここでは早速見本となるボディを見ていただき、その中で解説しましょう。

　ボディで述べることは、アウトラインで決めたとおり、次の3点でした。
① コストパフォーマンス・品質がいかにすぐれているか
② 環境保護に貢献する安全な素材だけで製造できる
③ 会社のイメージアップになり、会社を繁栄させる

　それでは、この3点に基づき作成した、使えるボディの例を見てください。

2 ボディの見本

CD 3
CD 4

プレゼンテーション例
新商品を本社の上層部に伝えるボディ

A good example of a body　使えるボディ

では、グリーンソープの長所について述べていきます。

第 1 に、グリーンソープの素晴らしさとして強調したいことは①、**コストパフォーマンス**②とその品質の高さです。質の高い天然素材からだけで**製品化**③されたグリーンソープですが、同じような自然を**コンセプト**④とする他社の製品と比べて、約 2 分の 1 程度のコストで生産できるため、**市価の約 2 分の 1 から、3 分の 1 で**⑤**売る**ことが可能です。**無添加・無香料で**⑥、天然の素材からのみ作られたものは一般に、従来の石油を原料とする製品に比べ、平均的に 2 割から 5 割くらい高くなっています。**例えばパシフィック社の同じような石鹸は**⑦ 100 グラム 3000 円で販売されています。これは、あまりに安くては、製品も

Now let me tell you the features of Green Soap.

The first feature of Green Soap I would like to place emphasis on① is its **cost effectiveness**② and its high quality. Green Soap, **manufactured**③ by using only high-quality natural ingredients, can be made at only about half the price of other companies' soap. Green Soap's **concept**④ is based on being eco-friendly while selling it **at half or one-third of the market price.**⑤ Products which are **free from additives and fragrances**⑥ and are made from only natural ingredients tend to be more expensive by 20 to 50 % than conventional products using oil. **Let us take soap by Pacific Co. as an example.**⑦ They sell 100 grams of soap for 3000 yen. Conventional wisdom

悪いのではないかという一般的な考え方⑧も懸念して、企業側がある程度高級なもの＝体や肌によい⑩モノというイメージを消費者に植えつけている⑨という現実もあります。同時に、純正でその分、傷みやすい素材を、安定した製品とするには高くつく技術や時間がかかり、どうしても高い値段をつけざるを得ませんでした。しかしながらこのたび、すでに実証済みの⑫安全な材料だけを使用して半年前に作られた当社のナチュラルフェイシャルオイル製造の際に抽出される油分から、グリーンソープを作ることに着目し、安定した商品化に成功しました⑪。市販価格は、100グラムで1200円を予定しております。そして純粋オイルのおかげで、品質・洗浄力ともに申し分のない商品となりました。

第2の特徴は、環境にやさしい安全な素材だけで製造できる、という点です。 先ほど申し上げましたように、グリーンソープは、ナチュラルフェイシャルオイル製造過程から出る油分で作ることに成功したものです。ナチュラルフェイシャルオイル自体が、（当社で委託生産⑬している）ハーブ数種類から作られており、100％自然

has it that⑧ cheap products only have an image of poor quality, so businesses have instilled⑨ the idea that reasonably expensive products work wonders⑩ for the health and skin of consumers. At the same time, short-lived pure ingredients require expensive techniques and time to make them stable products, so businesses have had to price those products highly. This time, however, we succeeded in⑪ creating Green Soap from natural oil extracted in the process of making Natural Facial Oil. This was created from proven⑫ safe ingredients six months ago and was made into a stable item. 100 grams of Natural Soap will be 1200 yen. Because of this pure oil, Green Soap has become the perfect example of high quality and strong detergency.

The second feature is it can be manufactured from ingredients that are eco-friendly. As I mentioned earlier, Green Soap is successfully created by the oil extracted in the process of making Natural Facial Oil. As you know consumers do love Natural Facial Oil, which is made from herbs (of consignment production)⑬ and is 100% biodegradable.⑭ Since a

に還る⑭ことを誇る商品で、すでに絶大な支持を受けております。そのナチュラルフェイシャルオイルから抽出されたオイルから作られた石鹸となると、消費者にはとても受け入れやすいことは間違いありません。

　さて、最後になりましたが、これもまた重要なこと⑮、グリーンソープは自然環境・動物愛護の精神で運営されている当社のコンセプトにぴったりの商品で、ますます当社のイメージアップにつながり、ひいては大きな利益をもたらしてくれることでしょう。環境問題に関心を寄せる消費者は、自分たちが肌につけるものにも神経を配る傾向が強いことは、私どもの1000人を対象にした消費者意識調査でも、よくわかっていることです。実際北米・ヨーロッパでの調査では⑯、当社製品しか使わないと断言している人の8割が、著名な環境団体「グローバルシップ」に属しているという結果も出ています⑯。当社は利潤を追求する1企業ではありますが、実際長年環境に対する考慮を常に念頭に置きながら⑰やってきました。この精神を変えることなく、これからもやっていくわけですが、消費者に

lot of consumers love and know Natural Facial Oil, I'm sure they will welcome soap made from this eco-friendly oil.

Last but not least,⑮ Green Soap goes perfectly with our concept of protection and love for nature and animals. Green Soap will enhance our image and therefore will eventually bring in huge benefits. Consumers who are concerned about environmental issues tend to pay attention to what they put on their skin. We learned this through our survey which was conducted on 1000 consumers. Another poll in North America and Europe indicates⑯ that 80% of people who demand only our products belong to the well-known eco-group Global Ship. Although as a company, we have to seek benefits, we have been long doing our business with consideration to our natural surroundings in mind.⑰ As we will go on without changing this course of action, circulating our policy and distributing our products to consumers mean there will be more eco-conscious

当社の姿勢をわかってもらい、当社の製品を使ってもらうことは、環境を考慮する消費者を増やすことにもつながります。グリーンソープを世に出すことで、ますます環境保護と密接に結びついたアースグリーン社としての社会的地位を築く[18]ことになり、結果として当社にもたらされるもの[19]は、金銭的な利益を超えた計り知れないものがあるはずです。	consumers. Introducing Green Soap will make us more respected[18] as an environmental-oriented company in society and will result in merits[19] that we cannot value in terms of money.

英語の解説

① 「第1に（まず）、グリーンソープの素晴らしさとして強調したいことは」という1番目のキーアイデアの始め方、**The first feature of Green Soap I would like to place emphasis on** という表現は、ぜひ使ってください。

② 「コストパフォーマンス」には、cost effectiveness 以外にも price performance、cost performance、value for money など、いろいろな表現方法があります。
   □ 当社の新製品のコストパフォーマンスは抜群です。
   Our new product provides superior **cost performance**.

③ 「製品化」にも、このほかにいろいろな表現があります。
   □ その材料を製品化するには、いろいろな問題があります。
   There are various problems with commercializing the materials.
   □ 当社の製品で、製品化までの時間を短縮することが可能です。
   Our product can reduce the time to **market**（for you）.

④ コンセプトという言葉はすっかり日本語になってしまいました。考え方や原則のことで、上記の表現方法以外にも、idea、conception、theory、view なども使えます。

⑤ **one-fifth of the market price**（市価の5分の1）という表現は、ぜひ覚え

ましょう。「市価」の表現には他に、going price、market rates［value］、prevailing price などもあります。他に「市価」を使っての表現としては次のものがあります。

* fair［clear］market price［value］（公正な市価）
* sell 〜 at market price（〜を市価で売る）
* fall in market price（市価の下落）
* fluctuations of market / market fluctuation（市価の変動）
* cheapen the market / depress a market（市価を下げる）
* inflation of market price（市価高騰）

⑥ 無添加・無香料の製品は、他に products without additives and fragrance とも言えます。他に、次の表現があります。

* additive-free food / natural food（無添加食品）
* fragrance-free（無香料の化粧品など）
* scent-free product（無香料製品）
* No artificial colors（人工着色料不使用［無添加］：食品の表示で使われます）
* No preservatives.（防腐剤は使っていません、保存料不使用［無添加］：これも食品の表示で使われる表現です）

⑦「例えば〜を例として見てみましょう。」という表現です。他にも、いろいろ言えます。

□ 例えば、最近起きたことで言うならば
　to use a recent event **as an example**

□ 例えばの話ですが、急に海外赴任を命じられたらどうしますか？
　I have a hypothetical question for you. What would you do if your boss ordered you to work abroad?

□ まあ例えばの話、私が社員の自己開発努力に援助するとしてみましょう。
　Let's just say that I were to offer reimbursement for employee tuition.

⑧「社会的通念では〜となっている」という言い方です。次のような表現にも気をつけましょう。

□ 彼女は、男女の役割に関する**一般通念に異議を唱えた**。
　She **challenged the conventional wisdom** about the roles of men and

women.

□ その科学者の発明は、**一般通念を覆すものだった**。
The invention by the scientist **turned the conventional wisdom upside down**.

□ これまでの常識で考えると、その作家の行動は異常だった。
The writer's behavior was abnormal **according to the conventional wisdom**.

⑨ instill は考え方などを「教える・吹き込む・植えつける」ことで、instill the idea in [into] children（子供たちにその考え方を吹き込む）のように使います。よく似た単語に imbue、implant、infuse などがあります。

⑩ 日本語で「肌によい」となっているところを、ただ単に good とするより work wonders として生き生きさせてみました。work wonders と似ている表現に perform miracles がありますが、ご存じのように「奇跡を起こす」という意味から、効果がある、大成功する、（薬が）驚くほどよく効く、素晴らしい効き目がある、体に良いなどの意味があります。

⑪ 「～に成功する」の決まり文句 succeed in ～ing です。succeed at ～ing も使われるようですが、in を覚えておけばいいでしょう。

⑫ 文字どおり「証明された」ということで、She's a **proven** entity.（彼女は折り紙付きの人物です）のように使えます。文脈にもよりますが、通常ほめる場合に使います。

⑬ 委託生産の表現を含んでいる（ ）の部分は英語表現がやや不自然なのですが、「委託する」という日本語は、よく使うので皆さんに勉強してもらうために残しました。主なものを次にあげておきますので使ってください。

□ その大学は、この研究に関して文部科学省から委託されています。
The university has been **commissioned** to do this research by the Ministry of Education, Culture, Sports, Science and Technology.

□ この公園は、当市が国から管理を委託されているものです。
Our city manages this park **on consignment** from the national government.

□ この問題の解決は、私たちに任せてください。
We can be **entrusted** to find a solution to this problem.

メモ entrust A to B（A を B に委託する）　entrust someone with A（A を人に委託する）

□ 先日のミスは、海外への発送を委託している S 社に問題があったようです。
As for the mistake that occurred the other day, the problem seems to have lied with S Co., which **handles** all shipping to overseas.

□ 自分の仕事を人に任せることも、重要な地位にいる人にとっては必要です。
Delegating your duties to someone is necessary for people in high positions.

メモ 派遣するという意味もあるこの単語は、権限や任務などを人に委託・任せるという意味でもよく使われます。
他にも、**outsource**（外部に委託する）など日本語化されているものもあります。

⑭「生体（生物）分解性の、生物分解可能の」という日本語を当てますが、つまり「自然に還る」という意味。**biodegradable detergent**（生物分解性洗剤）、**biodegradable material**（微生物によって分解される物質）、**biodegradable polymer**（生分解性高分子）など。

⑮ 最後になりましたが、だからといって重要ではないということではありません、という意味でよく使われます。

⑯ This graph indicates that（このグラフが示すのは）、The sentences here indicate that（ここに書いてありますように）のように使われます。show も indicate と同じように使えます。

⑰ 念頭にある、という表現は他にも 〜 is uppermost in our mind、**with 〜 in mind**、**keep [bear] 〜 in mind**、take 〜 into account、think primarily of などがあります。

⑱「社会的地位を築く」は、もちろん establish our social status としてもいいのですが、ここでは尊敬されるようになる、という形で言っています。

⑲「当社にもたらされるもの」もなかなか英語にしにくいですが、ここでは当然良いものを考えているわけですから、**result in merits** ＝利益を生み出すとしました。

3 ボディの作り方

いかがですか？　キーアイデアが3点、明確にわかりやすくあげられています。これなら聞いている方もよくわかるでしょう。聞いている人が楽にわかること、これが大切であり、良いプレゼンテーションの決め手なのです。しっかりポイントをあげて話してください。
　では、ボディ用のパーツをあげておきますので、どんどん使ってください。

3 使える表現パーツ！ボディ用

1. ポイント・話の流れを伝える＝ signpost の表現

まず	○ first, / firstly, ○ first of all ○ for a start ○ allow me to begin by ○ I should like to begin by ○ I would like to begin ○ first, let me start with ○ in the first place ○ the first point I would like to talk about [discuss] is

□ まず、わが社の新製品について手短に説明したいと思います。
First of all, I would like to briefly explain our new line products.

□ まず、この時間をお取りくださったことにお礼申し上げます。
Allow me to [I should like to] begin by thanking you for taking the time to meet with us.

□ まず、最近の政府調査による統計値を見ていただきたいと思います。
First, let me start with the statistics based on the recent survey conducted by the government.

□ まず申し上げたいのは、この製法によって大幅なコストダウンができるという点です。
The first point I would like to talk about is how this process drastically cuts down manufacturing costs.

(メモ) first、firstly は同じように使えます。first がアメリカ式で firstly がイギリス式。

～の初めの部分で	the first part of ～

□ プレゼンテーションの初めの部分で、最近の少年犯罪のケーススタディについてお話しいたします。
The first part of my presentation will cover some recent case studies on juvenile delinquency.

次に	○ next ○ then ○ in the next section ○ the next issue
第2に	○ second / secondly ○ the second topic ○ my second point ○ in the second place

□ 次に新しいプロモーションビデオをごらんいただきます。
Next, let us look at [watch] the new promotion video.

□ 次に、どうすれば作業中のミスを減らすことができるか、その方法をお話しします。
In the next section I would like to discuss how to reduce mistakes during the operation .

メモ 「作業」と言っても、事務的な作業なら clerical work、グループ作業は group interaction、うんざりして疲れるような作業なら tedious labor [work / task] など、さまざまな言い方ができます。この例文のように operation を使うと、機械などの操作を伴う作業のイメージがあります。

□ 第2に、テレビゲームや映画のバイオレンスが、子供にどういった影響を与えるかをお話ししたいと思います。
Secondly, I would like to talk about the influence of violence in video games and movies on children.

- 第2に、労働力不足を補うため、政府は外国人労働者の受け入れを考えなくてはいけないということです。
  My second point is that the government should have plans for using foreign labor in order to make up for the shrinking labor force.

> **メモ** the next issue、the second topic、my second point などは、上の例文のように is that で続けてもいいし、My second point と言って少し間をあけ、the government should be ready for foreign labor intake. のように、First(ly)、と同じような signpost として使うこともできます。

最後に	○ lastly ○ finally ○ in the final place
最後に言いたいのは	○ what I'd like to mention lastly is

- 最後にもう一度、この問題に触れておきましょう。
  Lastly, I will touch upon this issue once more.

- 最後に申し上げたいことは、わが社の販売に対する方針です。
  What I would like to mention lastly is our sales policy.

2. メッセージ・情報を伝える表現

〜についてお話しします	○ I would like to tell [introduce] you ○ I would like to explain [illustrate / describe / outline / demonstrate / present] ○ I would like to talk [speak] about ○ I would like to discuss [analyze / criticize] ○ I would like to (make a) comment on [about] ○ I would like to respond to

☐ 来月から東ヨーロッパを中心に販売していく新しいコピー機について、お話しします。
I would like to introduce you to the new copier we will launch next month which will have a marketing focus in eastern Europe.

☐ その製品のデザインと機能について、ご説明申し上げます。
I would like to illustrate the design and functions [features] of the product.

☐ パーツ部門の売り上げが前四半期比で落ち込んでいることを、ご説明いたします。
I would like to demonstrate how the sales of the parts section decreased from the previous quarter.

メモ 私たちは demonstrate と聞くと、「デモ」や「手本を示す」というイメージが強いが、ここに示した例のように「説明する」「証明する」という意味もあります。これらのパーツは全部同じように使って支障はないのですが、興味がある人はぜひ英英辞書で present や illustrate などの単語を1つ1つ調べてみてください。例えば present は情報を伝える場合にも、自分の意見を詳しく述べる場合にも使えるなど、意外な発見がありますよ！

☐ この新しい薬が製薬業界のみならず、その病気で苦しんでいる世界中の人々にとって福音となることをお話しします。
I would like to show that this new medicine will be a blessing for those who are suffering the illness as well as for the pharmaceutical industry.

☐ 本日はリビング・リサーチ社が最近発表したバイオ食品研究の結果について話（批評／分析）したいと思います。
I would like to discuss [criticize / analyze] the results of the research on biotech foods announced by Living Research Corporation.

メモ discuss about としないように！

☐ 研究開発部が最近発表した、在庫管理のソフトについて話し［批評し／感想を

述べ] たいと思います。
I would like to (make a) comment on [about] the software package for inventory management our R&D section recently announced.

メモ I would like to make some comments on [about] と複数形にしても OK。

| 言わせてください／発言させてください | ○ let me tell you
○ let me describe
○ let me refer to
○ let me touch on
○ lend me your ear |

メモ 以上のパーツで let me で始まっているものは、当然 I would like to で始めても OK。つまり I would like to tell you、I would like to describe などのように let me の後から I would like to の後に続けて使ってください。

□ 当社の製品のセールスポイントについて話をさせてください。
Let me tell you about our products' main advantages.

□ この製品が去年大ヒットした理由について少しご説明します。
Let me touch on the reasons why this product was a big hit last year.

メモ touch on は mention と同じで、手短に話す意味合いがあります。

□ 皆さん、しばらくお耳を拝借。
Ladies and gents, **lend me your ear** for a minute.

| ～についてお知らせします | ○ make an announcement about ～
○ have an announcement to make regarding ～ |
| よい知らせがあります
残念な知らせがあります | ○ happy [proud] to tell you [announce]
○ sorry to tell you [announce] |

	○ regrettably
	○ regret to announce [tell you]

☐ 今年、海外支店を増やすプランについてお知らせします。
  I would like to **make an announcement about** the plan to increase the number of branches overseas this year.

☐ 従業員の数を増やすプランについてお知らせします。
  I **have an announcement to make regarding** an increase in the number of employees.

メモ increase を名詞で使う場合は、上の例文のように用いるか、あるいは an increase of employees のように用います。

☐ 今年度の総売り上げは、昨年比で約 5％増となる見込みであることをお知らせします。
  We are **proud to announce** that this year's sales will increase about 5% from the previous year.

メモ この例文で that の続きに we are expecting (that) this year's sales will increase about 5% ～と続けてもかまいませんが、that が何度も出てきてくどい感じになりますので、expecting の後の that は取った方がすっきりします。proud to は新製品を紹介するときなどにも、よく使われます。We are very proud to introduce our new product to you!（新製品をご紹介いたします！）私たちは「新製品をご紹介できてうれしいです」とは言いませんので、訳には出していませんが、英語ではどんどん使ってください。

☐ 残念ながら、大阪の工場を閉鎖することをお知らせします。
  Regrettably, (I have to tell you that) we are closing the plant in Osaka.

メモ 工場を主語にして Regrettably, the plant in Osaka will be closed. としても OK。

～についてご説明申し上げます	○ describe / outline / explain

| 情報をお伝えします
発表します | ○ give you some information
○ announce |

□ 当社の今後のマーケティングにおける方針について、簡単にご説明します。
I would like to briefly **outline** our future policy on marketing.

□ 消費者から寄せられた当方の新商品についての情報をお伝えします。
I am going to **give you some information** concerning comments on our new product from consumers.

□ 私たちが手がけていた、新しい実験が成功したことを発表します。
I would like to proudly **announce** that we succeeded in our new experiment.

| 個人的な意見を述べたい | ○ express my personal opinion
○ make a personal point of view
○ share（some of）my ideas
○ tell ［present / express］ my personal view（s） |

□ 職場の雰囲気を向上させるための方法について、私の意見を述べたいと思います。
I would like to **express my personal opinion** about the methods for improving the office atmosphere.

□ この製品に対するクレームの第1の原因について、私の意見を述べたいと思います。
I would like to **share my ideas** `as to` the main cause of complaints about the product.

メモ as to は「〜に関して」という意味で使い、concerning や about でも OK。ただし、この例文では complaints about とすぐ about が出るので、同じ表現は避けた方がよいでしょう。

| 私としては | ○ as far as I'm concerned
○ for my part |

	○ as for me ○ speaking for myself ○ in my opinion ○ personally

□ 私は、この方法は試してみる価値があると思います。
　This measure is worth trying, **as far as I'm concerned**.

　メモ　as far as 〜 concerned の〜の部分に、例えば商品などを入れて、As far as the silver cutlery you ordered, we will ship 100 sets by the end of this month.（ご注文いただいた銀器につきましては、月末までに 100 セットお送りします）のように言えます。

□ 私は、その製品が売れなかったのは、使いやすくなかったからだと思うのです。
　For my part, the reason why the goods didn't sell well is because they were not user-friendly.

□ 私は原子力発電所の建設には反対です。
　Personally, I am against any construction of nuclear power plants.

3. 強調・確信の表現

〜と信じています／〜と確信しています	○ I believe that 〜 ○ I'm sure that 〜 ○ I'm positive 〜 ○ I'm confident 〜 ○ I am convinced that 〜 ○ I have no doubt that ○ have a good [every] reason to ○ without any doubt
きっと〜する	○ never fail to 〜

メモ believe、positive、confident などの単語と一緒に strongly、truly といった副詞を添え、さらに強調するのもよい方法です。

☐ この案は取締役会で承認されることと信じております。
I am positive that this proposal will be approved by the board.

メモ I am positive about the board's approval for this proposal. としても OK。取締役会、という表現にも company's board、board of directors、directors' meeting など、いろいろあります。

☐ この新製品が消費者の注意を引くと確信しております。
I am convinced that we will succeed in attracting consumers' attention with this new product.

メモ 「〜で成功する」という意味の succeed in は、使い方に要注意。succeed in their project（プロジェクトで成功する）、succeed in solving the problem（問題を解くことで成功する＝うまく問題を解決する）のように、動詞を続ける場合は必ず ing 形にします。

☐ この方法が必ずうまくいくと考えているには、それだけの理由があるわけです。
I **have good reasons [every reason] to** think that this method will work perfectly.

☐ 自信を持って、この商品をおすすめします。
Without any doubt, I highly recommend this item.

☐ この素晴らしい商品があれば、皆さんをがっかりさせることなどあり得ません。
This miracle product will **never fail to** satisfy you.

メモ never fail to 〜は「決して〜することを失敗しない」＝「必ず〜する」ということになるわけです。

〜を強調したい	○ emphasize [stress] ○ lay [put / place] emphasis on

何としても	○ reemphasize ○ cannot overemphasize ○ at any cost ○ at all costs ○ be determined to

□ このアイデアを、遅くとも夏までには、実行に移すことの重要性を強調したいと思います。
　I would like to **emphasize** [**stress**] the importance of putting this idea into practical use by this summer at the latest.
　I would like to **emphasize** (that) we have to put this idea into practical use by this summer at the latest.

メモ　2つ目の例文で that 以下は、this idea を主語にして、I would like to emphasize (that) this idea has to be put into practical use ～ としても OK。

□ ビジネス・チャンスを広げるために、関連会社を設立する必要性を強調したいと思います。
　I would like to **lay emphasis on** the necessity of establishing a subsidiary (company) to open up business opportunities.

□ テレビゲームや映画に見られるバイオレンスが、青少年の健全育成にろくな影響を与えないという点は、強調しても強調しすぎることはないでしょう。
　○ You **cannot overemphasize** the harmful effects of violence (shown) in video games and movies on the healthy growth of the young [juveniles / children].
　○ It **cannot be overemphasized** enough that the violence in video games and movies has a harmful effect on the sound nurturing of young people.

メモ　The importance of education **cannot be overemphasized.** = I **cannot emphasize enough** the importance of education.（教育の重要性は強調してもしすぎることはない＝この点を覚えておいていただくことの重要性は、**強調しても強調しすぎることはありません。**）
など、よく使われますので、ぜひマスターして使ってください。

「ろくな影響を与えない」は、悪影響を与えるという英語になっています。英文を考える時、日本語のまま訳そうとせず、言いたいこと＝メッセージを英語にすることを考えましょう！

□ 何としても、消費者のニーズを満たさなくてはならないと思っています。
We must meet consumers' needs **at any cost**.

□ お客様からサービスが悪いということで苦情をたまわることだけは何としても避けたいと、一同努力しております。
We all try our best not to get complaints about (the quality of) our service **at all costs**.

メモ　　at any cost と at all costs は「何としても」という日本語でほぼ同義だと思われていますが、実際は例文のように、at any cost が全力を尽くして何かを成し遂げようとする場合、at all costs は何があってもそれだけは避けなくては！　という場合に使います。

□ 私は何があろうとも、自分の仕事は人の役に立っている、と思えるものでありたいと思っています。
I **am** very much **determined to** do a job that can help people.

重要なことは／〜が重要です	○ It is important [critical / crucial / essential] that ○ more important than ○ the most important ○ the key issue ○ the key point to note here ○ the main point I would like to make here ○ concern is that ○ place weight on
最優先事項は	○ our top priority is
最大の関心事	○ the biggest concern

3 ボディの作り方

問題の核心	○ the crux of the matter
注意に値する	○ deserve careful attention

□ この分野では、トップと言われる当社が国際的には遅れを取っていることを、しっかり自覚していることが重要です。
It is important that we, a leading company, are keenly aware of backwardness in the international standards of this field.

□ 私としては、大量生産による儲けより、質の良い製品を顧客に届け、喜んでもらうことの方が、ずっと重要だと思っています。
Personally, I am convinced that consumers' satisfaction with high quality is **more important than** profits from quantity production.

(**メモ**) ここでは quality（質）と quantity（量）と対比させて使っていますが、他に bulk［mass / volume］production、large-scale production など、「大量生産」にはいろいろな言い方があります。

□ その大手企業にとっては、顧客の信頼を回復することが一番重要です。
The most important thing for the leading company is to regain the trust of customers.

(**メモ**) the most important thing の thing を、いろいろ変えて使いましょう。例えば Time and cost management skills are **the most important qualities** of managers.（マネージャーにとって**一番重要な資質**は、時間とコストを管理する力です）のように。

次に the most important のところを the key issue に置き換えても OK。 key は、This is key to success.（これが成功への決め手）などのように使えます。前置詞に注意して。また key determinant（主な決定要因）や、key ingredient in the recipe for（〜の重要な決め手）などといった表現も、ぜひ使いこなしてください。例えば This method is a key ingredient in the recipe for success.（この方法が成功への重要な決め手です）のように言うと、キラッと光りますよ。

□ ここで最も重要な点は、このシステムだとネットワークの安全性が著しく向上するという点です。
The key point to note here is that the new system will dramatically

increase the security of networks.

メモ the new system が that 以下の主語になっていますが、安全性を主語にして The key point to note here is that the security of networks will dramatically increase under the new system. としても OK。

□ ここでお伝えしたい最重要点は、当社では学歴より職歴を重んじるという点です。
The main point I would like to make here is that we value work experience more than academic background.

□ 不必要な摩擦は避け、調和を重んじるのが日本人の特徴の1つだとよく言われています。
It is often pointed out, as one of our characteristics, that Japanese people place weight on harmony with others and avoid unnecessary conflicts.

□ 現在私たちの最大の関心は、この問題を解決することです。
Our biggest concern is how to settle this issue.

□ 問題の核心は、高齢化が進む20年後の労働力の確保ということになります。
The crux of the matter is how to maintain the labor force 20 years from now in this aging society.

□ この実験とそこから得られる結果は、注意を向けるに値するでしょう。
The experiment and the findings **deserve careful attention**.

大きな利点は	the great advantage is

□ このシステムを用いる大きな利点は、24時間ユーザー・サポートできるということです。
  ○ **The great advantage** of this system **is** that we can provide customers with 24 hour-a-day user support.
  ○ **The great advantage** of using this system **is** that we can offer around-the-clock support to customers.

> **メモ**　offer は I offered her coffee.（彼女にコーヒーはどうかと言った）I offered coffee to her. のように offer するモノが先にきた場合は、offer した相手、つまり人間の前に to を使わなくてはならない。

□ この方法を用いる最大の利点は、生産コストを 15% 減らせるということです。
　The greatest advantage of using this method **is that** it can reduce the production costs by 15%.

まず考えなくてはならない（考慮すべき）ことは／最優先事項は	the primary consideration should be what we have to think about first is our top priority is

□ まず考慮すべきことは、問題を早急に解決することです。
　○ **The primary consideration should be** prompt resolution of the problem.
　○ **What we have to think about first is** how to solve the problem quickly.

□ 私たちの最優先事項は、オリオン社と合意することです。
　○ **Our top priority is** to reach an agreement with Orion Corporation.

～しなければならない問題［点］は……	the issue [problem / point] which [that] we have to ～ is …

□ 次に考慮しなければならない問題は、フランチャイズ店に、よい場所を探すことです。
　The issue that we have to consider next is finding good sites for franchise operations.

□ 私たちが解決しなくてはならない問題は、時間がかかる在庫管理をどう効率よくするかということです。
　The problem that we have to solve is how to make time-consuming inventory control efficient.

□ 1つわかっておかなければならない点は、わが社の役割は、人が環境に敏感になるように教育をしていくことです。

One factor you have to understand is that our role is to educate people to be environmentally sensitive.

～が必要［不可欠／重要］である ～する必要がある	○ need / require ○ need to ○ it is necessary ○ it is important ○ it is vital ○ it is essential

☐ この調査には信頼性の高いデータが必要となります。
This research will **need** [**require**] data that are highly reliable.

☐ わが社の海外事業が重要になってきているので、国際的に仕事ができる中核となるグループを、持つ必要があります。
We **need to** have our own international cadre, because our foreign operations are already so important to us.

（ メモ ） cadre [kǽdrei] とは、ちょっと難しい単語ですが、中核となるグループ、幹部グループという意味です。

☐ 当社は、販売戦略を見直す必要があります。
 ○ We **need to** make changes in our sales strategy.
 ○ **It is necessary** for us to reexamine and change our sales strategy.

☐ 財政を確保するには消費税を見直す必要がある、という専門家もいます。
Some experts say in order to secure revenues, **it is necessary** to reconsider the value of the consumption tax.

（ メモ ） ここには、in order to secure revenues、it is necessary to reconsider ～ というように、～するには、～が必要という形が入っています。参考にしてください。

☐ この企画を成功させるためには、みんなで力を合わせて確実にステップを踏んでいくことが必要です。
We **need to** carry out each step together for the plan to be successful.

It is necessary for us to carry out each step together for the plan to be successful.

> **メモ** 力を合わせるというのは、他にも次のように言えます。
> * in union、unite one's strength to（力を合わせて〜する）
> * **work on ways together** to（力を合わせて〜を見つける、作る）
> * join hands in pressing ahead with 〜（に力を合わせて全力で取り組む）
> * make a collective effort to（〜するために力を合わせて努力する）
> * work together toward the success of（〜の成功を目指して力を合わせて〈）
> * with a united effort（みんなで力を合わせて）

☐ 本来なら深刻な状況でも、ユーモアを見つけることは不可欠です。
It is important for us to be able to see humor in otherwise serious situations.

☐ トレーニングも大切ですが、熱望する姿勢、本当にやりたいという気持ちがもっと大切です。
Education [Training] **is important**. But what's more **vital is** an aspiring attitude, your desire to do it.

〜しなくてはならない	have to / must

☐ どんなに難しくても、締め切りを守らなければなりません。
  ○ No matter how hard, I **have to** meet the deadline.
  ○ Despite the difficulty, I **must** finish it by the deadline.
  ○ It doesn't matter how difficult it is. I **must** finish it on time.

> **メモ** ここでは「どんなに〜ても」のいろいろな言い方を見てもらいました。ところで、「〜しなくてはならない」は、全部先ほど勉強した「〜が必要である」に書き換えても OK です。例えば It is essential for me to meet the deadline. としても意味はいいわけです。ちなみに「〜する必要はない」は次のように使います。

☐ 今その問題を考える必要はありません。

○ There is **no need to** be concerned about the issue now.
○ You **do not have to** think about the issue now.

〜はいっそうの……を求める	〜 call for further …

□ このポジションでは、単なる好奇心ではなく、いっそうの品質へのこだわりを求められます。
This position **calls for further** commitment to quality, not mere curiosity.

□ その環境保護団体は、政府にさらなる協力を求めました。
The environmental group **called for further** cooperation by the government.

〜がなければ……は不可能である	without 〜, it is impossible to …

□ 現場の人たちがいなければ、どんな計画も実行に移せません。
Without people closest to any given task, **it is impossible to** carry out any plan.

メモ 現場の人は、ここでは与えられた仕事に一番近い人という表現になっています。他に people on the line のようにも言えます。

□ 皆さんの協力がなければ、このプランの実現は不可能です。
○ **It is impossible to** implement this plan **without** your cooperation.
○ This (tentative) plan will never work **without** your cooperation.

〜は避けられない	○ it is inevitable that ○ inevitable / unavoidable

□ このプロジェクトが失敗すれば、予算を失うことは避けられません。
If the project fails, losing the budget is inevitable.

メモ foregone conclusion（最初からわかっている避けられない結果）、There is no way out of（〜は避けられない、〜から逃げる［抜け出す］道はない）なども重要！

〜しないと……（になるかも）	○ if not（unless）〜, … ○ 〜 without … ○ 〜 or … ○ … until 〜

- 予防策を講じないと、こういったケースが増え、私たちの組織がだめになってしまうかもしれません。
  If we don't take preventive measures（= If preventive measures aren't taken), an epidemic of these cases could very well bring our organization down.

- キーボードを長い間たたき続ける場合、適宜に休みを取らないと、手や手首に損傷を与える可能性があります。
  If we spend a lot of time at keyboards **without** taking a rest, our hands and wrists can be damaged.

- 礼儀を尽くすようにしないと、自分の態度はしっぺ返しとなり、絶えず自分たちを悩ますことになるでしょう。
  We have to be polite **or** our behavior can　come back to haunt　us.

【メモ】　come back to haunt は、ツケが回ってくる、〜が頭から離れない、のちのちたたる、といった意味の表現です。

- 問題の根本的原因をつきとめないと、何も解決しないかもしれません。
  We might not be able to find solutions **until** we　delve into　the root causes of the problem.

【メモ】　delve into は掘り下げる、徹底的に調べる［研究する］という意味です。

4. 時・時間の推移などの表現

現在［目下（のところ）］は	at present / for the present now / today / nowadays

現段階では	at this stage

☐ 現在、私どもの製品はアメリカばかりでなく、ヨーロッパでも売れています。
At present, our product is a bestseller not only in the U.S., but also in European countries.

☐ 現時点では、この事故の原因についてのコメントは差し控えたいと存じます。
I would like to decline to comment on the cause of this accident **at this stage**.

メモ これらは、数時間から数日、あるいは数週間、いずれにせよ話をし終わったあとも、しばらくは継続する状況について述べる場合の「現在」であって、at the moment、at this moment、at the present moment などを、ここに載せた at present や now、at this stage などと一緒くたに使うのはまずい。なぜなら、これらは話をしている「最中」だけを指すからです。例えば At this moment, no one is talking.（今誰も話していない）、**At the moment**, financial analysts are making positive comments on the bank.（今現在金融アナリストたちは、その銀行について楽観的なコメントを述べている）などのように使います。

最近	○ these days ○ lately ○ recently

☐ 最近、大学を卒業してもフルで働かない若者が多いです。
These days, young people even with a college degree do not take full-time jobs.

☐ 大崎さんは最近駐米大使に任命されました。
Ms. Osaki has been **lately** appointed as ambassador to the US.

☐ 最近、わが社は最新型のコンピュータを入れました。
Our company **recently** installed the latest computers.

メモ この 3 つは、誰にでもなじみ深い単語ではないでしょうか。『詳説レクシス プラネットボード』（旺文社）によると、大きく分けると次のようになります。

* **these days** は現在（進行）形で使い、たまに現在完了形としても使う。
* **lately** は現在完了形で使う。過去形は He moved into this house lately. のように、現在もその状況が続いている場合。現在形は I'm not feeling well lately. のように習慣的・継続的な場合のみ。
* **recently** は過去・現在（過去）完了形で使う。

| かつて／昔／以前／当時は | ○ in the past
○ at that time
○ in those days
○ formerly
○ in earlier times
○ in former days ［times］
○ used to
○ once |

□ かつて、部品は海外の工場で製造し、組み立ては国内で行っておりました。
All parts were manufactured in factories overseas and assembled in Japan **in the past** ［**at that time / in those days / in earlier times / in former days**］.

□ 以前は、社員は家族であるという信念に基づいて経営を行っていました。
We **used to** run the company on the principle that all employees were part of a family.

□ かつて、当社の製品がこの分野では主流でした。
Our products **once** predominated in this area.

メモ　predominated は他に、most favored、very popular などに変えても OK。
* once-influential person （かつて影響力のあった人）
* once-hectic factory （かつてフル回転していた工場）
* now-defunct factory （今は荒廃して使われていない工場）
* now-defunct law （今は無効の法律）

| ～の間に | ○ in ［during］ the course of
○ in the process |

○ in the meantime [meanwhile]

□ このプレゼンテーションの間に、この製品が、デザインはほぼ今までどおりですが、さまざまな新機能が加わったことを十分にご納得いただけると思います。
In the course of my presentation, you'll understand that the design of the product is much the same as the old one, but it now has a variety of new functions.

メモ in [during] the course of の後に続くのは、『コウビルド英英辞典』によれば a particular period of time（ある一定期間）で、この例文のようにプレゼンテーション・会議・会話あるいは戦争などが続きます。

□ DVD をセットします間、お手元の資料をご覧いただけますか？
While I'm in the process of setting the DVD, will you please refer to the handout?

メモ in the process は in the process of doing something と in the process だけで使用する場合とは違うので、要注意！ この例文のように、1つの行動（DVD をセット）の間に、別のことをする（同一人物である必要はない）場合は、in the process を使います。be in the process of ～ing = be in process は、例えば The committee is in the process of drawing up a new plan.（委員会は新案を練っているところだ）= A new plan is in process. のように使い、「～しているところ」という意味になります。

□ 会議はこの休憩のあと 1 時から再開です。その間に、3 階で昼食を取っていただけるよう準備ができております。
The session will start at one in the afternoon after this break. **In the meantime**, please enjoy your lunch on the third floor.

メモ これは 2 つの出来事「の間に」という意味でよく使われる表現です。meantime や meanwhile だけでも同じように使えますが、プレゼンテーションなど公の場では、正確に in the meantime [meanwhile] と使う方がいいでしょう。

最終的に／やがて	○ eventually ○ in the end ○ over the course of time ○ sooner or later

☐ いずれ全業界が、製品の広告にインターネットを使うようになるでしょう。
Over the course of time [**Eventually** / **In the end**], all business will use the Internet to advertise their products.

☐ このような方法を続けていれば、いずれこの会社は経営に行き詰まるでしょう。
Sooner or later, the company will have difficulty with its management if it keeps taking such measures.

メモ これは「遅かれ早かれ」という訳でよく使われる表現です。

将来は	○ in the future

☐ これらの問題は近い将来、私たちのこのシステムを用いることで、きっと解決できると確信いたしております。
We are convinced that the use of our system should help solve these problems **in the near future**.

今は さしあたり	○ for the present ○ for the time being

☐ 香港で、新型のコンピュータを来年春から販売するために、現在、東京事務所のメンバー全員は、実質香港へ移っております。
In order to launch the new-model computer in Hong Kong next spring, all the staff in the Tokyo office are virtually in the office in Hong Kong **for the present**.

☐ さしあたり、当社では、生産システムを管理するだけで、他の部分はすべて外注するつもりです。
Our company will control the manufacturing system and outsource

all the other details **for the time being**.

> **メモ** この 2 つ、for the present、for the time being はほぼ同じなのですが、for the present が「今、現在」を強調しているのに対し、for the time being の方は、代わりの方法が出るまでの間、一時的にという意味合いが強くなります。outsource は、今日本語でもアウトソーシングで定着してきた「外注する」という意味の動詞です。

それ以来	since then / ever since

☐ 当社では昨年新製品を発表し、それ以来、山のようなご注文をいただいております。
We put our new product on the market last year, and we have had an avalanche of orders **since then**.

> **メモ** avalanche は雪崩のことで、手紙や注文などが大量に押し寄せる様子を表すのに使うことができます。また洪水を表す flood を用い、we have been flooded with orders としても OK。

5. 状況・特徴などを説明するための表現

皆さんご存じのように ごらんのように／おわかりのように	○ as (some of) you (already) know ○ as you can see

☐ 皆様ご存じのように、当社は中国に進出する計画があります。
As some of you already know, we have a plan for expansion into China.

> **メモ** 「進出する」もいろいろな表現で言えます。expand its business into、go [make] into また make a foray into を使って、The famous fashion designer made a foray into politics.（その有名な服飾デザイナーは、政界に進出した）のように表現できます。

□ この表からおわかりのように、昨年われわれの製品の総売り上げは、20億ドルになりました。
As you can see from the chart, the total sales of all our goods reached $2 billion last year.

影響を及ぼす／影響を与える／左右する	○ have an <u>impact</u> [influence] on ○ influence / affect ○ make a difference to

□ この円安は、御社の利益にかなりの影響を与えるでしょう。
The yen's depreciation in the exchange rate will **have a** profound **impact on** your profits.
The weak yen will **<u>affect</u>** [**influence**] your company's profits.

メモ 円安にもいろいろな表現があります。例えば devalued yen、low yen rate、yen('s) depreciation against foreign currency などです。

□ この新製品なら、御社の生産性に大きな影響を及ぼすこと、間違いありません。
I am certain that our new product will **make a** <u>big</u> [lot of] **difference to** your productivity.

メモ これは文字どおり「違いを作る」ということで、よい方向での影響に使います。他に、次のような表現もぜひ使ってください。
* have a three-fold effect on 〜（〜に3倍の影響を及ぼす）
* have [exercise] a <u>critical</u> [decisive] impact [influence] on 〜（〜に決定的な影響を及ぼす）
* have a wide-reaching impact on 〜（〜に広い影響を及ぼす）
* exert [wield] an important influence on / have a critical impact on（〜に重大な影響を及ぼす）

相違［違い］がある	○ different from ○ there are [is] differences [a difference] between
（違いなどの溝を）埋める	○ bridge [fill / lessen] the gap between

☐ 当社の新モデルと御社の旧モデルには、かなりの相違があります。
- **There are** quite a few **differences between** our new model and your old model.
- Our new model is very [quite] **different from** your old model.

メモ　「相違」と一口に言っても、いろいろな表現があります。まず単語だけで見れば、例文でも使用した differences、variety、diversity あたりが、皆さんにもなじみ深いのではないでしょうか？ 他に disparity や discrepancy といったちょっと難しめの単語もあります。次のような表現も、ぜひ使ってください。

* essential difference（根本的な相違）
* diverging [differing] opinions concerning ～（～に関する意見の相違）
* differences of opinion [viewpoint]、different school of thought、dissimilarity of views、divergence in views（意見の相違）
* large disparity、considerable [acute] difference（大きな相違）
* marked difference（顕著な相違）
* imperceptible difference、subtle [minor] difference、shading（微妙な相違）
* ideological differences（イデオロギーの相違）
* genetic differences（遺伝的な相違）
* cross-cultural communication differences（異文化コミュニケーションの相違）
* difference in value [interpretation]（価値観［解釈］の相違）
* human equation（個人差による判断の相違＝個人的偏見）
* minute shades of meaning（細かい意味の相違）
* perception gaps between generations（世代による意識の相違）
* appreciation for diversity（お互いの相違を尊重すること）
* agree to disagree（見解の相違を認める）

☐ このモデルを使えば、御社と当社の意見の相違を埋めることができます。
We can **bridge** [fill] **the gap between** you and us by using this model.

メモ　fill the gaps も fill in the gaps も両方同じようなものですが、fill in の方が不足分を補うという意味合いが強くなります。

> **メモ**　「意見の相違を解決する」という表現もいろいろあります。
> - resolve［settle one's］differences［disagreements］（相違を解決する）
> - make up for the pay gap with（賃金格差を埋める）
> - fill the vacancy for（欠員を埋める）
> - bridge the information gap［digital divide］between ～（～の情報格差を埋める）
> - fill the hollowness in one's heart（〈心の〉空虚感を埋める）
> - fill the void someone has left behind（〈人〉が去った［亡くなった］後の空洞を埋める）
> - fill a market niche（すき間市場を埋める）
> - make up for the huge losses with ～（巨額の赤字を～で埋める）

～に見える／～のようだ	○ sound / look / seem / appear ○ like ○ presume / assume

☐ この問題はもう解決したように見えますが、再発する可能性は否定できません。
Although this problem **appears** [**looks** / **seems**] to have already been solved , you cannot deny the possibility of recurrence .

> **メモ**　「再発」は他に reappearance、reemergence、return to、病気の再発には relapse、flare-up などもよく使われます。
> - return to full-scale fighting（全面戦争の再発）
> - recurrence of clerical mistakes（事務的なミスの再発）
> - patients with a high risk of relapse after surgery（手術後再発する危険性が高い患者）
> - reappearance of infectious diseases（伝染病の再発）
> - a flare-up in one's arthritis（リュウマチの再発）
> - improbability of its recurrence（再発しそうにないこと）
> - avoid relapse（再発を避ける）

☐ 何か手を打たないと、当社の借金は雪だるま式に増える一方です。
We will run up a debt **like** a huge snowball rolling down a steep slope unless we do something about it.

☐ その提案を受けるとして、工事を始めるのはいつからになるでしょうか？
Assuming that the proposal is accepted, when will we get construction started?

> **メモ** presume を使って、Presuming that ～としても OK。

最大の悩み	○ biggest concern [headache / pain / problem / trouble / worry / vexation]
最大の関心（事）	○ first in one's mind ○ be most interested in

☐ 現在、わが社の最大の悩みは、北海道の支店を継続しておくか、閉じるかということです。
For the present, our **biggest concern** is whether we should close the Hokkaido office or not.

> **メモ** 「関心がある」のさまざまな表現を見ておきましょう。
> * considerable concern、grave [serious] concern、much interest（大きな関心）
> * on everyone's lips（誰もが関心を持っている）
> * The new model of computer is on everyone's lips.（新型コンピュータは誰もが関心を持っている＝話題になっている）
> * outward-looking（外国に関心がある：形容詞として使います）
> * You need to see all events with an outward-looking perspective in order to be a diplomat.（外交官になるためには、どんなことでも世界的視野に立って見なくては）
> * be academically oriented（学問に関心がある）
> * fashion conscious（ファッションに関心がある）

☐ 当社の目下の最大関心事は、新時代にふさわしい商品を開発・製造し、適切な価格で提供することです。
We **are most interested in** developing and manufacturing products befitting the new age and offer them to consumers at reasonable prices.

> **メモ** 「悩みの種」という表現もいろいろあります。例えば
> * We have to improve our products, otherwise they could **disturb** environment-conscious ［environment-oriented / eco-conscious / eco-friendly］ consumers.（製品を改良しなくては、環境問題に関心を持っている消費者にとって悩みの種となりかねないのです）

周知の事実	○ proven facts ○ be well known ○ common knowledge ○ well-known facts ○ accepted truth

□ この製品が大ヒットした主な理由は、他の類似製品と比べて、約半分の価格で提供できたからであることは、今や周知の事実です。
It **is well known** that the main reason why this product was a big hit is that the price was about half that of similar products.

□ 当社が多角経営で、10 部門、約 1000 名の従業員を抱えているのは周知の事実です。
The proven fact is that we are a multiple management company, with 10 departments and about 1000 employees.

〜はわからない	○ not know ○ it is not known exactly ○ uncertainty
未定で	○ up in the air

□ 先方がこの提案を受け入れるかどうかはわかりません。
We **don't know** if they ［the other party］ will accept this proposal.

> **メモ** ここでいう「わからない」は理解できないのではなく、「不確定要素だ」という意味です。
> * Some uncertainties remain as to the contract.（この契約に関しては、不確定要素がそのまま残されている）

☐ なぜかははっきりわからないのですが、先方はいろいろな弊害にぶつかっており、社内機構改革について助言を求めています。
It's not exactly known why they have met many obstacles, but they have asked for advice on internal restructuring [reform].

メモ この形はとても便利なので、ぜひ覚えて使ってください。It's not exactly known の後にくる単語を what や when に変えるだけで、以下のようにどんどん広がります。

* It's not exactly known what.（何かはよくわからない）
* It's not exactly known who.（誰かはよくわからない）
* It's not exactly known when.（いつか［時期・タイミング・時刻・日にち］はよくわからない）
* It's not exactly known how.（どのようにか［経緯・方法・手段］はよくわからない）

メモ これらは全部このままでも使えますし、文を続けて次のように使うことも可能です。

* **It's not known exactly** how we can't have a financial Achilles heel that a giant can drive an arrow into.（巨大企業が、矢を打ち込めるような財政的弱点をどうすればなくせるか、よくわかっていません）

☐ 社長が、ロンドン本店での会議へ出席するかどうかは、未定です。
The president's attendance at the meeting in London Head Office is still **up in the air.**

どうすることもできない	○ beyond our control ○ nothing to do / nothing one can do

☐ こういった国際経済の問題となると、私たちにはどうすることもできません。
　○ Problems with the international economy like these are **beyond our control.**
　○ There's **nothing we can do** about problems concerning the global economy.

メモ 「取るべき手段がない」、「どうしようもない」、「手の施しよう［打ちよう］がない」、「打つ手がない」、「お手上げ」など、全部この表現で OK。

3 ボディの作り方

残されている	○ remain
	○ there is / there are
余地がある／残されている	○ there is room for
	○ open to discussion

□ 本プロジェクトには、いくつか解決すべき困難な問題が残されています。
  ○ Some difficulties still **remain** to be solved in the project.
  ○ **There are** still some difficult problems to be settled in the project.

メモ 「困難な問題」も、いろいろ表現があります。daunting problem と表現すれば、ちょっと難しめの語彙を使ってこなれた感じが出ます。他には次のようなものがあります。

* The plan was fraught with engineering problems.（その計画には工学的に困難な問題があった）be fraught with = be filled with 〜を伴う／〜だらけである
* some difficulties still lie ahead（依然としていくつか困難な問題が待ち受けている）
* hit a snag（思わぬ困難な問題にぶつかる：切り株にぶつかるという意味から）
* in (the) face of a difficult problem（困難な問題に直面して）
* handle a knotty problem（困難な問題を扱う）

□ 本プロジェクトには改善の余地が残されています。
In this project **there is room for** improvement.

□ その法律の有効性については今も疑問が残ります。
There is still an element of doubt about the effectiveness of the law.

□ この問題については議論の余地があります。
The issue **is open to dispute**.

メモ be open to 〜は、〜に対してオープンであるわけですから、〜の余地がある、〜を受け入れやすいということです。例えば open to question（疑問が残る）、open to criticism（批判を免れない）などのように使います。

☐ この件に関しては、妥協の余地がありません。
There is no **room for** compromise on this matter.

未解決のまま	remain unsettled

☐ この計画を、誰が引き継いでいくかについては、未解決のままです。
The question of successor still **remains unsettled**.

メモ successor は後任者のこと。replacement とも言えます。

不完全である／不十分である	○ incomplete / inadequate / imperfect / weak ○ not enough / scarce / insufficient ○ under- / ill-

☐ この件に関して、いくつか報告書をいただいておりますが、いずれも不完全です。
Although I have received some reports on this matter, all of them are **incomplete**.

☐ そのような不十分な理由では、先方だって首を縦に振らないでしょう。
They wouldn't say yes for such **weak** reasons.

メモ 不十分な理由＝説得力がない［弱い］理由ということです。weak の代わりに unconvincing としても OK。

☐ 私が持っているデータは不十分です。
The data I have are **scarce**.

☐ 現時点では、十分な証拠がないため、正確なことは申し上げられません。
I cannot tell you the exact thing at this point because there is **not enough** evidence.

☐ 前回、準備が不十分なプレゼンテーションをして、上司に注意されました。
I gave an **ill**-prepared presentation and my boss reprimanded me last time.

メモ 不十分さを表す ill- で始まる単語には、他に ill-equipped（設備が不十分な）、ill-informed（情報不足の）などがあります。

☐ 10年前は資金不足の会社だったのに、今や押しも押されもしない立派な会社になりました。
Ten years ago, we started as an **undercapitalized** company. Now, however, we enjoy a reputation as a leading company.

メモ 不十分さを表す under で始まる単語には、次のようなものがあります。
* underarmed（軍備が不十分な）
* underbudgetted（予算不足の）
* undercompensate（不十分な保証金を払う）
* underdeveloped（低開発の、発達不十分の）
* undereducated（教育不足の）
* underemployed（不完全雇用の）
* underestimate（過小評価）
* underfunded（基金［資金］不足の）
* underpaid（低賃金の）
* underpowered（パワー不足の）
* underprepared（準備不足の）
* underprice（標準［実際の値打ち］以下の値段をつける）
* underprivileged（恵まれない）
* underproduce（不十分な生産をする）
* underquote（安い値をつける）
* understaffed（人手不足の）
* understock（十分な商品を入れない）
* undersupply（供給不足）

役に立つ	○ help ○ be helpful / be useful / be valuable ○ go a long way ○ contribute / benefit ○ make a contribution to

☐ 実際に、当社の新製品は本年の利益促進に大きく役立っています。

Actually, our new product has greatly **helped** us gain profits this year.

メモ help の後は、to 不定詞、あるいは原型不定詞両方 OK です。つまり上の例文も our new product has greatly **helped** us **to** gain としてもかまいません。どちらかと言えば、現在は to を使わない傾向にあるようです。

□ この新型パソコンがあれば、仕事をやり遂げるのにきっと役立つと思います。
I'm sure that this new model personal computer will **help** me greatly get any task accomplished.

□ この情報は、御社が価格設定する際に大いに役立ってくれるでしょう。
I believe that the information will **be** quite **helpful**（to you）in setting your own prices.

□ 次の情報は、御社の株主の方々にお役に立つと思います。
I strongly hope that the following information will **be helpful** to your stockholders［shareholders］.

□ このデータは、どの製品が利益になるかを判断するのに役立つと思います。
I think the data **are useful** in judging which products are likely to be profitable.

□ わが社が誇る精鋭チームが作ったこの資料は、来年の意思決定過程に大いに役立つことは間違いありません。
I am convinced that the data gathered by our handpicked team will **be valuable** in the decision making process next year.

メモ 「資料」は一般に data、information、document、(written) material などで OK。compilation を使うと、いろいろなところで使用してきた資料をまとめ上げた 1 冊の分厚い資料集になります。

□ スタッフの数を増やせば、需要を満たすために役立つはずです。
I am sure that increasing the number of staff would **go a long way** to［toward］meeting demand.

□ このシステムを取り入れたことが、当社の世界的発展に大変役立ちました。

The introduction of this system **made a** great **contribution to** the international development of our company.

メモ 他に shed [cast / throw] light on [upon] という表現も「役立つ」に使えます。これは文字どおり「光を照らす」という意味があるので、問題解決や困難な状況解決に役立つ場合に使うとぴったりです。例えば A new approach might **shed light on** this question.（新しい方法でなら、この問題を解けるかもしれない）といったように使えます。

～がある	○ there is ～ / there are ～ ○ we have

□ この件に関しては、問わなければならない問題がさらにあります。
　There are further questions which need to be asked about this issue.

□ わが社の方針には見直し、変更すべき点がたくさんあります。
　There are a lot of points which we should reexamine and change in our policy.

これは [が] ～に多い [共通して見られる] パターンである	this is a pattern commonly found among ～

□ これは生き残り能力があるとされ、今後の成長が見込める会社に共通して見られるパターンです。
　This is a pattern commonly found among companies that are proven survivors and poised for growth .

メモ be poised for (= be ready for) は～の用意ができている、という意味です。

～によくある [当てはまる] ことだが	○ as is often [always] the case with ～
～にはそうでは [当てはまら] ない	○ not the case with / no longer the case with ～

□ コンピュータ操作が上手な若者によくあることですが、他人の財産権やプライ

バシーの権利に無関心です。
As is often the case with young computer literates, they don't pay attention to other people's property rights or rights to privacy.

メモ literate は読み書きができる人という意味で、上記の例文のように computer や music などをつけて、〜についてよく知っている人という意味で使えます。

☐ わが会社では、もはや古いタイプの秘書を雇っていません。
  ○ It is **no longer the case with** our company that we employ old-style secretaries.
  ○ We do not employ old-style secretaries.

〜が注目される［注目を浴びる／注目を引く］ようになってきた	○ 〜 have been brought to public attention ○ 〜 have attracted (someone's) attention ○ 〜 have drawn (someone's) attention ○ 〜 attract [draw] attention

☐ ヒスパニック市場が拡大し続けているため、スペイン語が注目されるようになってきました。
Spanish **has been brought to the public attention** because the Hispanic market keeps expanding.

☐ 40代の女性が、この分野を変えつつあるという事実が注目を浴びるようになってきました。
Women in their forties reshaping this field **have attracted [drawn] people's attention**.

メモ 「注目」にもいろいろな表現方法があります。よく使われるもの、使いやすいものを次にあげておきます。
  * This is the **most-watched [attention-getting]** machine.（これが最も注目されている機械です）
  * Shop owners have been **paying a lot of attention to** computerized cash registers because they can keep a running inventory of the store.（継続棚

卸しが店でできるため、コンピュータ方式のレジが店主の間で注目されています）
* The plight of the famine-stricken district **gained international visibility**.（飢饉に見舞われたその地方の惨状に、世界中が注目した）
* **hot** stock / **watched** stock（注目株）
* We should always try to **look at** the brighter side of situations.（物事の明るい方に注目するようにすべきでしょう）
* She **is in the limelight** with a high-profile job.（彼女は社会的地位のある仕事に就き、注目の的だ）
* My boss apologized for having made such a scene .（私の上司は人前でかっとなったことを謝った：make a scene は人前で感情をあらわにして醜態を演じることですが、皆が注目するので、You're **making a scene**! 皆が見ていますよ！　のように訳すことも可能です）
* The newly-introduced system **went unnoticed** [gained little publicity].（新たに導入されたシステムは、注目されなかった）

| ～は……と一致する［同じ］ | ○ ～ matches …
○ ～ is congruent with …
○ ～ the same … |

□ 担当チームによる当初の予測と、調査結果は一致しました。
　The research results **matched** the project team's initial calculation.

　メモ　*The result completely differed from our calculation.（その結果は、予想とまったく異なっていました）

□ この件に関しては、マネジメント側と現場の考えは同じです。
　The management's ideas **are congruent with** those of people who actually do the work.

□ 調査対象となった100人の学歴は同等でした。
　○ The 100 surveyed had **the same** academic backgrounds.
　○ The 100 respondents to our survey had **the same** educational backgrounds.

| 同じことが言える［見られる］ | ○ the same (thing) can be said [seen |

	/ observed]
当てはまる	○ apply to

☐ 同じことは新製品についても言えます。
  The same(**thing** / **things**)**can be said** for the new product.

☐ 同じ問題が、最近海外の支店でもよく見られます。
  The same problems can be frequently **observed** with overseas branches these days.

☐ パートタイムの従業員に当てはまる規律は、正社員にも当てはまります。
  The codes that apply to the part-time employees **apply to** the full-time employees.

～と……は似ている	○ ～ be similar to … ○ ～ resemble / parallel …
～と……は違う	○ ～ differ from …

☐ この数字に関する担当者の見解は、貴社の見解と似ています。
  The interpretation of the person responsible for the figures **is similar to** yours.

（ メモ ） 担当者もいろいろな表現があり、person in charge をはじめとし、customer service representative（顧客サービス担当者）、columnist（コラム担当者）、recruiter（スカウト担当者）、the name of the contact person（担当者名）など、状況や会社によっても変わってきます。

☐ 7歳未満の幼児対象という点で、新製品はTOY5型と似ています。
  The new product **resembles** the TOY5 model in terms of targeting children under 7.

（ メモ ） resemble to としないように注意しよう！

☐ 新製品は、スクリーンディスプレイ機能がついているという点でTOY5型と異なります。

The new product [model] **differs from** the TOY5 model in that the new one is equipped with a screen display function.

メモ the new one は it で代用も可能ですが、直前にある TOY5 と誤解される可能性もありますので、もう一度繰り返した方がより明確になるでしょう。正確さを追求する場合は、代名詞をさけた方がいいですし、新製品などの場合は覚えてもらうためにも、正式名を繰り返した方がよいでしょう。

☐ 当初は、営業側の考えは現場のものと違っていました。
Initially, the ideas of the sales department **differed from** those of the people on the line.

特徴	characteristics / feature / strength / distinction

☐ この製品の特徴は、コンパクトさと軽量さにあります。
The product's main **feature** is its small, light body.

☐ この方法の特徴は、オフィス・スペースを必要最小限まで減らすことができるということです。
The **strength** of this method is that you can reduce office space to a requisite minimum.

メモ requisite は必要なもの、必要（必須）な、という意味です。

☐ 当社の特徴の1つに、スウェーデンに本拠地を置く環境保護団体グローバルシップと結びつきが強いということがあります。
○ The main **feature** of our company is that we have strong ties with Global Ship, an environmental group based in Sweden.
○ Our company prides itself on its strong connections with Global Ship, an environmental conservation group, based in Sweden.

メモ 2つ目の例文は〜であることで満足している、よいと思っているという言い方です。

☐ この商品の特徴は、低価格で耐久性があり、かつ軽量であるということです。

The **strength** of this product is that it is inexpensive, durable, and light.

メモ 低価格、耐久性があり、軽量、と特徴が 3 つ並んでいますが、このように 2 つ以上何かを並べる場合、注意しなくてはならないのは「パラレルの法則」。この例文のように形容詞ならずっと形容詞、名詞なら名詞と、並べるものを統一した方がよいのです。例えば「私の母は、頭がよくて美人で、働き者です」と言いたい場合、My mother is smart, beautiful, and works very hard.としても文法的に間違いではないのですが、あまり格好がよい文とは思ってもらえず、My mother is smart, beautiful, and diligent.とする方がよいわけです。ただし、そこだけ強調したい！ という場合は別で、例えば上記の例文でも、耐久性を特に強調したいとなると、The strength of this product is that it is inexpensive, light, and it can last for a long time. と and から一息ついて強くゆっくり言えば、強調したい特徴として印象に残ります。

□ 日本の社会における主な特徴の 1 つに、いわゆる終身雇用制がありました。
A major **characteristic** of Japanese society was that it had a so-called life-time employment system.

□ 当社の製品の際立った特徴は、自然の材料を使っていることです。
The major **distinction** of our products is that we only use natural ingredients.

□ このプロジェクト全体の特徴は、環境を保護することなのです。
This whole project is characterized by the protection of the environment.

別問題	○ different issue
残り［未解決］の問題	○ remaining problem

□ 素材の実用化は十分可能ですが、売れるかどうかは別問題です。
The practical application of the material is possible, but whether or not it will be marketable is a **different issue**.

□ 同じような手法で、残りの問題も解決できると思います。
I think we can settle the **remaining problems** by using a similar

approach.	
～に反して（～を裏切って）	○ contrary to ○ against

☐ 予想に反して、新製品の利用者は、半数以上が若い女性でした。
   Contrary to our forecast, the majority of the users of the new product were young women.

☐ 大方の予想に反して、そのプロジェクトは大失敗しました。
   Against all expectations, the project suffered a major setback [failure].

6. 意見の根拠（理由）を述べるための表現

～は、～から（見て）も明らかである	○ show / indicate / suggest ○ as we can see clearly ○ evident from

☐ 新しいシステム導入により、顧客の満足度が上がったことは、売り上げ増加からも明らかです。
   The sales increase **shows** [**indicates** / **suggests**] that customer satisfaction has improved by the introduction of the new system.

☐ 会員へのアンケート結果から見ても、新しいサービス制度が成功であることは明らかです。
   ○ **As we can see clearly** from the results of the recent questionnaire, our new service system has been a success.
   ○ It is **evident from** the results of the recent opinionnaire that our new service system was a big success.

示している	indicate / show

☐ 最近の政府による調査は、多くの高齢者が健康で、楽しく毎日を過ごしていることを示しています。
   The recent survey conducted by the government **indicates** [**shows**]

that a lot of elderly people stay healthy and enjoy their everyday lives.

| 予想［予測］される | be predicted / be expected / be projected |

☐ この業界の動きを見ますと、これからは停滞期になることが予測されます。
Looking at this industry, it can **be predicted** that it will reach a plateau .

メモ　reach [hit] the plateau は高原に達する、つまり頭打ち状態になり、それ以上伸びない場合に使います。

☐ その制度を取り入れるには、ある程度の反対も予想されます。
Opposition to the introduction of that system is to **be expected**.

メモ　さて、ちょっと粋な「予想する」系統の表現に、占い師が使う水晶玉 **crystal ball** を使った言い方があります。さりげなく取り入れて、ネイティブスピーカーたちをアッと言わせてください。
* It doesn't **take a crystal ball** to know the consumption tax will go up.（消費税が上がっていくことは誰の目にも明らかだ）
* **What I see in my crystal ball** is there will be more demands for colleges catering to the elderly.（私の予想では、これからは老人大学なるものが求められるはずです）

| 〜に基づいている | based on |

☐ この結論は、以下のような調査に基づいたものです。
○ We came to this conclusion **based on** the following research.
○ My conclusion is **based on** the following research.

☐ この新製品は、営業部が集めた資料が基になっております。
This new product is **based on** the data collected by the Marketing Department.

| 〜による／〜が原因で | ○ because of
○ caused by
○ due to |

- ☐ これは、消費者の好みが変化したことによるものです。
    - ○ I think it is **because of** [caused by / due to] the change in consumers' preferences.
    - ○ I believe it is **caused by** [because of / due to] the change in consumers' tastes.

- ☐ 消費者の好みに変化があったことが原因で、値段が下がりました。
    - ○ The prices came down **because of** the changes in consumers' preferences.
    - ○ **Due to** the changes in consumers' tastes, the prices nosedived.

メモ　「消費者の〜に対する好み」とすれば、さらに明確な英語になります。例えば consumers' preferences **for** instant food products（インスタント食品に対する消費者の好み）など、for を使ってください。また cause は「引き起こす／原因となる」という動詞で次のようにも使うことができます。
The changes in the consumers' tastes **caused** the decrease in prices.

証明する	verify / prove

- ☐ その情報源が正確であるかどうかを、証明する必要があります。
    We need to **verify** the source from which we got the information.

- ☐ 結果が、現存の規制では不十分であることを証明しています。
    The results **prove** that the present regulation is inadequate.

メモ　どちらもほぼ同じ意味で使えますが、細かい違いを言えば verify は注意深い実験・調査などで本当かどうかを証明すること、prove は証拠や討論で本当かどうかを証明することです。同義語としては check、authenticate、bear out、confirm、corroborate、prove、substantiate、support、validate など、多数あります。ちなみに disprove は、「うそであると証明する」ことです。

〜した結果、……	○ after 〜, … ○ 〜 revealed … ○ based on 〜, …

□ 前四半期の市場動向を観察した結果、生産を減らすべきだという結論に達しました。
After we observed the market trends of the previous quarter, we came to the conclusion that we should decrease production.

□ 御社が提案したステムを調査した結果、いくつか改善すべき点があることがわかりました。
Our investigation of your proposed system **revealed** that it needs some improvements.

□ ご提案を徹底的に検討した結果、プロジェクトを進めることにしました。
Based on thorough discussion of your proposal, we have decided to advance the project.

私が知る限りでは〜	○ as far as I know 〜 ○ to（the best of）my knowledge 〜

□ 私が知る限りでは、ベンチマーキングというのは、他の企業から自分のところより良い方法を合法的に盗むことで、不要な仕事を省くことを目的にしています。
<u>**As far as I know**</u> [**To my knowledge**], benchmarking is the practice of stealing legally from other companies that do things better, aiming to eliminate unnecessary work.

〜から［〜に基づいて］判断する	○ judge <u>from</u>［based on / on the basis of］ ○ assume / evaluate

□ この結果から判断すると、売り上げは伸び悩んでいます。
Judging from these results, our sales have hit a plateau.

□ この記事から判断しますと、私の考えは多数の学者によって認められていると言えるでしょう。
I think it's all right to **assume** on the basis of this article that a lot of researchers accept my theory.

〜によると	○ according to 〜 ○ they [people] say ○ it's reported that

□ 最近、商工会議所が行った調査によると、立地が最重要ではないと考える起業家が増えています。
According to a recent survey conducted by the chamber of commerce, an increasing number of entrepreneurs think location is no longer a top priority.

□ 私がこれから説明する理論の基になっているのは、昨年の『ニュートン』5月号に掲載されている記事です。
The theory I am going to explain is based on the article **published in** *Newton* last May.

メモ 自分の意見や考え方、データをサポートするものは強いものでなくてはなりません。世界的に認められている専門雑誌や学者が発表していること、政府の統計などを用いるといいでしょう。そのような場合、ここに載せた「〜が行った調査では」「〜に載っている記事では」という表現を使ってください。

〜には根拠がない	〜 is groundless / unfounded / baseless

□ 石油がなくなるといううわさは、根拠がありませんでした。
The rumor that the world would run out of oil was **groundless** [**unfounded / baseless**].

7. 根拠（理由）の１つとして資料などを見せるための表現

ごらんください［見てください／ 参照してください］	○ take a look at ○ refer to

□ 先ほどお配りした資料をごらんください。「第１四半期の収益」という題になっております。
Please **take a look at** the handout passed out earlier. It is titled

"Revenue of the First Quarter."

☐ お手元の資料の 27 ページをごらんください。
Please **take a look at** page twenty-seven of the document you have.

(メモ) 「27 ページを開いてください」と言いたい場合は Please open your document to page twenty seven. と言えます。また 1 章を Chapter one というのと同じで、ページ数は、the をつけないで、page 27 と言います。資料の説明に役立つ表現をあげておきます。

☐ 皆さんのお手元には、10 ページの資料があるはずです。資料がない方はお申し出ください。
The handout I have provided contains ten pages. If you don't have one, please let me know.

☐ お手元の資料は、各ページにそれぞれ 2 つの図表が載っています。
The handout you have carries two diagrams on each page.

☐ この資料は、わが社の製品と他社製品を、品質・価格の点から比較して作成しました。
I made this document by making a comparison of our products with other companies' products in terms of price and quality.

☐ ご参考までに、昨年度の販売実績の数値を添付してあります。
For your reference, I have attached the sales performance figures for last year.

示す／物語っている	show / represent / indicate / demonstrate

☐ 今からお見せする OHP は、弊社の新製品を示したものです。
The OHP I am going to show you **demonstrates** [explains] how our new product works.

☐ このグラフの縦軸は売上高、横軸は月を示しています。
The horizontal axis of this graph **represents** each month while the vertical axis **represents** sales figures.

□ 表中に緑で示された数字は、毎月の売上目標を示しています。
The green colored figures in the table **indicate** the sales targets for each month.

□ 図2が示すように、ヒスパニック市場は他の市場の5倍の速さで成長しています。
As figure 2 **indicates**, the Hispanic market is growing five times faster than any other market.

□ このグラフは、よくあるハイテク犯罪の1つ、企業の電話回線に入り込む件数が最も増えていることを物語っています。
This graph **indicates** that the largest increase in high-tech crimes are those that tap into business phone lines.

□ 網掛け部分は、長期介護に新しく政府が設けたプログラムです。
The shaded sections **indicate** the newly established program for long-term care by the government.

(メモ)「太字」なら in bold / boldface、「イタリックで」なら in italics。

□ これは、商品が瓶詰めされるまでの過程を、図で表したものです。
This diagram **displays** the process of how the product is bottled.

(メモ)「示す」も、いろいろ文脈によって表現方法があります。例えば
The thermometer **stands at** 18 ℃. (温度計は18度を示している)、**expand by** 20 % (20%の伸びを示す)
show a depreciation of 20% (20 %の低下を示す) などです。

| ～から……がわかる | ○ looking at ～ we can see
○ from ～ we can learn |

□ この折れ線グラフから、この製品が年々順調に売り上げを伸ばしていることがおわかりになるでしょう。
Looking at the line graph **we can see** that the product is steadily increasing in sales each year.

- [ ] 図5の棒グラフから、住宅の値段がこの数年横ばいであることがわかります。
  From bar chart number five, **we can learn** that housing prices have leveled off in the last few years.

まとめたもの	○ a summary of ○ a compilation of

- [ ] これは、わが社が地域社会にどのようなサービスを提供できるかについての報告書をまとめたものです。
  This is **a summary of** the report on what services we can provide for the community.

- [ ] この書類は、各部署からの報告書をまとめたものです。
  This documentation is **a compilation of** reports from each division.

メモ 一言にまとめると言っても、a summary of は「要約」で、a compilation of は「2つ以上のものを1つにする」ということです。日本語の字面にとらわれず、内容を伝えるようにしましょう！

8. 意見を述べるための表現

自分の考えを端的に言いますと	○ to give you a brief description of my thoughts ○ to put it briefly / simply put ○ plainly speaking

- [ ] 自分の考えを端的に言いますと、会社のマネジメントについては、より安全性を高めるべきだと思います。
  To give you a brief description of my thoughts, more stability is required in company management.

- [ ] 端的に言いますと、そのプレゼンテーションでは市場説明に加え、いくつか提案も盛り込んだ方がいいと思います。
  To put it briefly, you should give some suggestions along with a

	picture of the market in your presentation.
〜には早すぎる	○ premature ○ too early to 〜

□ どちらの解決方法がよいのが、決定するにはまだ早すぎるようです。
It seems to be **premature** to decide which solution is better.

□ あの新人について主張力があるかどうかを評価するには早すぎます。
It is **too early to** evaluate the new recruit's assertiveness.

よく考えれば	○ on careful thought
考え直してみると	○ on second thought
その点になると／考えてみると	○ come to think of it [about it]

□ よく考えれば、中国進出を断念するべきだという結論に至りました。
On careful thought, we have decided to give up the expansion into China.

□ 考え直してみると、多少波風を立てるのもよいかもしれないと思いました。
On second thought, I started thinking that my life should hold a few surprises.

□ 考えてみると、誰もが仕事と家庭を両立させようと頑張っています。
Come to think of it, everyone is trying hard to juggle work and home.

〜は残念である	it is regrettable that

□ わが社では PR を重要な機能と考えているので、このポジションに適切な人材を見つけることができず、とても残念です。
It is deeply **regrettable that** we could not find the right person for the public relations position, because we consider it a vital function.

意見を述べたい	○ let me share some of my thoughts

	○ I would like to comment on ○ here are some of my personal views about

□ 研修プログラムに対する私の意見を述べたいと思います。
  ○ **Let me share some of my thoughts** on the training program.
  ○ **I would like to comment on** the training program.

□ Eメールを使う場合のエチケットに関して、私の考えを述べたいと思います。
  Here are some of my personal views about etiquette when using e-mail.

□ 私たちの考えでは、この製品はこの価格に引き下げるべきです。
  We believe that we should lower the price of this product to this.

～するべきだ	should / must

□ 早急に顧客の不満には対応するべきです。
  We **should** immediately respond to customers' complaints.

□ 仕事上それらしくやっているだけだと気がついたら、その仕事を辞めるべきです。
  Once you have realized you are just going through the motions , you **should** quit the job.

メモ go through the motions は、～するふりをする、お義理でするという意味です。

□ 顧客の要求にはもっと敏感になるべきです。
  ○ We **should** become more aware of our clients' demands.
  ○ We **must** remain more aware of our customers' requests.

～することは妥当［適切／もっとも］である	○ it is appropriate ○ it is reasonable
～の言うことにも一理ある	○ there is some truth

3 ボディの作り方

☐ 慈善行為の精神に基づいて、地域の学校に寄付をするのは適切です。
It is appropriate to donate some amount of money in the spirit of philanthropy.

☐ 社員は会社に忠誠を尽くす義務があり、またその逆も言えると考えるのは、もっともです。
It is reasonable to think that workers should owe their loyalty to their company and vice versa.

☐ そのアナリストたちが言っていることにも一理あります。
There is some truth in what those analysts are saying.

賛成でも反対でもない	neither for nor against

☐ 私は、ヒトクローンに賛成でも反対でもありません。
I'm **neither for nor against** the idea of human cloning.

メモ もちろん I am not for or against ～と言ってもOK。「賛成です／同感です」の場合は、I am for ～、I agree with ～、I'll second that.「反対です」なら I am against ～、I disagree with ～。日和見的な場合は He is **sitting on the fence**.（彼はどっちつかずの態度で様子を見ている／彼は日和見をしている）

長所は短所に勝る	○ merits outweigh demerits ○ advantages outweigh disadvantages

☐ このシステムでは、欠点もありますが、以下の2点において長所が勝るのです。
The merits [advantages] of this system **outweigh** the **demerits [disadvantages]** in the two following respects.

賛否両論	pros and cons

☐ その提案の賛否両論を考慮しなければなりません。
We must consider all the **pros and cons** of the proposal.

☐ 賛否両論がほぼ等しい状態なのです。

The **pros and cons** of it are evenly balanced.

☐ この問題に関する賛否両論は、対応が難しいところです。
The **pros and cons** of this matter are difficult to deal with.

すべてを考慮すると	all things considered

☐ すべてを考慮すると、過度の人件費を削減することは可能だと思います。
All things considered, I think it is possible to curtail excessive personnel costs.

解決する鍵	the key to solving

☐ 年金制度の改訂が、将来の財政危機問題を解決する鍵だと思います。
I think revision of the pension system is **the key to solving** problems of fiscal crises in the future.

～に隠された真実を見られる	the hidden truth can be seen in ～

☐ 統計の数字に隠された真実を見ることができるのです。
The hidden truth can be seen in the numbers of statistics.

～と言った方がより正確	it may be more accurate to say that

☐ 利点がある場合だけ必死で働く気になる、と言った方がより正確かもしれません。
It may be more accurate to say that I am willing to work hard only when I can see an advantage in doing so.

面白いことに	it is interesting to note that

☐ 面白いことに、部下の業績考課を喜んでやっている上司はほとんどいないのです。
It is interesting to note that most supervisors hardly like doing appraisals of their subordinates.

メモ　appraisal（評価・査定）

望ましい［望ましくない］	it is desirable ［undesirable］

- [ ] 日本では、女性重役がもっと増えることが望まれます。
  It is desirable that female executives become more common in Japan.

議論を〜に限定する	limit the discussion to 〜

- [ ] 若い世代のトレンドについて議論を限定したいと思います。
  I would like to **limit the discussion to** the current trends among younger generations.

9. 例をあげる・仮定するための表現

例えば／例をあげれば 〜を例として取り上げてみる これは〜のよい例だ	○ for example / citing an example ○ take 〜 for ［as an］ example ○ this is a good example of 〜

- [ ] 都心に住むのは高くつきます。例えば、私はワンルームに月 15 万円払っています。
  It's very expensive to live in the city center. **For example**, I pay 150,000 yen a month for a studio apartment.

- [ ] 出生率を例にあげれば、日本は 2004 年に最低を記録しました。
  Citing an example from the birth rates, Japan hit a record low in 2004.

- [ ] 英語になった日本語はたくさんありますが、「禅」を例に取ってみましょう。
  There are many Japanese words that became English words. **Take** "Zen" **for example**.

- [ ] この方法は、物事を始めるためのよい例です。
  This method is a good example of getting the ball rolling.

- [ ] この事件は、不満を抱いている同僚に、気をつけておくべき理由を示すよい例となりました。

This case is a good example to illustrate why we should keep an eye on coworkers with deep grievances.

☐ これは、若いポップスターが流行を発信しているという興味深い事例です。
This is an interesting case where young pop stars are setting trends.

☐ 私の説を立証する例はたくさんあります。
There are many examples to support my theory.

☐ もう1つの例は、最近行った調査結果の中に見られます。
Another example can be seen in the results of the survey conducted recently.

☐ 下から働きかければ、皆がその改革にかかわっているという意識を持つことができます。関与することを促すのは、その最適な例です。
Working from the bottom up makes everyone feel involved in the changes. Inviting participation is a **case in point**.

| 〜には例外がある | ○ there is an exception to 〜 |
| 例外なく | ○ without exception |

☐ このルールには例外があります。
There is an exception to this rule.

☐ 当社の社員は例外なく、異文化間のコミュニケーション・トレーニングを受けて、イギリスに赴任します。
Without exception, our employees take international cultural communication training before leaving for a new post in England.

もし	○ if
	○ under the presumption that
〜としましょう	○ let us suppose
	○ presume / suppose / assume

☐ もし今すぐ方法を変更すれば、損害は最小限ですむでしょう。

3 ボディの作り方

The damage will be minimized **if** we change the method immediately.

☐ この記事が正しければ、日本経済の見通しは明るいと言えるでしょう。
　○ **If** the article is right, the economic perspective in Japan is bright.
　○ According to this article, **if** what it says is true, the outlook for Japan's economy is bright.

☐ 準備に1年かけられると仮定して、全体のプランを作りました。
　I made an overall plan **under the presumption that** we can spend a year on preparation.

☐ 仮にA案もB案も、リスクは等しいとしましょう。
　Let us suppose risks are equal in both plan A and plan B.

☐ この調査結果から、20年後にはほとんどの労働者は、子供と年老いた親の面倒を見ていることになると仮定できるでしょう。
　Judging from the results of the inquiry, we can **presume** that most workers after twenty years will have children and elderly parents to take care of.

☐ 仮にそれが合法だとしても、やはり当社としては反対する意向です。
　Although there **may be** no problems legally, we are still against it.

> **メモ**　if や presume を使わなくても仮定した表現は可能なのです。

～による／～次第	depend on

☐ 若者が就職先を決めるのは、給与でなく、どれくらい休みが取れるかによるそうです。
　Young people choose their jobs **depending on** how many days off they can take, not how much they are paid.

☐ このプロジェクトが成功するかどうかは、御社の協力によるのです。
　Whether this project will be successful or not **depends on** your cooperation.

メモ　「あなた次第です」と言う場合、It depends on what you think. や It's up to you. また The decision is yours. なども可能です。

10. 話を次へと移していく・視点を変えるための表現

〜に移る／〜に進む	○ move onto 〜 / proceed to
〜を離れ、……に移る	○ leave 〜 and turn to …

☐ では、次のトピックに移りたいと思います。
　Now, I'd like to **move onto** the next topic.

☐ その問題は後で話し合うことにして、次のテーマに移りましょう。
　Let's discuss this issue later and **move onto** the next theme.

☐ この問題については、のちほどもう一度触れることにして、次に移ります。
　I will touch upon this subject later again. And now let us **proceed to** the next topic.

☐ ここで、昨年の業績に関するレポートから、今年のセールス目標に移りたいと思います。
　I will now **leave** the report of last year's performance **and turn to** the sales target for this year.

☐ ここで、次の話題に進んでもよいでしょう。
　We may now **proceed to** the next topic.

話題を変える	change [shift] the topic

☐ ここで話題を変えまして、その人の立場になって考えることについてお話ししたいと思います。
　Changing the topic at this point, I'd like to talk about putting yourself in someone's shoes .

3 ボディの作り方

メモ	put oneself in someone's shoes（その人の立場になって考える）

本題に戻る	return [go back] to the main concern [topic / subject]

□ 本題に戻りましょう。／話を元に戻しましょう。
  ○ I will now **return to our main concern**.
  ○ Let us **get back to the main topic** [what is important / the original subject].

□ 話が横道にそれています。元の話題に戻りましょう。
  We are deviating from the main subject. Let's **get back on track**.

□ これ以上この問題を扱うことはやめて、本題に戻りましょう。
  Instead of going further into this matter, let us **return to the original subject**.

□ それで、話は最初の問題に戻ってしまうわけです。
  ○ In that case, we must discuss the initial issue here.
  ○ Therefore, we must inevitably **come back to** the first issue.

メモ	inevitably（必然的に）

□ それゆえに、コストの問題に戻ってくるわけです。
  ○ That is why we **return to** the issue of costs.
  ○ This is why we **come back to** the issue of costs.
  ○ That is the reason why we **come back to** our discussion on costs.

この考えを〜へと発展させる	expand this idea into 〜

□ この著名な物理学者による考えを、私たちの製品作りへと発展させたいと思うのです。
  I would like to **expand this idea** of the eminent physicist **into** our production.

力点［重点／ポイント］を〜から……に移す	shift the emphasis away from 〜 to …

☐ ここで、アジア経済からヨーロッパ経済に力点を移しましょう。
Let us now **shift the emphasis away from** the Asian economy **to** the European economy.

〜をよく［詳しく／念入りに］見る［調べる］	○ take a close look at 〜 ○ examine 〜 more closely

☐ これらの統計に出ている数字を、よく見ていただきたいと思います。
Please **take a close look at** the statistics.

☐ こういった顧客からのアンケート結果を、もっと念入りに調べる必要があると思うのです。
I think we should **examine** those opinions voiced in the customer questionnaires **more closely**.

役に立つかもしれない	it may be helpful

☐ 分野は違うが、あの会社の方法を分析しておくことは役に立つかもしれません。
It may be helpful to analyze the company's operating practices even though we are in different fields.

次に	next

☐ 次に、パワーポイントで作成した講演用スライドをお見せしたいと思います。
Next, let me show you some presentation slides created using Power Point.

☐ 当然次にくる質問は、この計画をどのように進めていくかということです。
Logically, the **next** question we should ask ourselves is "How can we carry out this plan?"

これらを念頭に、〜に目を向ける	with these issues in mind, take a look at 〜

☐ これらを心に留め、ここで社会人としての役割に目を向けましょう。 **With these issues in mind,** we will now **take a look at** roles of society members.	
ここで	now
☐ ここで問題の中心に迫りたいと思います。 I will **now** get down to the crux of the matter.	
ここまで〜、ここからは……	○ （〜）up to this point（〜）, now … ○ （〜）so far（〜）, now …
☐ これまで東欧市場について個別に見てまいりました。ここからはヨーロッパ市場全体を考えていきたいと思います。 ○ **Up to this point** we have looked at each East European market. **Now**, let us think about the European market as a whole. ○ We have examined several East European markets each **so far**. **Now**, let us discuss the European market as a whole.	
もっと詳しく	in more detail / in further detail / in more depth
☐ この点につきましては、当社のマーケティング担当者からさらに詳しくご説明いたします。 As for this issue, our marketer will explain **in more detail**.	

11. 言い換え・比較・追加など注意を引くための表現

比べると	○ compared with 〜 ○ in comparison with 〜
☐ 同業界で最近活躍がめざましいムーンライト社と比べると、当社には職員研修が不足しているのではないかと思われます。 **Compared with** Moonlight Company, who is doing very well in this	

field these days, we seem to need more job training.

- 競合他社に比べますと、当社は比較的小規模です。
  In comparison with other competitors, our company is relatively smaller.

言い換えれば	in other words 〜

- この提案を実践していくには、消費者からの支持がもっと必要です。言い換えれば、支持が一定必要量に達していないのです。
  In order to implement this proposal, we need more support from consumers. **In other words**, this proposal hasn't reached a critical mass of popularity.

  メモ critical mass（臨界質量）

結果として	as a result

- この市場調査結果で、この製品は高所得の消費者層によく売れているとわかりました。
  As a result of the market research, we learned that this product would continue selling well among consumers in high-income brackets.

  メモ ＊ The results may interest you.（この結果に興味を持たれるかもしれません）

極端に言えば／極論すれば	to put it in an extreme way

- 極端に言えば、多くの中間管理職は、他に遅れを取らないようにするためだけに頑張っているのです。
  To put it in an extreme way, a lot of middle managers are just running to keep up with others .

  メモ keep up with others（遅れを取らないようについていく）

付け加えておかなければならない	○ one point which should be added is

ことは 付け加えると／さらに	○ in addition

☐ ここで付け加えておかなければならないことは、われわれのレポートは1000件の共稼ぎ世帯への調査に基づくものであるということです。
One point which should be added is that our report is based on a survey of 1000 double-income households.

☐ 当社のサイトでは、在庫情報や市場予測といった情報が手に入ります。さらに、同業界の主要な会社の業績一覧もダウンロードできます。
Our web site provides information related to inventory and market predictions. **In addition**, you can download the performance list of major companies in this industry.

正直に言うと／率直に言うと	○ to tell the truth ○ honestly speaking ○ get right to the point ○ frankly speaking ○ to be candid

☐ 正直に言うと、あなたの意見には賛成しかねます。
To tell the truth, I don't agree with your opinion.

☐ 率直に言うと、このプロジェクトには、あと少なくとも5人の増員が必要だと思います。
Getting right to the point, this project needs at least five additional staff members.

☐ 率直に言って、この計画はうまくいくとは思えないのです。
Frankly speaking, I don't think this project will work.

☐ 正直言うと、その契約についてはもう一度考え直した方がいいと思います。
To be candid, you should give the contract a second thought.

〔 メモ 〕 他にも＊**I must confess the fact that** I was headhunted away to the foreign affiliate.（本当のことを言うと、私はその外資系企業に引き抜かれた

のです）など、正直に言いますという前置き表現にもいろいろあります。

~はポイント[重要な点／問題点]ではない	~ is not the point in question

☐ 今あなたがおっしゃったことは、問題点ではありません。
What you have just said **is not the point in question**.

要するに	○ in short [brief] / in sum / in essence / to sum up
要点をまとめますと	○ summarize the point
つまり／結論は	○ the bottom line is

☐ 要するに、中間管理職の中には、長時間働き、責任が増え、意思決定の権限も増えた方が調子がいいと思う人も多いということです。
In short, a lot of middle managers feel they can thrive on longer working hours, more responsibility, and more decision making power.

メモ thrive on（～で栄える／～を生き甲斐にする）

☐ 簡潔に要点をまとめますと、わが社には強力な海外ネットワークがあるということです。
To briefly **summarize that point**, our company has a strong international network.

☐ つまり、そのシステムだと利益を生み出さないということです。
The bottom line is that the system is not profitable.

困ったことは／問題は	the problem is

☐ 困ったことは、私はその点に関して中国のことをよく知らないのです。
The problem is that I don't know China well in that respect.

実は［真実は］	○ the fact (of the matter) is ~ / the truth is ~

実際（は）	○ in fact ○ as a matter of fact ○ the reality is

☐ その集会はあまり人が集まりませんでした。実は集会の主旨自体、あまり興味を持たれていなかったということなのです。
The rally was poorly attended. **The fact is** that people were not really interested in the main point of the rally.

☐ 昨日の地震で被害を受けた地域には、私どもの工場があります。そこで実際現地へ人を送り、救助活動に参加することにいたしました。
We have our plant in the region that was hit by the earthquake yesterday. **In fact**, we have decided to send some people to join the rescue efforts.

～と違って	unlike

☐ 団塊の世代と違って、今の若い人たちは企業への帰属意識が薄いようです。
Unlike the baby-boom generations, younger people nowadays seem to have less sense of belonging to their companies.

この件に関して	over [on] this issue

☐ この件に関して、当社の考えは御社とは反対です。
○ We oppose your views **over this issue**.
○ We disagree with you **over this issue**.

～に照らしてみる	○ from ○ in light of ～ ○ close look at ～ ○ according to ～

☐ 就業規則に照らしてみると、今回の活動には若干問題があるようです。
　○ **According to** employment regulations, there seems to be a slight problem with this activity.
　○ After having a **close look at** the employment regulations, I'm afraid

> I found this activity has some problems.

12. 前例・事例・研究などがないことを伝えるための表現

～は、これまでにまったく研究されなかった	○ ～ has never been studied so far
研究は今までなかった	○ there has been no study

☐ この薬の副作用について、これまでに日本ではまったく研究されていませんでした。
The side effects of this medicine **have never been studied so for** in Japan.

☐ 宗教と業績の直接の相関関係を証明しようとした研究は、今までにありませんでした。
There has been no study that tried to prove a direct correlation between religions and work performance.

ほとんどわかっていない	little is known

☐ この病気の原因と思われる新型ウイルスについては、現在ほとんどわかっていません。
Little is known today about the new virus which might be the culprit of this disease.

ほとんど試されなかった	few attempts have been made

☐ そのような実験については、ほとんど試されませんでした。
Very **few attempts have been made** at such experiments.

ほとんど注意が向けられなかった	little attention has been given

☐ 高齢者のトレンドについては、ほとんど注意が向けられてこなかったのですが、これからは大変重要になってくる分野です。

Although **little attention has been given** to the trends of the older generation, it will be a crucial area in the near future.

13. 一般論・常識などを言うための表現

相場は決まっている	standard［normal］practice

□ 業務上知り得た顧客の個人的情報は、他にもらさないものと、相場は決まっている。
It's **standard practice** not to reveal customers' private information to others.

普通／決まった手順	the norm / standard procedure

□ 9時から5時まで、というのはオフィス勤務では、少し前までは普通でした。
Nine-to-five used to be **the norm** of office hours until recently.

□ 払い戻しを受け取るのに、何か決まった手順はありますか？
Is there a **standard procedure** for receiving a reimbursement?

世の常	the way of the world / the way the world goes

□ 因果応報、それが世の常、というものでしょう。
What goes around comes around —— that's **the way of the world**.

（メモ）That's how it has always been.（昔からそう決まっている）

今でも	even today

□ 今でも日本の企業には、女性幹部がわずかしかいません。
Even today there are a few female executives in Japanese companies.

〜という時代を迎えている	be in the age of / be in the age when

□ 衛星通信の進歩のおかげで、テレビ会議の時代を迎えています。 Due to the advancement of satellite communications, we **are** now **in the age of** videoconferencing.	
今に始まったことではない	nothing new
□ ビジネスエチケットは、今に始まったことではないのですが、それでも最近はEメールでよいのか、電話をすべきか、通常の手紙を出すべきか、迷ってしまいます。 Business etiquette **is nothing new**, but I have some difficulty in how to respond to others. Is e-mail all right? Should I make a phone call or use snail mail ? (メ モ)　snail mail は conventional mail、つまり通常の郵便です。Eメールと比べると、カタツムリのように遅いということなのでしょう。	
社会通念では	○ conventional wisdom holds that ○ conventional wisdom has it that
□ 社会通念では、働く女性は、仕事も家事も育児もこなさなくてはならないことになっています。 **Conventional wisdom holds that** career women do paid work, do house chores, and do child rearing.	

14. 対象外・除外することを表すための表現

〜は取り扱わない／除外する	○ rule out ○ 〜 not concern ○ 〜 not one's concern
□ 私のプレゼンテーションでは、アジア経済の影響については取り扱いません。 ○I will **rule out** the influence of the Asian economy in my presentation. ○The influence of the Asian economy **doesn't concern** my presentation. ○The influence of the Asian economy is **not my concern** for this	

presentation.
○In my presentation, I will **not be concerned with** the influence of the Asian economy.

15. その他

～ということは～だ	which means that ～

☐ 当社は15の国々に30のオフィスがありますので、世界中で質の高いサービスとサポートを提供できるということです。
We have 30 offices in 15 different countries, **which means that** we can provide high quality service and support world-wide.

もし仮に	hypothetically speaking

☐ 仮に現在のシステムを使い続けたとしましょう。どういう状況になると思いますか？
Hypothetically speaking, we keep using the current system. What kind of situation do you think we will be in?

検討する	○ take a closer look ○ investigate / examine / look into

☐ 調査結果をもっと慎重に検討すべきでしょう。
I think we should **take a closer look** at the results of the inquiry.

☐ 本日は、前回のプロジェクトが失敗した原因を検討するために集まっていただきました。
Today we are here to **investigate** why the former project was doomed to failure.

☐ この件に関する賛否両論が妥当かどうか、検討していきましょう。
○Why don't we **examine** the validity of the pros and cons of this issue?
○Let us **look into** whether the pros and cons of this issue are justified

	or not.
～を考慮し	○ in view of ～ ○ taking into account ○ considering

☐ 市場の動きを考慮し、新製品の生産は 15% 減らした方がよいと思います。
In view of the market fluctuations, we should reduce the production of the new goods by 15%.

☐ 現在の状況を考慮しながら、このプロジェクトを成功させるため万全の対策を取らなければなりません。
Taking into account the current situation, we must take all possible measures to make the project successful.

☐ 部下の抱えている問題やスキルを考慮し、業績評価を行わなくてはいけません。
Considering your subordinates' current problems and skills, you have to evaluate their performance.

(メモ) 他にも、次のような言い方ができます。
＊ すべてを考慮に入れて、現状には満足しています。
We **looked into** all those aspects, and we are satisfied with the current situation.

全体として	○ as a whole / on the whole ○ overall

☐ 全体として、この結果には満足しています。
Overall, we are satisfied with the result.

(メモ) 全体としてという意味で overall を使う場合、文頭で使います。

　さて、皆さんのプレゼンテーションの進み具合はいかがですか？　肝心要となるボディですので長かったですが、言いたいことはちゃんと見つかりましたか？　次はいよいよ締めの部分、コンクルージョンです。終わりよければすべ

てよし All's well that ends well. と言うように、せっかく頑張ってきたプレゼンテーション、最後で決めなくては。さぁ、あと一息です。一緒に頑張りましょう！

Chapter 4
コンクルージョンの まとめ方

1 コンクルージョンの作り方

　さて、いよいよ締めの部分です。コンクルージョンでは、ボディで述べたことをもう一度、ポイントだけ短くまとめて繰り返すことで、自分が今回のプレゼンテーションで言いたかったことを、相手に印象づけて終わるようにしましょう。プレゼンテーションの種類やその場の雰囲気では、ボディで盛り上がった場合に、そのまま終わる方が決まる場合もありますが、それでも何らかの締め sense of conclusion が必要です。
　では、ここでもグリーンソープのプレゼンテーションで、コンクルージョンの例を見ていくことにしましょう。

2 コンクルージョンの見本

CD 5
CD 6

プレゼンテーション例
新商品を本社の上層部に伝える　　コンクルージョン

A good example of a conclusion　使えるコンクルージョン

以上、わが社にとって限りない利益をもたらしてくれるであろうグリーンソープについてお話ししました。結論として[①]、その長所[③]を、もう一度まとめて[②]おきたいと思います。 第1はコストパフォーマンスと品質の高さ。第2は使用している素材が環境に優しい[④]安全なものである。第3は当社のイメージアップ[⑤]と利益につながること。 こういった素晴らしい特性[⑥]を備えたグリーンソープだからこそ、当社自慢製品の1つとして世に送り出し[⑦]たいと思います。よろしくお願いいたします。	I have talked about how Green Soap will bring almost unlimited benefits to our company. In conclusion,[①] I'd like to sum up[②] all of its virtues.[③] First, its low cost and high quality. Second, its eco-friendly[④] ingredients. Third, its image-enhancing[⑤] and economic effects. With all those merits,[⑥] I strongly hope that Green Soap will be a product we will be most proud of when it hits the market.[⑦] Thank you.

英語の解説

① in conclusion は「結論として」という決まり文句です。
② 「まとめる」は、他にも summarize や boil down、recapitulate などといった表現があります。

③ virtue は数えられない名詞として使用すれば「美徳」という意味ですが、a virtue のように数えることができる名詞として使うと、「長所・美点」という意味になります。
④ これは最近日本語として定着してきた感がありますね。環境に優しい、環境を配慮した、という意味です。
⑤ 「イメージを高める」という意味の形容詞です。④もそうですが、ハイフンでつないだ表現は引き締まった英語を書くのに大いに役立ちます。

　いかがですか。　これで1つのプレゼンテーションが完成したわけです。では、コンクルージョンに使える表現を載せておきますので、大いに活用してください。

3 使える表現パーツ！ コンクルージョン用

1. まとめる表現

要約しますと／要するに	○ let me summarize ○ in summary / in summation / in sum ○ to sum up 〜 ○ the point is
簡単（手短）に言いますと	○ to put it simply ○ in short / in brief ○ to make a long story short

□ 今までの説明を要約します。
Let me summarize the explanation I have given so far.

□ 説明を要約しますと、次のようになります。
The explanation can be **summarized** in the following way.

□ まとめますと、3つの重要問題があるということです。
In summary, we have three important issues.

□ 私のプレゼンテーションをまとめ、この件につき一言申し上げたいと思います。
To sum up my presentation, I'd like to say a few words about this issue.

□ 簡単に言いますと、人員削減に大なたを振るうということなのです。
To put it simply, we are thinning the ranks .

> **メモ** thin the ranks（社員を減らす）

概して／総じて／一般的に／大ざっぱに言って	○ overall ○ on the whole ○ generally speaking / in general ○ roughly speaking

□ 全体的に見て、この傾向は私たちの業界にとって好都合だと思われます。
Overall, we can view this trend favorably for our business.

メモ　「好都合」もいろいろな表現があります。
* The plan is advantageous to our company.（そのプランはわが社にとって好都合だ）
* The date will suit us.（その日は好都合です）
* They tailored the plan to the customers' needs.（彼らはプランをその顧客たちのニーズに合わせて好都合なようにした）

□ 大ざっぱに言って、約半数の購買者がその製品には不満を持っています。
Roughly speaking, about half of the buyers feel unhappy about the product.

全体として／総括して	○ as a whole ○ in total ○ all in all ○ by and large

メモ　「全体として」は、先に見た「概して」と似ていますが、「概して」の方が1つ1つにも目を向けているのに対して、「全体として」という場合は、例外には目をつぶり十把一絡げにしています。

□ 全体にその会社では働きやすくなってきました。
The company, **as a whole**, has become a better place to work at.

□ 全体で20%の社員が、来年までに削減されることになります。
In total, 20 % of the employees will be reduced by next year.

> **メモ** in total chaos（乱れに乱れている）、in total gridlock（立ち往生している）、in total silence（まったく音を立てずに）、in total synch（ぴったり息が合って）などがあります。また次のような表現にも注意しましょう。
> * The government capped the rise **in total** expenditure on medical services.（政府は医療費総額の伸びを抑制した）
> * The end of the year saw a decline **in total** working hours.（わが社は昨年末総労働時間が減少した）

□ だいたいのところ、大手銀行は政府の新しい方針を歓迎しているようです。
By and large, the major banks welcomed the government's new policy.

当然／そもそも（〜に決まっている）	○ by definition ○ it stands to reason ○ no surprises ○ no wonder

□ 人の記憶は当てにならないものですし、そもそも主観的なものなのです。
People's memories are unreliable and **by definition** subjective.

□ 人に親切にすれば、当然自分も人から親切にされるものなのです。
It stands to reason that if you are considerate to people, they will respond in kind.

> **メモ** * in kind（現物で）
> * respond in kind（同じような対応をする）

□ 市場が不安定であるため、私たち社員の持ち株削減や買い戻しは当然だと考えています。
With all the instability in the market, it is **no wonder** that we have to reduce our own shares or do a buy-back.

□ あの社長は全従業員から尊敬されるのも当然です。
The president **deserves** the respect of every employee.

☐ このシステムを採用することで、当然生産性を上げるものと思われています。
It **is naturally expected** that our productivity will rise once we implement this system.

したがって	○ therefore / consequently / accordingly / so ○ as a result ○ for that reason

☐ したがって、私たち社内の士気を盛り上げるアイデアを出さなくてはなりません。
Therefore, we have to come up with new ideas that will lift spirits around here.

☐ したがって、第3章を繰り返し読んで肝に銘じていただくことが重要なのです。
Consequently, it is important to repeatedly read Chapter 3 and keep it in mind.

☐ したがって、中国への進出はたいへん意義あることになりました。
As a result, the expansion into China became incredibly important.

〜に従って	○ follow 〜 / under 〜 ○ in line [accordance] with 〜 ○ along with 〜 ○ according to 〜 ○ based on 〜

☐ 画面上の指示に従って、フォームに記入してください。
Follow the onscreen instructions and fill in the form.

☐ 服装規定に従って、あまりカジュアルになりすぎないことも大切でしょう。
You should dress **in line with** the dress code and not too casually.

☐ 当工場では、社の安全基準法に従ってヘルメット着用となっております。
In this factory, everyone has to wear a helmet **in accordance with** the safety regulations.

最後に	○ lastly ○ finally
最後に申し上げたいことは〜	○ what I would like to state lastly is 〜

□ 最後に、本日の話の要点を改めて簡潔に述べたいと思います。
Lastly, let me briefly restate the main points I have mentioned today.

□ 最後に、この問題についてもう一度触れておきたいと思います。
Finally, I would like to touch upon this matter once more.

□ 最後に申し上げたいことは、学歴や職歴でなく、どこまでやれるかが重要だということです。
What I would like to state lastly is that how far you can go does count , not your academic or professional background.

メモ count には重要であるという意味があり、Your opinion counts.（君の意見は重要だ）のように使います。ここでは強調のため does count となっています。

再度［もう一度］見る［確かめる］／振り返る	○ review / go over
繰り返す	○ repeat / reiterate

□ 最重要点を再度確かめておきましょう。
Let us **review** the most important points.

メモ 私のプレゼンテーションの中での最重要点、としたい場合は、上の例文の最後の points の後に in my presentation と続ければ OK。

□ 私の話を終える前に、ご提案申し上げた方針の目的を振り返っておきましょう。
Before I end my presentation, let's **review** the main purpose of the policy I have proposed.

□ 本日話し合ったことをもう一度見ておきましょう。
I would like to **go over** what we discussed today.

□ 当製品の長所を繰り返しますと、小型で軽量であるということです。
Let me **repeat** the strength of the new product ― its compactness and lightness.

思い出す／思い起こす	○ recall / remember
思い起こさせるもの	○ reminder

□ この失敗は教訓として今後も思い出し、繰り返さないことが大切だと思います。
　○ I think we should **remember** this fiasco as a valuable lesson and never do it again.
　○ We should learn from this failure and **recall** it whenever we think of doing the same thing again.

□ 初めに話したことを、ここでもう一度思い出してください。
Now, I'd like you to **recall** what I told you in the beginning.

□ 上司からの注意書きを、覚え書きとして（忘れないように）パソコンに貼ってあります。
I put the advisory note from my boss on my computer as a **reminder**.

□ 思い出させるメモを渡すようにすれば、夕方からの集会参加率も上がるのではないでしょうか。
Giving a **reminder** could raise attendance at the rally in the evening.

結論に達する	○ come to a conclusion ○ arrive at ［get to］ a conclusion ○ draw ［form / reach］ a conclusion
決定する	○ decide / conclude / settle ○ make a decision ○ come up

□ ついに、吸収合併が必要だという結論に達しました。
At last, we have **come to the conclusion** that the merger is necessary.

□ 相手の結論が出るまで、もう少し待つべきだと思います。
We should give them some more time to **draw a conclusion**.

□ 今回の調査では、何もわからなかったと結論せざるを得ないでしょう。
I have to **conclude** that all this research has revealed nothing.

□ この段階で結論を出すのは早すぎるのではないでしょうか。
I'm afraid it is premature to **come to a conclusion** at this stage.

メモ　慎重に考えず結論に飛びつくことを、jump to a conclusion、rush for a conclusion のように表現できます。
* We must not **jump to a conclusion**.（早まってはいけない）

□ 何らかの結論が出次第、先方から連絡をいただけるとのことでした。
What I heard is that they will contact us as soon as any **conclusions are reached.**

□ 長時間にわたる協議の結果、次のような協議事項に決まりました。
After the long discussion, we have **come up** with the following agenda.

メモ　What's the bottom line?（結論は？）
「結論が出ない」場合は We haven't reached a conclusion. と上記の例文を否定形にしてもいいですし、次のような表現もあります。
* We ended the meeting in a stalemate.（結論が出ずに会議が終わった）
* We are still thinking about the issue.（その件に関しては考え中＝その件に関しては結論が出ていない）
* Let us keep the discussion open for now.（目下のところ、その件に関しては結論を出さずにおきましょう）

結局は	○ in the long run ○ when you get (right) down to it / 　when you get to the core of it ○ eventually ○ end up

□ 一時的には高くついても結局は［長い目で見れば］得をする、ということで高品質のものを求める消費者が増えています。
More and more consumers are willing to pay more for high quality goods because **in the long run**, it will pay off.

□ 結局は［突き詰めれば］、会社の事業に対する従業員の関心が高いかどうかが問題なのです。
When you get to the core of it, employees' concern about how their company performs counts the most.

□ どう売り込まれたにせよ、結局はいいものだけが残るはずです。
However it's pitched, **eventually** only good quality items or services will survive.

□ 結局はごみになるから、と包装を断るお客様も増えてきています。
An increasing number of customers turn down wrapping, saying it will **end up** in the garbage.

ここまでは	so far

□ ここまでは、当社の方針についてお伝えしました。
I have presented you with our company's policy **so far**.

いずれにしても	○ at any rate ○ in any case ○ anyhow

□ 以上のようにいろいろな健康法がありますが、いずれにしましても続けることが重要だと言えます。

As stated above, we have a variety of methods for staying healthy. But **at any rate**, the most important thing is to keep it up.

> **メモ**　「以上のように」は、他にも as described [mentioned / remarked] above、as can be seen、as observed above のような言い方が可能です。

~でプレゼンテーションを終わる	finish my presentation by ~

□ 新しいプリンターの、主なセールスポイントを繰り返して、プレゼンテーションを終わりにしたいと思います。
I would like to **finish my presentation by** reminding you of the key features of our new printer.

締めくくる／終える	○ conclude / end / wind up / finish / close ○ bring ~ to a close [an end]

□ わが社の新車の長所を強調して、私の話を終えます。
I would like to **conclude** my presentation by emphasizing several strengths of our new car.

□ さて、これで本日の私のプレゼンテーションを締めくくりたいと思います。
Well, that **brings me to the end** of my presentation today.

> **メモ**　cover を使って、次のように言うこともできます。
> ○ That **covers** everything I wanted to tell you about.（これで申し上げたかったことは全部お話ししました＝これで私の話を終えたいと思います）

2. 締めくくる表現

最後に	in conclusion / in closing / finally

□ 最後に、この製品が以前のものに勝る点を述べまして、私のお話を終わりにいたします。

In conclusion, I would like to emphasize that this product has several advantages over the previous one.

□ 最後に、当社の製品の長所をもう一度述べたいと思います。
Finally, I would like to restate several strengths of our product.

一助となる	help（to）/ be of some help

□ 私のプレゼンテーションが、わが社の安全戦略向上の一助になればと思います。
I hope my presentation will **help**（to）develop our security strategies.

メモ 「寄与する」という日本語訳をよく使う contributory という単語は、「主に問題点の原因となっている」という場合に使います。例えば Smoking is a contributory cause of cancer.（喫煙はガンの原因だ）などです。

〜に向かう／向かって	○ toward（s）/ set / head ○ on track / on the road to / on target for

□ 今後も皆と力を合わせて、目標に向かって努力していきたいと思います。
I would like to continue working hard **towards** our goal, working together with everyone here.

□ 世界情勢を見ておりますと、私たちは正しい方向へ向かっているのだと確信いたします。
Observing what is going on in this world, we are surely **on** the right **track**.

□ 今月の売り上げは 15% アップに向かっております。
Our sales figures for this month are **on target for** a 15% increase.

□ オリオン社が成功したのは、在宅勤務を採用したからなのです。
It was the shift to telecommuting that set Orion Corporation **on the road to** success.

メモ be heading for / be headed for は「〜に向かって」という表現でよ

く使われますが、for の後に目的の場所がくる場合は、文字どおりその場所へ向かっているということです。ところで、『ロングマン現代英英辞典』や『Collins COBUILD』を見ると、They were headed for disaster.（彼らは大失敗へと向かっていた）、The species were heading for extinction.（その種は絶滅へと向かっていた）のように、どうも暗い運命（doomed）のものへ向かっている場合に使われることが多いようです。

他に「今後の方向は〜である」と言いたい場合も、上記と同じように言えます。

* We will keep working towards utilizing these outcomes to develop new medicines for the disease.（今後、この成果を新薬の開発に使用できる方向で研究を続けます）

推し進める／推進する／進む	○ enhance / push / push through ○ press forward ○ promote / advance / carry out
向上	○ advancement / betterment / improvement / progress / upgrade / uplift
向上する／改善する	○ be elevated / get better / go up

□ この問題を取り除けば、われわれの生産性はよりいっそう向上するでしょう。
Getting rid of this problem will further **enhance** our productivity.

□ 会社が望んでいるのは、上司を部下が評価することで、建設的な意見交換ができる職場を推進することなのです。
What the company wants is to **promote** constructive discussion in the office by subordinates providing feedback to their superiors.

□ ある調査では、トップ経営者の 90％ 以上が、国際的に通用するエグゼクティブを育成することが会社向上の最重要課題、と考えているそうです。
A survey indicates that more than 90% of business leaders think the development of international executives is of vital importance to their company's **progress**.

変わる／変える	○ change / shift / switch / divert

変革	○ change / shakeup / transformation

☐ このシステムを導入すれば、在庫管理の方法が大きく変わるでしょう。
Implementing this system will dramatically **change** the way we control inventory.

☐ 仕事を変えるというのは、戦後日本経済復興に全力を傾けた世代には考えられないことでした。
The idea of **switching** jobs was unthinkable for the generations who committed themselves to restoring Japan's economy after the war.

☐ この問題が生じたために、本当の根源的な問題から目をそらすようなことがあってはいけないと思います。
I think this newly raised problem should not **divert** our attention from the real fundamental issue.

メモ change は「変わる」という意味で最も一般的によく使われます。switch は素早く切り替える感じが強く、shift はあるものから別のものへと変わる、divert は交通や意識などの方向を変える、という具合に同じような意味を持っていても、別々の単語だけあって意味合いが変わってくるのです。意味合いを間違えずにつかみ、使いこなせば上級者。それまでは①辞書を引いて、詳しく調べてから使う、②一般的な単語を使って無難にこなす！ この2つで勝負しましょう。

☐ 教育に大きな変革が必要と叫ばれて、久しいです。
It's been a long time since a huge **shakeup** of the education system was called for.

信じている	○ believe / trust ○ be convinced / be a firm believer

☐ 自分がしていることは、世の中において重要であると信じたいものです。
I would like to **believe** what I do is of some importance in the world.

☐ 上司と部下は、お互いを信じ合っているべきだ、と思っております。

I **believe** that a boss and his [her] subordinates should **trust** each other.

メモ 上の例文で believe と trust の違いを感じてもらえたでしょうか？ believe は何か（人が言っていることも含めて）が「真実だと思うこと」、trust にもその意味はありますが、人に対して、正直で間違いない人であると「信用する」場合は trust がぴったりです。

☐ 私たちのこの努力は必ず実を結ぶもの、と強く信じております。
　I **am convinced** that our efforts will definitely bear fruit.

3. 質問に関係する表現

遠慮なく／気兼ねなく	○ feel free to ○ do not hesitate to

☐ ご質問のある方は、どうぞ遠慮なくおっしゃってください。
　○ Please **feel free to** ask any questions.
　○ Please **don't hesitate to** ask any questions.

☐ ご意見やご提案がありましたら、どうぞご自由にお申し出ください。
　I would like you all to **feel free to** come forward with any ideas or suggestions.

☐ 情報がもっと必要な場合は、遠慮なくご連絡ください。
　○ Please **do not hesitate** to contact us when you need further information.
　○ Please **feel free to** get in touch with us if you need further information.

尋ねる／問い合わせる	ask / inquire /enquire /check

☐ その商品の在庫状態につきましては、当社担当者まで遠慮なくお問い合わせください。
　○ Please **ask** our contact person about the inventory status of the product at anytime.

○ Please **inquire** about the product's stock of the person in charge.
○ Please **check** the inventory level of the product with our contact person.

【メモ】 ask［inquire / enquire］＋人＋聞く事柄、となりますが、聞く事柄が先に来て、後に人を持ってくる場合、上の例文のように、ask［inquire / enquire］＋聞く事＋ of ＋人となりますので、要注意です。また check は of でなく with である点にも注意しましょう！

もっと詳しく知りたい	○ be interested in further information ○ learn［know］more

□ 詳しい情報に興味のある方は、遠慮なくお知らせください。
Please do not hesitate to tell us if any of you **are interested in further information**.

□ このシステムについてもっと詳しくお知りになりたい場合は、わが社のホームページをご覧になるか、E メールをください。
If you would like to **learn**［**know**］**more** about the system, please visit our web site or e-mail us.

さらに詳しく／より詳しい／詳細に	○ more detail / in more ［greater］ detail ○ details ○ additional information / more information ○ detailed

□ 当社では来春に、より詳しい報告書を発表する予定でございます。
○ We are planning to come out with a **more detailed** report next spring.
○ We are planning on making a presentation with a **more detailed** report next spring.

□ 次回のプレゼンテーションでは、この実験結果を詳細にご報告させていただきます。
In my next presentation, I am going to report on the results of this experiment in **more detail**.

□ この件につきまして詳細が必要な場合は、遠慮なくご連絡ください。
　○When you need **additional information** about this matter, please feel free to contact me.
　○For **more information** on this issue, please contact me.

□ この機会に、本プロジェクトに関する詳細についてお話ししたいと思います。
　I would like to take this opportunity to provide you with **additional details** of this project.

> **メモ**　他にも「詳細」に関連する表現をあげておきます。
> * This report is sketchy .（このレポートは詳細が分からない）
> * The members of the committee will have to elaborate on the coordination of such policies and measures.
> （委員会のメンバーは、その政策および措置の調整を詳細に詰めなくてはならない）
> * Let me spell out the basic thoughts regarding this project.
> （このプロジェクトに関する基本的な考えを詳細に述べます）
> * All the particulars are shown in the brochure.
> （すべての詳細は、パンフレットに載っております）
> * She knows the ins and outs of accounting.
> （彼女は会計について詳細を知っています）

ご意見	○ hear from ○ comment / opinion / feedback / suggestion ○ view

□ 皆様からのご意見・ご感想をお待ちしております。
　○ We would like to **hear from** you.
　○ We look forward to your **feedback**.

□ どのようなご意見も喜んで聞かせていただきます。
　We would be grateful for any **suggestions** you have.

□ ご質問・ご意見・ご要望などをお聞かせください。

- ○ If you have any questions, **comments,** or requests, please contact us anytime.
- ○ We appreciate your informing us of any questions, **comments,** or requests.
- ○ Your **comments** and suggestions are always welcome.
- ○ Please do not hesitate to contact us with questions or **comments** you may have.

［メモ］ 〜に関する［対する］質問・ご意見と言いたい場合は、次のように表現します。

* We welcome your questions and comments regarding today's presentation.（本日のプレゼンテーションに関するご質問・ご意見をお聞かせください）

□ ご質問やご意見がございましたら、フリーダイヤルまたはEメールにてお知らせください。
If you have any questions or **comments,** please call us toll free or contact us via email.

［メモ］ フリーダイヤルやEメールのあとに電話番号、アドレスなどを入れる場合、次のようにatを使って書きます。

* Please call us toll free at 123-456-7890 or contact us via email at arkadia@m3.dion.ne.jp.

□ この件に関して、ご意見をちょうだいしたいと思います。
- ○ Would you mind sharing **comments** about ［on］ this issue?
- ○ I would like to hear your **opinion** about this matter.

□ この報告書をお読みいただき、今日中にご意見をいただけますか。
Would it be possible for you to read this report and give me your **feedback** by the end of today?

□ ご意見を説明していただけますか。
I would be grateful if you could tell me about your **views.**

□ ご意見をいただき、ありがとうございます。
Thank you for the **feedback**.

メモ 「意見」に関する他の表現として重要なものには、次のものがあります。活用してください。
* opinion box（ご意見箱）
* trend spotter（ご意見番）
* Your opinion counts./ Your opinions are important to us.
   （お客様のご意見は、弊社にとって大変重要です）
* With much [all] due respect, I found contradicting data. = I respect your opinion, but I found contradicting data.
   （おっしゃることはごもっともですが［恐れながら／お言葉ですが］、矛盾するデータがあるのです）

質問があれば	have [ask] any questions

□ 新製品グリーンソープについて、簡単ですがご説明申し上げました。ご質問がございましたら、どうぞ遠慮なくお尋ねください。
I have briefly outlined our new product, Green Soap. If you **have any questions**, please feel free to ask.

□ これで、説明を終わらせていただきます。ご質問はありますか？
○ This is the end of my briefing. Please let me know if you **have any questions**.
○ I would like to close my presentation. Do you **have any questions**?

メモ 次の表現はくだけた感じがありますので、身内でのプレゼンテーションに使ってください。
* Right, I think that covers everything. Now, would you like to ask any questions?（そうですね。これで全部です。何か質問はありますか）

□ どなたか他にご質問がありましたら、喜んでお答えします。
If anyone **has any** further **questions**, I'll be happy to answer them.

□ さらに質問がございましたら、お答えできる限りの詳しい情報を喜んで提供い

たします。
I will be happy to provide as many further details as I can in response to **further questions**.

参加してください	○ welcome anyone ○ be open to anyone ○ join us / join our team

☐ 私たちの研究に関心を持たれましたら、ぜひ参加していただきたく思います。
  ○ We would like to **welcome anyone** interested in our research.
  ○ Our research **is open to anyone** who is interested in it.
  ○ We are waiting for you to **join our team**, if you have an interest in our research.

あとで触れる	touch upon ～ later

☐ この件に関しましては、あとからもう一度触れたいと思います。
  I will **touch upon** this issue again **later**.

確たる	○ concrete / clear / definite / convincing
断言する	○ make a definite statement

☐ プレゼンテーションまでに、この方法が最良であると言える確たるものを用意しなくてはなりません。
  I need something **concrete** to prove this method is the best before my presentation.

☐ 資料が少ないため、確たることは言えません。
  I'm afraid that I cannot make any **definite** statement due to a lack of information.

☐ 証拠が不十分なので、現時点での断言は避けるべきだと思います。
  I should refrain from **making** any **definite statement** at this stage considering that I have insufficient evidence.

□ その話を確たる事実で裏づけなくてはならない。
I have to back up the story with hard facts.

□ 確たるたる証拠がない限り、それを公表すべきではない。
In the absence of clear evidence, I shouldn't make it public.

時間がない／時間の制約	○ there is no time / have no time ○ time constraints ○ be pushed [pressed] for time ○ be short of time

□ この問題について、これ以上述べている時間がありませんので、ここでは概要だけお話ししておきます。
Because **there's no time** to talk more about this issue, let me outline it for you.

□ 時間の制約がありますので、この問題についてはこれ以上述べませんが、もっと詳しくお知りになりたい方には、次の文献をおすすめします。
Due to **time constraints**, we will not go further on this issue. But let me recommend the following books for those who desire to learn more（about this issue）.

枠を超える	○ beyond [exceed] the scope ○ cut across

□ この問題をここで話しますと、今回の講演の枠を超えますので差し控え、本題に戻りたいと思います。
Touching upon this issue now would be [go] **beyond the scope** of this presentation. Therefore, I should refrain from going further and go back to the main subject.

□ 今評判となっている急成長のオリオン社は、旧来の業種を超えた企業だと言えるでしょう。
The emerging company, Orion Co., can be said to be a corporation that **cuts across** the traditional lines between industries.

4 コンクルージョンのまとめ方

残念ながら／申し訳ありませんが	○ regrettably / unfortunately ○ sorry to say ○ I'm afraid

☐ 残念ながら、現在の段階では、これらの問題に対する解決策は見つかっておりません。
Regrettably, we haven't found any solutions to these problems at the present stage.

☐ 会社は先日、第1四半期の業績予測を発表したのですが、残念ながら、明るい材料はまったくありませんでした。
Our company released its performance forecast for the first quarter the other day, and there were no bright spots in the picture, I'm **sorry to say**.

☐ 申し訳ありませんが、今手元に数字がございません。のちほどオフィスに連絡を取り、これにつき改めて連絡を差し上げます。
I'm afraid I don't have the figures on hand. But I will contact my office and get back to you on this.

☐ あいにく、その件を公表できる権限が私にはありません。
Unfortunately, I'm not at liberty to reveal that.

> **メモ**
>
> * not at liberty to（立場上〜するわけにはいかない、自由に〜できない）

おっしゃること	○ what you mean / what you say ○ your point

☐ おっしゃることはわかりますが、私たちのこのプロジェクトには同意していただけると思います。
I do understand **what you mean**, however I still think you will support our project.

☐ おっしゃることはわかりますが、こう考えてはどうでしょう？

○ I see **your point**, but how about seeing the issue from this angle?
○ I see what you're saying, but could you look at this issue this way?

メモ 他に次の表現も大切です。
* I don't quite follow you./ I'm not sure I follow you. / I'm not following you.（おっしゃることがよくわかりません）
* I didn't quite catch what you said.
（よく聞き取れなかったのですが／おっしゃることが理解できなかったのですが）
* You've got a point.（ごもっともです／おっしゃることはわかります。）

4. 終わりの挨拶に使える表現

ご理解	○ understand / understanding ○ answer / tell / fill 人 in

□ 努力を続けていますが、何分にも厳しい財政状態のため難しい状況にあることをご理解いただきたいと存じます。
I hope that you **understand** how difficult it is to deal with it considering the tight financial situation.

□ なぜこのプロジェクトが、当社にとってそれほどまでに重要か、このプレゼンテーションでご理解いただけたと思います。
I strongly hope that this presentation has **answered** your question as to why the project is so crucial to our company.

□ ご理解いただけましたら幸いです［ご理解のほど、よろしくお願いいたします］。
I ask for your **understanding**.

□ このパワーポイントによるスライドをごらんいただければ、本プロジェクトに関する現在までの状況が、ご理解いただけることと思います。
　○ The power point slide will **tell** you more about this project and what has transpired to date.
　○ I believe this power point slide will **fill you in** on this project and its

	progress so far.
ご協力／ご支援	○ cooperation / assistance / support ○ your time and help ○ do for you / do for us

☐ ご協力ありがとうございます。
　○ We really appreciate your **cooperation**.
　○ Many thanks for（giving）**your time and help**.
　○ I'm sincerely grateful for all **your** kind **help**.

☐ 御社が、今後新製品を開発される場合に当社がご協力できる点を、今回のプレゼンテーションでお話しします。
In my presentation, I would like to demonstrate what we can **do for you** on any future product development.

☐ 今後よりよい説明会を行うため、アンケートを実施しております。ご協力のほどをお願い申し上げます
As part of our ongoing efforts to improve our briefing session, we would appreciate **your taking time** to complete ［fill out］ the evaluation form.

☐ 貧しい国に住む人たちを救うために、ご協力をお願いします。
　○ Anything you could **do for the people** in needy countries would be very much appreciated.
　○ Any assistance and cooperation you can kindly extend to the people in needy countries will be appreciated.

☐ いっそうのご支援をくださいますよう、お願い申し上げます。
I sincerely hope that you'll give us your continued **support and cooperation**.

　メモ　このほかにも「ご協力」には、いろいろあります。サイン・標識などでよく見かけるものには、次のようなものがあります。
　＊ Thank you for your donation.［Please contribute to help 〜.］（募金にご

協力願います）
* Under 18? We ID for Tobacco Sales. Thank you for your understanding. （18歳未満では？ たばこ販売には身分証明書をチェックさせていただきます。ご協力ありがとうございます）
* Thank you for not smoking.（禁煙のご協力ありがとうございます）
* Here's how you can help.（次のことに、ご協力お願いいたします）

よろしくお願いします	○ thank you / appreciate ○ give（人）your cooperation ○ count on

□（仕事を依頼したあとなどに）よろしくお願いします。
I look forward to working with you. **Thank you**.（ともに仕事を進める場合）

メモ 他にも次のように言えます。
* Your cooperation is greatly appreciated.
* I hope you will take good care of this.
* It's a pleasure doing business with you.

□ この件に関しましては、お手数なのですが書面でお返事いただきますよう、よろしくお願いします。
I'm sorry to bother you, but I would really **appreciate** it if you could answer in writing about this matter.

□ このプロジェクト成功のために、皆様のご協力をいただきたく、よろしくお願い申し上げます。
Please **give us your cooperation** in order to make this project a success.

□ 私の後任者につきましても、私同様よろしくお願いします。
Please **extend** the same **courtesy** you have shown to me to the person who is taking my position.

メモ 上記の表現は、得意先や部下、社内の人など誰にでも使えますが、

例えば後任者の面倒を見ることになるような上司あるいは秘書などには I'll leave my successor in your hands. という表現もあります。また I'll leave everything to you.（万事よろしくお願いします）なども使えます。逆に新任者に I'll be counting on you.（頼りにしていますよ＝よろしくお願いします）ということも可能です。状況によって上手に使い分けることが大切です。その他の表現を見ておきましょう。

* We are looking forward to serving you.（当店をご利用いただきますよう、よろしくお願いします）
* Most sincerely /（Very）Sincerely（yours）/Yours sincerely（手紙で使う「よろしくお願いします」に当たります）

頑張る	do one's best / do one's utmost / try

□ 前任者の浅井さん同様一生懸命頑張りますので、どうぞよろしくお願いいたします
I will **do my best** to maintain the standards set by my predecessor Ms. Asai. Thank you.

□ ご期待に添うよう一生懸命に頑張ります。
I will **do my utmost** to live up to your expectations.

メモ 「期待に添う」と言いたい場合、他に meet your expectations も使ってください。

□ 私たち下の者が、社長の負担を減らすために頑張ります。
We, who work under the president, will **try** to reduce his workload.

□ 一日も早く、会社の役に立てるようになりたいです。
I'll **try** to become a full-fledged member of the company as soon as possible.

□ 皆さんの足手まといにならないように、一生懸命頑張ります。
I will **try** hard not to cause you any trouble.

将来の展望	○ a course for the future

	○ future prospects ［outlook］ ○ outlook ［vision］ for the future ○ what lies ahead

☐ 本日は、お集まりいただいた皆さんとともに、十分な討議を交わし、将来の展望を示すことができました。
Today, we've discussed the agenda thoroughly and charted **a course for the future**.

☐ このあたりで、将来の展望を再評価するべきかもしれません。
Perhaps it's time we reevaluate our **future prospects**.

☐ 部長から、将来の展望を明らかにしていただきました。
Our head has unveiled her **vision for the future**.

☐ 将来の展望を聞かれた場合、これで明確に答えることができます。
When asked **what lies ahead** of us, we will be able to answer very clearly.

成果／賜（物）	○ accomplishment / achievement / development / fruits / outcome / product / result / showing / progress
成果がある／成果が上がる	○ bear fruit / produce ［yield / get / achieve］ results / pay off
成果をもたらす	○ bring（about）results

☐ 本日の会議では、企業広告という点から極めて重要な成果があったと思います。
We produced an extremely significant **achievement** through today's meeting in terms of corporate advertising.

メモ achievement、accomplishment はともに、数えられる名詞として使う場合は「業績・偉業」、上記の例文のように数えられない名詞として使う場合は「成果・達成」という意味合いになります。development も同じで数えられない

4 コンクルージョンのまとめ方

名詞としては「発達・進展・宅地造成・成果」の意味となり、数えられる名詞として使えば「発達したもの・造成地・団地・新事情」などの意味になります。

□ ここで、柴山博士の終生の研究の成果について、お伺いできる機会に恵まれました。
We have such a great opportunity to be able to share the **fruit** of Dr. Shibayama's lifelong research.

メモ 『ロングマン現代英英辞典』によれば、the fruit of 〜とするか fruits of 〜として用います。

□ この投資は、私たちの仕事の効率を上げることにより、生産性の向上につながるという点で、大きな成果があるものと確信しております。
I am convinced that the investment will **pay off** in terms of improving our efficiency and productivity accordingly.

□ 社長のモットーは、「やれば誰でもめざましい成果を上げられる」でして、朝礼時には、いつもこの言葉を入れた話で私たちを力づけます。
Our president's motto [creed] is "Everyone can move mountains if she [he] tries," and she gives us pep talks including the phrase at every morning meeting.

メモ これはちょっと面白い表現でしょう。山を動かせる＝めざましい成果というわけです。pep talk は元気づける話という意味で、ぜひ覚えて使ってください。他に level playing field where anyone who wants to work hard can score（誰でも、一生懸命やれば成果を上げられる公平な場）なども使えそうですね。ちなみにあまり使いたくはないですが、成果を上げていない場合の表現を念のためにあげておきましょう。

* We have failed to yield results .（成果が出ておりません）
* The team tried very hard to no purpose .
（そのチームは努力しましたが成果が出ておりません）
* You can not always expect to get results right away .
（いつもすぐに成果が得られるというわけではありません）
* Unfortunately, we haven't made any discernible progress yet.
（残念ながらわれわれは、まだ目に見えるほどの成果は上げておりません）

お礼を言う	○ thank ○ express my gratitude [appreciation] ○ special thanks to

□ お礼を言うのはこちらの方です。
　○ It should be I who **thank** you.
　○ It's I who should **thank** you.
　○ I'm the one who should be **thanking** you.
　○ I'm supposed to be **thanking** you.

メモ　いずれもお礼を言われた場合に使います。『英辞郎』によると、2番目の例文 It is I ～は不自然だとする人も多いそうですが、3番目の例文よりは好む人が多いそうです。

□ この場をお借りして、厚くお礼申し上げたいと思います。
　On this occasion, I would like to **express my sincere and deepest gratitude** to you all.

□ 特に、この研究に協力してくださった安藤先生に、お礼申し上げます。
　I'd like to extend my **special thanks to** Ms. Ando, who helped me with this research.

敬意を表する／敬意を払う	○ pay homage [respects] ○ honor / fete ○ have high regard ○ show [express] reverence

□ この場をお借りして、科学に一生を捧げた故湯川博士に、敬意を表したいと思います。
　On this occasion, I would like to **pay** the deepest **respects** to Dr. Yukawa who devoted himself to science.

□ 同僚に敬意を持って接するのは、職場での人間関係を良くするために重要なことです。

Showing respect to your colleagues is important in terms of building good working relationships.

ご発展／ご成功	success / growth / best wishes

☐ いっそうのご発展を祈っております。
　I wish you even greater **success**.

☐ 御社のますますのご発展をお祈りいたします。
　Best wishes in your future business endeavors.

☐ ご成功を心よりお祈り申し上げます。
　I would like to express my best wishes for your **success**.

☐ お祝いを申し上げるとともに、今後のご成功をお祈り申し上げます。
　I'm pleased to send you my congratulations and **best wishes**.

(メ モ)　他に次のようにも言えます。
　＊ Good luck in your new assignment.
　（新しい仕事での成功をお祈りいたします）

ご出席	○ attendance / coming / come / attend / be present / ○ participation

☐ 本日は、ご出席いただきありがとうございました。
　○ Thank you for your **attendance** today.
　○ We appreciate your **coming** today.
　○ It was very kind of you to **come** today.

☐ また次の機会にも、ぜひご出席いただけますことを望んでおります。
　We strongly hope that you will (be able to) **be present** on the next occasion as well.

(メ モ)　次のような表現も、どんどん使ってください。

* We are privileged to have Dr. Yukawa with us today.
（本日は、光栄にも湯川博士に、ご出席いただいております）
* It would be such an honor if you would attend ［come］.
（ご出席いただけたら、大変光栄です）
* We look forward to your attendance.
（貴殿のご出席を、お待ち申し上げております）
* Your participation is requested.
（ご出席をお願いします）

ご清聴	kind attention

□ ご清聴ありがとうございました。
Thank you for your **kind attention**.

□ 長時間にわたり、ご清聴いただき深く感謝いたします。
I thank you deeply for giving me your **kind attention** for such a long time.

引用する	quote / cite

□ ある新聞記事の一部を引用して、結びの言葉に代えさせていただきます。
 By way of a concluding remark, I would like to **quote** a newspaper article in part.

（ メモ ） 他にも次のような表現があります。
* quote someone's saying
（人の言葉を引用する）
* quote an opinion
（ある意見を引用する）
* quote an author
（ある作家の言葉を引用する）
* quote a line
（せりふを引用する）
* cite a passage from Chomsky in one's paper
（チョムスキーの一節を論文に引用する）
* quote by heart a passage from Chomsky

(チョムスキーの句を暗記して引用する)

メモ　quote も cite もほぼ同じように「引用する」という意味で使えます。違いは cite の方が、「自分の意見を証明するためのサポートとして引用する」意味合いが強くなります。

話ができた	○ do business ○ meeting

☐ お話ができて、大変うれしく存じます。
　It's been a pleasure **doing business** with you.

☐ 大変有意義な話ができました。
　It's been a very productive **meeting**.

配布物／配布資料	handout / document

☐ 重要ポイントを要約し、私の連絡先も書いてある配布物です。何かありましたら、遠慮なく連絡してください。
　Here are some **handouts** summarizing the key points and including contact information. Please feel free to get in touch with me when you need some help.

☐ ご自由に、配布物をお取りください。
　○ Please help yourself to the **handouts**.
　○ Please take the **handouts**.

5. 時間不足を謝る表現

時間がない	○ have no time ○ not have enough time

☐ 本日はこの問題について、深く立ち入って話す時間がなかったことをお詫びいたします。

- ○ I apologize that we did **not have the time** to go into much more detail today.
- ○ I apologize to you for **having no time** to go into much detail today.

□ 残念なことに、すべてのスライドをお見せする時間がありませんでした。
Unfortunately, I did **not have enough time** to show you all the slides.

6. 送る言葉に使える表現

健闘［活躍］を祈る	○ wish you success ○ wish you great achievements

□ 新しい赴任先でも、ご健康で、ますますのご健闘をお祈りいたします。
We **wish you** good health and **success** in your new assignment.

□ 本社での新しい仕事でも、いっそうご活躍されますことを期待しております。
We **wish you** even **greater achievements** in your new assignment at the head office.

メモ We are confident you will do your best.（きっと、あなたなら最善を尽くすでしょう＝ご健闘をお祈りいたします）という表現もできます。これは私たち日本人には少し思いつきにくい表現かもしれませんが、英語を使う人たちらしい考え方が出ています。

後進	○ younger employee ［member / generation］ / young people / young workforce ○ new blood ○ one's juniors

□ 安藤部長は、後進の私どもを、深い愛情をもって育ててくださいました。
Mrs. Ando has guided and trained us **younger members** with such deep affection.

☐ そろそろ後進に道を譲る時だと思ったのです。
　I thought it was about time I retired to make way for the **younger workforce**.

メモ　「後進に道を譲る［開く］」という表現には、にも次のようなものがあります。
　　give young people a chance、open a path for the young、clear the field for new blood、make way for one's juniors

☐ 安藤部長は退職後も、特別顧問として後進の指導に当たってください。
　○ Mrs. Ando will teach [train] the **younger workers** as a special advisor after her retirement.
　○ Mrs. Ando will give guidance to the **younger generation** as a special advisor after her retirement.

☐ このプロジェクトを後進の手にゆだねる時期だと思います。
　I think it's time to leave this project in **younger** hands.

メモ　他に「後進に道を譲る」という表現で、次のようなものも使ってください。
　＊ The player said he would stand aside to allow younger players to come into their own.（その選手は、若い選手にあとを託し、役割を果たしてもらうと言った）

7. 表彰式で使える表現

受賞する	○ be awarded a prize ○ get [receive/ win] a prize [an award] ○ receive the honor

☐ このたびの受賞、まことにおめでとうございます。
　○ Congratulations on your **winning this great prize**.
　○ I am very pleased that her accomplishments have **been recognized with this prize**.

- ○ I most sincerely congratulate her on **receiving this prize**.

□ 皆さんご存じのように、湯川先生は研究に貢献した多くの人々を代表して、その賞を受賞されました。
As you already heard, Dr. Yukawa **received the award** representing many people who contributed to the research.

メモ　他に、次の表現もぜひ使ってください。

□ この賞に恥じないよう、いっそう精進いたしたいと思います。
I will work harder to live up to this honor. Thank you very much.

□ それでは、受賞者を発表いたします。
Now I would like to announce the recipient of the award [award winner].

8. 新年の集まりに使える表現

新年	this coming year / the new year

□ 新年にあたり、皆さんのご多幸をお祈り申し上げます。
As **the new year** starts, I wish you happiness and growth.

□ この機会を利用して、新年のご挨拶を申し上げたいと思います。
I'd like to take this opportunity [occasion] to wish you a Happy **New Year**.

□ 新しい年も、これまでのように御社が繁栄されますことをお祈りします。
I hope **this coming year** is as prosperous as ever for your company.

□ 新年というのは、心機一転 にいい時です。
I think that **a new year** is a good time for turning a new leaf.

☐ 皆さんの新年の誓いは何ですか？ 多くの人は、新年を禁煙のきっかけにしますが、実は私もそうなのです。
What's your **new year's** resolution? Just as many people use **a new year** as a trigger to stop smoking, so do I.

☐ 今年も一致団結して頑張り、昨年以上の年にしましょう。
Let's work together and make **this year** even better than the last year.

> **メモ**　「新年度」という表現には、次のようなものがあります。
> * for the next fiscal year（新年度に向けて）
> * include eighty million yen for the project in the budget estimate for next fiscal year（新年度の予算概算要求に、8千万円をそのプロジェクトのために盛り込む）

9. 冠婚葬祭に使える表現

結婚式用　For wedding receptions

☐ お幸せに！
　（My very) **Best wishes** to you!

☐ いつまでもお幸せに。
　○ My best wishes for future happiness together.
　○ May your marriage be forever and happy.
　○ Let me express my sincere hope that you will enjoy a long, happy life together.

☐ お二人の前途がいっそう輝かしいものでありますよう、お祈りいたします。
　I wish both of you a wonderful future.

☐ 新婚のお二人に乾杯。お二人が幸せな生活を送れますように。
　Here's to the newlyweds! May they have a very happy life together.

乾杯用　For a toast

- 乾杯！
  Cheers!

> **メモ**　これはパーティーや友人たちとちょっと飲むときなど、最も一般的によく使われる表現です。

- 健康を祝して乾杯！
  - **Here's to** our [your] health!
  - **To your health.** Cheers!

- 私たちの友情に乾杯！
  Here's to our friendship!

- あなたの新しい仕事を祝って乾杯！
  Down the hatch and good luck to you in your new job!

- このうれしい知らせを祝して、皆さんと乾杯したいと思います。
  - On that happy news, I would like to **propose a toast** to us all.
  - **Let's drink on** that joyful note!

- 僭越ながら、乾杯の音頭を取らせていただきます。
  - Please allow me to **propose a toast**.
  - It's a great honor for me to propose a toast.

- 御社のますますの発展をお祈りして、乾杯しましょう。
  Let us drink to the continuous prosperity of your company!

告別式用　For a memorial service

- 本日の葬儀にご参列をいただき、厚くお礼を申し上げます。
  - Let me express thanks to everyone who has **attended the funeral** today.

○ I would like to thank you for **coming to share our sorrow**.

☐ 社長の葬儀にご参列いただき、ありがとうございます。
I would like to thank you for coming to **share our sorrow over** the most unexpected passing of our president.

☐ 当社の社長が、御社の社長様の告別式に参列いたします。
Our president will **offer his last respects to** your president at the funeral service.

☐ 葬儀に参列できず誠に残念です。
I'm very sorry that I am unable to **attend the funeral**.

☐ 心から［謹んで］お悔やみを申し上げます。
　○ Please accept my sincere **condolences**.
　○ Let me express my sincere **condolences**.

☐ ご冥福をお祈りするばかりです。
Words are inadequate to express my sincere **condolences**.

☐ 安らかにお眠りください。
Please **rest in peace**.

Chapter 5
プレゼンテーションの実例

1 いろいろなプレゼンテーション

　本章では、いろいろなプレゼンテーションの例を見ていただきます。Chapter 1 の③で 6 つの問題からアウトラインを作る練習をしました。本章では、それらのアウトラインに沿って作ったプレゼンテーションの例を載せておきます。これらの例から、皆さんはイントロダクション・ボディ・コンクルージョンの組み立て方・展開方法、つなぎの言葉やその他の英語表現を参考にしてください。

　他の Chapter と同じように、表現集として、自分が言いたい日本語に近い英語を探して使ってください。また、一度日本語を見て自分ならどう言うか考えて、英語で言ったり英作文をすれば、大変いい勉強になります。CD にはネイティブによる流暢なプレゼンテーションが吹き込まれていますので、リスニング教材として使うのもいいですし、一緒に英文を見ながら読めば、発音や delivery（話し方）の向上にもつながります。

　また流暢に話せるようになるには、英文をたくさん書いて、覚えて、すらすら言えるようにしておくことが必要です（もちろん、同時にリスニングをしたり、シャドウイングをしたりすることも必要です）。CD を使いますと、英文を覚えるのが楽になりますので、そういった方法でも活用してほしいと思います。

2 もう1つのボディ

CD 7
CD 8

　さて、貝渕大祐が行ったグリーンソープのプレゼンテーションは、Chapter 2～Chapter 4にかけて見ていただきました。ここではそのグリーンソープの別のプレゼンテーションを、ボディだけですが載せておきます。英語の表現を学ぶ上で参考になる部分が多く、また同じような内容を伝えているのに、いろいろな方法・表現があることもよくわかっていただけると思います。語彙や論理の展開の方法などをぜひ参考にしてください。

Another body of Daisuke's presentation

　第1にグリーンソープは低コストで製造できます。従来品[2]と違い[1]、グリーンソープは廃油から作られるため、材料費が不要です。添加物・保存剤[3]も不要なので、工場で常温[4]保存できます。従来は添加物・保存料の他、香料やオイルエッセンスを加えたため、一定の温度下で保存しなければなりませんでした。グリーンソープは製造過程でかなりコスト削減でき、新しく必要となるのは廃油を集めるための容器だけです。この容器は廃油が入ると自動的に廃油をチューブに送ります。チューブが油と不純物を仕分け、油だけを濾過装置[5]に送り、完全に不純物をこして取り去り[6]ます。チュー

　First, we can manufacture Green Soap at a significantly low cost. Unlike[1] **our** conventional products,[2] **Green Soap is created from waste oil, so there is no expenditure for materials. Also, because no** additives or preservatives[3] **are used, "Green Soap" can be stored in warehouses at** room temperature.[4] **In order to manufacture conventional soap, additives, preservatives, perfumes, and even oil essences are added, and the resulting products had to be kept at a certain temperature. We are able to curtail a lot during the process, and all we need to collect waste oil from people is to build a container so that people can come and pour used oil into**

ブと濾過装置はすでにありますので、新しく作る必要があるのは廃油を集めるための容器⑦です。以上のことからグリーンソープを製品として売り出す⑧ためにかかるコストはとても少なくてすむのです。

第2に、「グリーンソープ」は当社のイメージを高め当社に繁栄をもたらしてくれます。設立以来当社は環境と動物に優しいことをモットーにし、これからも変わりません。「グリーンソープ」はそのモットーを具体化した商品なのです。廃油利用は、長年頭を痛めてきた⑨油廃棄問題解消方法の1つです。ご存じのように自治体が、紙、ビン、缶類やプラスチックを回収し始めていますが、油を回収しているところはまだありません。それゆえ「グリーンソープ」は環境保護という点からも先駆者⑩として注目され、企業としても進取の気性に富んでいる⑪と賞賛されるでしょう。クリーンで視野が

it. Every time someone pours oil into this container, it automatically pushes down the oil into the processing tube which separates oil from other impurities and leads the oil to the filtration system⑤ that strains out impurities⑥ completely. Those tubes and the filter are things that we already have. Therefore all we need to create is the receptacle⑦ to collect the used oil. Because of all those things, "Green Soap" will cost very little to place in the market.⑧

Secondly, Green Soap will enhance the company's social status and bring in more revenue. From the very beginning of the company, our policy and key goal have always been and will be "eco-and animal- friendly". This product, Green Soap, is the epitome of this policy. As I mentioned, Green Soap is made from collected waste oil, which means this brainchild will solve the long-discussed⑨ issue of how to dispose of waste oil. As you already know, a lot of municipalities started collecting paper, bottles, tins, cans and plastic, but nobody has started to collect used oil yet. Therefore "Earth Green" will be a trailblazer⑩ in terms of environmental

広く、環境に理解を示す会社としてのイメージが高まるのみならず、人々の環境への意識をいっそう高め⑫、結果として、また当社への関心も大いに高まるわけです。当社のラインとして、本製品は限りない利益をもたらしてくれること間違いなしです。	protectionism, and we will be able to enjoy a reputation as a front runner in environmentally-friendly business practices ⑪. This creation will not only enhance our company's image as a clean and open-minded, ecology-conscious leader, but also raise more people's awareness ⑫ to the natural environment. There is no doubt that this product will be tremendously profitable for our company.

解説

キーアイデアが段落の最初にきて、それらをサポートする形で話が進んでいる様子がよくわかっていただけたでしょうか？ **サポートはキーアイデアをわかりやすく説明する**と同時に、**キーアイデアの正当性を強める**ためのものであることに注意してください。

また下線部は、**インターナルサマリー internal summary** と呼ばれる部分で、キーアイデアをサポートした後、もう一度キーアイデアを繰り返すことで、1つの段落が終わり次の段落に移る「けじめ役」「橋渡し役」となっています。

では、注意を要する語句について解説しておきますので、覚えて使ってください。また特に説明が必要でないところは飛ばしてあります。これは本章全体のプレゼンテーション例の解説でも同じことで、特筆すべきことがないところや、見ただけでわかるものについては、あえて解説を入れていません。

① unlike は「〜と違い」という意味の前置詞です。＊ She likes studying, unlike you.（彼女は勉強好きだ、君とは違って）のように使います。unlikely は＊ It's unlikely that he'll be chosen as a lawmaker.（彼が議員

に選ばれることはありそうもない)、＊unlikely event（起こりそうにない出来事）などのように使います。

② conventional は＊He is conventional.（彼は保守的だ）、＊conventional opinions（保守的な意見）などと、人にも意見にも使え、型にはまっている様子を表します。＊conventional weapon は通常兵器（非核兵器）のことで、これもよく使われます。

⑧ in the market で、「市場に（出て）」という意味です。market を使った表現はいろいろありますので要注意です。いくつかあげておきますから、ご自分でも調べてみてください。

　　＊above-market price（市場価格を上回る値段）
　　＊as market conditions now stand（市場の現況では）
　　＊at prevailing market rates（現行市場レートで）
　　＊bearish market（弱気市場、下げ相場）⟷ bullish market
　　＊corner a market（株を買い占める）
　　＊the going market rate（相場）
　　＊hit the market in quick succession　（次々と発売される）

⑨ ハイフンを使った表現にはいろいろあります。自由に作り出せるようになると文体が引き締まりますが、それはなかなか難しいです。気に入ったものに出合うたび、どんどん記録して覚えて、積極的に使うようにしましょう。

では、次から Chapter 1 で作成した、アウトラインを元にして作ったプレゼンテーションの例を見ていただきましょう。

3　励ましのプレゼンテーション　CD 9　CD 10

　Chapter 1の③、問題①では、短時間用、長時間用と2つのアウトラインを作成しましたが、ここでは短時間用のアウトラインに基づいたプレゼンテーション例となっています。これから厳しい実社会で、仕事をしていく新入社員を温かく迎えるプレゼンテーションにしましょう！

歓迎の辞	Words of Welcome
● わが社（部署）の概要	● Overview of our company [department]
● 皆さんの役割	● What you can do for the company [your department]
● 皆さんに望むこと	● What I want you to achieve

　アースグリーン社東京支部へようこそ！　ご存じのように、アースグリーンはロンドンに本社を構える[1]国際的企業で、自然環境を破壊しない製品作りをモットーにしております。創設されたのは15年前で、その伸び率たるもの群を抜いて[3]おり、将来有望な会社[2]です。

　さて、皆さんの中には化粧品会社に自分が就職することになるな

　It is a great pleasure to welcome all of you to the Tokyo office of Earth Green Corporation. As you know, London-based Earth Green[1] is an international company whose goal is to produce eco-friendly products. Although the company was only established 15 years ago, it showed itself to be a promising company[2] and has enjoyed spectacular growth[3] throughout the years.

　By the way, I'm sure some of you might be thinking, "Wow, I never

んて、夢にも思わなかった④というい方もいるでしょう。実は私は転職組で、ヘッドハンターからこの会社に誘われたときは、やはり自分には畑違い⑤ではないかと思いました。

ところが、実際人事担当者に会い話を伺っているうちに、この若い企業にある情熱や確たるポリシー、信念といったものがよくわかり、私も一緒にこの会社に貢献し⑥たいと思ったのです。

転職前の私にとって、化粧品は、そう大切なものではありませんでした。あればいいが、なくても命に別状がないもの⑦、そんな程度の認識⑧しかなかったのです。

ところが、日常使用するシャンプーや石鹸が、環境破壊にもつながりかねないことを学び、徹底して自然環境を守る姿勢を貫く⑨アースグリーンの一員であることを、誇らしく思いました。

皆さんは、これから各部署に配属さ⑩れて、いろいろな仕事を担当していくわけですが、根底にある目標は「地球号」を守ることなのです。力を合わせてその目標を達成していきましょう。

皆さんが、自分の仕事をより良くする方法を考えたときは、遠慮

dreamed of④ joining a cosmetic company." Well, actually, I was just like you. When I changed jobs after being offered the job by a headhunter, I thought this company might have been out of my field.⑤

However, as I talked with one of the personnel managers, I began to understand the dedication to its goals and policies this young company had. As a result, I decided to commit⑥ myself to this company.

Before my career change, cosmetics were not that important to me. Nice to have, but not really important in my life⑦ --- that was the extent of what I thought about⑧ cosmetics.

But when I learned that shampoos and soap can damage the environment, I was very proud of belonging to Earth Green, a company that stands firm⑨ in its defense of the environment.

Now, you are each going to be assigned to⑩ a section to do a job. But we are united under the same goal: to save Spaceship Earth. Let's work together and achieve that goal step by step.

When you have an idea of how to improve efficiency, please let me know

なく提案してください。当社では建設的な意見を大いに歓迎し⑪ています。皆さんには当社に貢献することで、ご自分の技術や能力を伸ばしていただき、会社もそれに報いたいと考えて、チャンスや報償もいろいろ準備しています。

　皆さんをわが社のメンバーとしてお迎えでき、幸せに思います。さらに素晴らしい会社にするために、皆で力を合わせて仕事をしようではありませんか。ありがとうございました。

without any hesitation. We are very open to constructive opinions.⑪ By working for our company, you can develop your own skills and abilities. And of course, the company is ready to reward your contribution by giving you various opportunities and bonuses.

　We are very happy to welcome you as members of the company. Let us work together and make this company great. Thank you.

解　説

③ 伸び率たるもの群を抜いており……とは何やら固い日本語ですが、英語は少々柔らかくわかりやすくなっています。enjoy はぜひ使いこなしてほしい基本単語です。
　＊ Japan enjoys a good reputation as a safe country.（日本は安全な国として定評がある）
　＊ Our employees enjoy high incomes.（わが社の社員は高所得を受けている）
④「夢にも思わなかった」には次のような表現方法もあります。
　＊ Taiwan is the last place I'd have expected to be transferred to.（台湾へ転勤になるとは夢にも思わなかった）
⑤ ＊It's outside my field. ＊ It's out of my line. ＊ It's not my specialty. ＊ It's out of my domain.（それは畑違いです）＊ a person in a different field（畑違いの人）
⑥ commit も、ぜひ使いこなしたい単語の1つ！　commit a crime（罪を犯

す）や commit suicide（自殺する）の形でよく使われます。その他には次の用法が大切！
　　　＊ The employee committed himself to working on Sundays.（その社員は日曜出勤を約束してしまった）
⑦ 他には、nice to have but not an essential part of our lives のようにも言えるでしょう。
⑧ 認識する＝ recognize と決めつけないで、いろいろな言い方ができるものです。他にも acknowledge、become aware、make out などがあります。
⑨ これは「何を」貫くかによって、いろいろな表現方法があります。一部を示しておきましょう。
　　　＊ nail one's colors to the mast、stick to one's principles（主義を貫く）
　　　＊ carry out one's original intention（初志を貫く）
　　　＊ remain a politician working for the masses（庶民のための政治家であることを貫く）
　　　＊ adhere to one's principles、stand firm in one's belief（信念を貫く）
　　　＊ hold to uncompromising standards（妥協しない高い基準を貫く）

4 就任の挨拶

さて、次は1-3. 問題②で扱った就任の挨拶です。ここでは、人事部の課長としてやってきたときの挨拶例になっています。これからともに仕事をする仲間に、自分が何をしたいかを知ってもらい、協力を求め、全員の士気を高めるために、率直に前向きに語りかけています。

● 自己紹介	● Self-introduction
● 新ポジションでの仕事内容	● The new position and what I am supposed to do
● 新ポジションでしたいこと	● What I want to achieve
● 皆さんに望むこと	● What I want you to achieve

皆さん、こんにちは。このたび人事部総務課課長として、皆さんと一緒に仕事をすることになりました柴山ももこと申します。

異動前はカスタマーセンターで主に顧客対応・顧客データ管理①などを行っておりました。ご存じの方も多いかと思いますが、カスタマーセンターは、当社が顧客と直接接する第一線の場②ですので、会社からの要求も何かと厳しく、時には会社と顧客との間でいろいろな問題に頭を痛める③こともありました。

私は5年前に入社以来、流通課

Hello, everyone. My name is Momoko Shibayama, and I'll be working with you as chief of the General Division in personnel.

Before I came here, I was engaged in customer service and data management① in the customer care center. As many of you probably know, the center is on the front line where we are directly involved with customers.② Because of that, the company demanded a lot from us and dealing with various problems between the two was very trying③ at times.

I joined this company five years ago,

に3年、カスタマーサービスに2年おりまして、今回初めてスタッフ部門④への配属となったわけです。友人や同僚、先輩の中には「畑違いではないか」と言う人もいます。確かに今まではお客様をはじめ、外部の方とのかかわりが中心となる仕事ばかりでした。それが今回は社内の人を相手にやっていく部署となったわけです。

　私は今回人事部総務課になり、これからの仕事をとても楽しみにしているのです。外部の方と接触していたからこそ、見えてくる内部の姿というものがありました⑤。当社は世間一般の方からはどのように見られているか、良いことも悪いことも、外から見ればこそ、見えてくる部分が多い⑥のです。

　そういった見地から⑦、当社の社員に欠けていると思われる点を補い、かつさらに飛躍する⑧ための研修やシステム、健康管理を取り入れていきます。社員あってこそのわが社⑨！今後のわが社は、皆さんにかかっているのです。⑩そんな皆さんのために仕事をしていくのですから、何というやりがいのある職場に来たのだろうか、と改めて思っております。

　さしあたりこの1年で実施して

and worked in the distribution division for three years and then the customer care center for two years, and now, I'm here in the staff department ④ for the first time. Some people might say it's out of my field because before I was mainly involved with people outside the company. This time, however, I'll be dealing with people in this company.

I am really looking forward to working in this department. The contact I had with people outside the company gave me a clearer picture of the organization I belong to.⑤ I was able to see a lot more of the company and its people as an objective outsider,⑥ including the good and the bad.

From what I learned,⑦ I think we need trainings and systems that give us what we need to improve ourselves and make huge leaps forward.⑧ You run this company!⑨ You'll be laying down a bright future for the company.⑩ Working for this company has become more important to me because I'm going to deal with you from now on.

I'd like to tell you about the three

いきたいと考えているプログラムは、次の3点です。

1つ目、禁煙支援。禁煙したいがなかなか成功しない社員のためにセミナーや専門家のアドバイス、禁煙グッズ⑪の支給などを行います。

2つ目は学習支援。英語などの語学をはじめ、手話や救急看護など、社員が学びたいことを支援します。

3つ目は職場での環境保護対策で、リサイクル促進やゴミゼロなどを徹底させていきます。

手始めはこれらの3つを実施に移し、皆さんの健康や職場環境を改善し、自己開発・自己向上の手伝いを通じ、人材開発を行って⑫いきたいと思っております。

またミーティングを持ち、常に意思疎通を図りたいと思っております。また皆さんからの建設的な意見は大歓迎です。不満があれば、必ず直接私に言ってください。陰でぼやいても何も解決しません。風通しのいい⑬人事課にしたいと思っています。力を合わせて頑張りましょう⑭！ どうぞよろしくお

programs I would like to set up this year.

First, I'd like to create a program to help workers quit smoking. For those who try to quit smoking in vain, we'd like to provide seminars, professional help, and products that encourage giving up smoking.⑪

Second, I'd like to help workers learn new things, from languages such as English, to sign language, to first aid. We will support you in any learning endeavor you want to undertake.

Third, I'd like to promote eco-friendliness in the office by strengthening recycling policies and reducing waste.

By carrying out these programs, I hope to improve your health and working conditions. And through helping yourselves, I will have greater human resources to tap into.⑫

I'd also like to have frequent meetings to foster smooth communication. And remember, I am open to your suggestions. When you have something to tell me, tell me directly, because if you don't, it won't be of any help. Let us be frank and constructive with each other⑬. Let us make things happen⑭! Thank you.

願いいたします。

解説

① 「顧客対応」と聞くと respond to customers としたくなりますか？ これだと業務内容を表しているのでなく、何かあるたびに顧客に対応している感じになりますので、customer service とすればいいでしょう。さてデータ管理には主に data administration あるいは data management がよく使われます。
   * data control service（DCS；データ管理サービス）
   * data management system（データ管理システム）
   * Product Data Management（企業の製品データ管理システム）
   * data administration facility［function］／ data management function（データ管理機能）

② 「直接接する」とあれば、come into direct contact（= to meet someone）としたくなりますが、電話だけの対応が多いのではないでしょうか？ 本当にそこで直接本人に会う（meet them in person）であれば come into contact として OK ですが、電話が主な対応方法であれば英文訳のようにすればいいでしょう。

③ trying とはやっかいで扱いにくく、イライラさせられるようなことに使える表現です。

④ ＊ staff department、staff organization unit スタッフ部門
   ＊ line department　ライン部門

⑤ これはいろいろな英訳ができます。ここで紹介したのは、「外部の人との接触が、自分の所属する組織体の明白な絵（clear picture で明確に理解することを示します）をくれた」という形の英語です。もちろん、I was able to understand more about my company and its workers through contact with people outside the company（than just working inside the company). としてもいいですね。

⑥ これは難しい！　よく「海外に出かけて、外から日本を見る」と言います

が、それと同じ意味合いです。つまり内部の者として主観的に物事を見るのでなく、「外部の者として客観的に見るからこそ、よりよくわかることが多い」ということなので、そのように英語にしました。わかりやすいでしょう？

⑦ これも直訳するのでなく、「私の経験から」とか「私が学んだことから」のように考え直すと、訳しやすくなります。

⑧ ＊make a big leap forward、make huge leaps、take a giant leap（大きく飛躍する）

⑨ これも難しいですね。「皆さんがこの会社を回しているのです」という形にしました。他にも You turn around this company.（会社を回す／会社を立て直す／会社を好転させる）とも言えます。ここでは you are running とか you are turning around という進行形でなく現在形をもってくることで、「〜してください」という気持ちをこめてあります。

⑩ 「〜にかかっている」と聞けばすぐ depend on が浮かび、ここも The company's future depends on you. とも言えます。ここでは⑨の続きで、「皆さんが会社の将来を築くのです」としました。

⑪ 「〜グッズ」や「〜お助けグッズ」に当てはまる英語としては、
　＊ health boosting [enhancing] products（健康グッズ）や、このプレゼンテーション例で見てもらったような ＊ non-smoking encouraging products（禁煙グッズ）がわかりやすいでしょう。

⑫ 映画『Shallow Hal』（愛しのローズマリー）で、父親に恋人を紹介し「ハルはパパの会社の社員なのよ」という場面があります。そこの英語が Dad, Hal is one of your untapped resources. となっていました。この untapped は「まだ使われていない」という意味で、「まだ部長や重役などの目立った地位にはいない（だから、パパは彼の存在を知らない）、だがこれから才能が開花していく存在なのよ」という、恋人のことを思いやる気持ちもこもった言葉だと思います。ここでは、その逆の tap（利用する／開発する）を使ってあります。

⑬ 「風通しのいい」関係とは、つまり陰でコソコソするようなことがない、堂々と意見を言い合い、よりよい仕事をしていけるような関係なので、そのような英語にしました。

⑭ ＊ Make it happen.（実現させよう／やるだけやってみよう／なせば成る）

5 出資者へのお礼と報告を兼ねたスピーチ

さて、今度は問題③です。これは寄付をしてくれた人へのお礼と、その寄付金をどう使うかの報告を兼ねてのスピーチでした。では、頑張ってまいりましょう！

いただいた寄付金の使い道	Report on Your Donation
● 100万円→茨木市のボランティア団体	● One million yen for the volunteer group in Ibaragi City
● 100万円→アフガニスタン・メキシコ大地震	● One million yen for the earthquake-stricken areas in Afghanistan and Mexico
● 100万円→南アフリカへAIDSの薬・食料として	● One million yen for food and medicine in South Africa

天候の悪い中、お集まりいただきありがとうございました[①]。会長の挨拶に引き続きまして、皆さんから寄せられました善意の寄付金の使途を、ご説明させていただきたいと思います。

　まず集まりました総額[②]は 3,126,947 円でした。募金活動を開始しました時点から1カ月足らずでこれだけの金額を集めることができましたのは、ひとえに皆様のご協力の賜物と感謝しております。改めてありがとうございました。

Thank you for braving the elements to come here.[①] Following the president's speech, I'd like to report on ways to spend the money contributed by many well-intentioned people.

The total amount of contributions[②] is 3,126,947 yen. This was collected in less than one month, thanks to your cooperation. I would like to express my sincerest thanks once again.

今回はこの総額のうち300万円を、市民の皆さんからの「こう使ってほしい」という要望が多かった上位3つに振り分け、残りは貯蓄することに、先日の委員会で決定いたしました。

まずこの10年間、ボランティア活動として市内の掃除・見回り、青少年への語りかけ、独居老人宅への見回り・見舞い・食事宅配などを行ってきた「よりよい明日の会」に 100万円贈呈いたします。③ このボランティア団体のおかげで、当市は青少年犯罪率がとても低く、また老人にとっては住みやすい憩える市 として有名④ になりました。「よりよい明日の会」のご貢献に対しましては、金銭では、はかれない貴重なものがあることも承知です。が、善意から集められたお金を「よりよい明日の会」の皆さんにお渡ししておけば、さらに有意義に使っていただけるものと思います。

次は1週間前のアフガニスタンとメキシコで起こった 震災被災地⑤ への援助金として100万円を使います。市内にあります国立病院の外科部長が、救助隊長として現地へ行かれますので、部長に全額を託し、被災地の人たちを救う役

We had a meeting the other day and decided to use three million yen of the total amount for the top three proposals supported by the people. We will save the rest.

First, one million yen will go to ③ the volunteer group Better Tomorrow. This group has dedicated itself to cleaning up around the city, watching the neighborhood, and talking to juveniles. They also visit elderly people who are sick or live alone and bring meals to them. Because of their activities, our city is renowned for ④ having low juvenile crime rates and for being a senior-friendly city. Money alone cannot thank them for what they do. These contributions came from the people's good will, so we'd like good people to have part of it. We know they will use it wisely.

Next, another one million yen will go to the earthquake stricken areas ⑤ in Afghanistan and Mexico. The international Hospital's chief surgeon is going there as a member of a rescue team, so we will ask him to use the money to help the disaster-stricken

に立てていただきたいと思います。当市もよく地震に見舞われますので、市民の皆さんには人ごとだとは思えなかった⑥のです。

　最後は南アフリカのエイズ対策や食料対策として、100万円寄付します。当市に本拠地を置くアースグリーン社の日本東京支社長が定期的にアフリカに行き、自然な原材料を求めておられるのですが、最近はその目的以外に悲惨な状況にあるアフリカの人たち⑦を助けることが加わったそうです。私たちの善意のお金を支社長に託し、役立てていただければ幸いだと思います。

　以上、よりよい明日の会、国立病院外科部長に託してアフガニスタン・メキシコの大震災被災地、そしてアースグリーン支社長に託し、南アフリカでエイズと食糧難に苦しむ人たちに、皆さんから寄せられました善意のお金を送ります。ご協力とご理解をいただき、ありがとうございました。

people there. As citizens living in an earthquake-prone area, we know first hand about the problems they can cause.⑥

　Finally, the rest will go to South Africa for AIDS and food programs. The general manager of Earth Green Co., which is based in this city, goes to Africa on a regular basis to search for natural ingredients and, recently, helping Africans in a miserable plight⑦ has become part of her itinerary. We would be very honored if she used the contributions to help those people.

　To summarize, we will divide the contributions among Better Tomorrow, the chief surgeon for the quake-hit areas in Afghanistan and Mexico, and the general manager of Earth Green for those suffering from AIDS and food shortages. Thank you for your understanding and cooperation.

解説

① 形容詞で勇気があるという意味なら知っているけど、動詞の brave を知っている人は少ないでしょう。＊ brave the elements = go out in bad weatherのことで、＊Thank you for braving the elements.とすれば「足もとの悪い中、お越しいただきありがとうございました」にぴったりの英語になります。brave the elementsはイディオムですが、brave the stormy weatherやbrave the rainy weatherと変えても十分通用します。

② contributionは数えない名詞としては「寄付行為」「善意」を表し、数えられる名詞としては「寄付金」「寄贈品」の意味になります。

③ この文脈での贈るという英語には、giveをはじめ、donateやgift、presentなどがありますが、こういった動詞を使わずgoを用い、お金が行く、と言うのもいいでしょう。goには、この用法がちゃんとあります。＊Most of my money goes to clothes.（私の金のほとんどは洋服代に消える）のように、何に使われるかを表すのにmoney goes〜という言い方ができるのです。

④ ＊She is well known [renowned / famous] for her intelligence.（彼女は頭が良いことで有名です）

＊She is well known [renowned / famous] as an intelligent student.（彼女は賢い生徒として有名です）

＊She is well known [renowned / famous] to [among] the students.（彼女はその学生たちの間で有名です）

⑤ 地震に限らず、被災地には次のような言い方があります。

afflicted area [district]、area stricken by disaster、devastated area [site]、disaster-stricken area、site of the disaster

⑥ それらの地震が「人ごとではない」という言い方ですが、他には

＊These earthquakes **are not events isolated from everything else**.とも言えます。ちなみに「人ごとのように嘆く」はThey simply lamented the plight of those people from the sidelines.（彼らの苦境を人ごとのように嘆くだけだった）

いかがですか？　皆の行為で集まったお金、有意義に使ってもらえるといいですね！　では頑張って次へまいりましょう。

6 会社の説明

CD 15
CD 16

　さて、今度は**問題**④でアウトラインを作った株式会社みなとの概略を説明していきます。アウトライン作成練習で作ったように、歴史や現状などを的確に順序よく話し、短時間でどんな会社なのかわかってもらいましょう。

株式会社みなとの概略	A profile of Minato
① 当社の歴史	① The history of Minato
② 当社の現状	② Current conditions at Minato
③ 当社の方針・信念	③ The policies and beliefs of Minato
④ 今後の展望	④ The future of Minato

　皆様ようこそ！　本日はみなとの創立40周年記念祝賀会にお越しいただきありがとうございます。私どもは、日本とアジアでチェーンを展開しております小さなホテルですが、行き届いたサービス①でご好評をいただいております。皆様方とともに40周年を祝うことができ、大変光栄に存じます。

　私どもの初めてのホテルは、手頃な値段で便利な所にある宿泊施設②が、まだあまりなかった40年前に、東京で生まれました。すぐ人気が出まして、大阪、名古屋、

　Welcome everyone! I'd like to express my heart-felt thanks to you for coming to Minato's 40th anniversary celebration. We are a small chain of hotels in Japan and Asia, and we have enjoyed a good reputation for our personalized services.① It's a great honor to be able to celebrate this occasion with you.

　Our first hotel was built in Tokyo 40 years ago, at a time when you hardly saw reasonably-priced and conveniently-located accommodations.② Our hotel soon became well known, and we

福岡とチェーン展開し、やがてアジア地域にも事業展開するようになりました。

おかげさまで③、国内に15，アジア3カ国に5，合計20のホテルを所有できるまでに成長いたしました。来年にはソウルに会議設備があるホテルの建設に着手する予定になっております。

本日お集まり頂きました、このみなと神戸店もオープン以来多くの常連のお客様に恵まれ、そのご愛顧に心から感謝したく思います。神戸は港町であり、さまざまな国からさまざまな文化がもたらされる場所です。実際、当ホテルのロビーやコーヒーショップでも、無国籍状態で、いろいろな言葉が飛び交って④おります。

私はそういったお客様たちを拝見しておりますとき、いつまでもこの平和な状態が続くことを祈ります。幸い日本国内は平和ですが、海外では戦争が続いております。悲惨なニュースがあとを絶たず、日本を取り囲む状況にもきな臭い⑤ものがあります。

このような時代にあって、私どもは迅速的確なサービス、平穏な居心地の良さ⑥以上のものを提供しなくてはならないと思っており

opened hotels in Osaka, Nagoya, and Fukuoka, and then we expanded our business into Asia.

Today we are happy to say ③ that we have 20 hotels in total, 15 in Japan and five in three Asian countries. And we are going to begin construction of a hotel with conference facilities in Seoul next year.

This hotel, Minato in Kobe, has had many loyal guests since it first opened and we deeply thank them for their patronage. Since Kobe is a port town, various cultures from many countries can be seen here. This hotel's lobby and coffee shop are a borderless world where people speak a lot of different languages.④

When I see guests interact, I hope for lasting peace. Fortunately we enjoy peace in Japan. Overseas, however, wars are going on. Horrible news never ceases. And even situations surrounding Japan have started showing signs of potential wars ⑤.

Under the circumstances, we have to provide something more than swift service, and a cozy, congenial atmosphere.⑥ Let me share with you three important points for moving

213

ます。そこでホテルとして伸びていくこと、同時に地域の役に立つこと、これらの観点から重要だと思われる3点をお話しいたします。

　まずは、世界中の情報をできるだけ速く⑦お客様に届けること。そのために全室インターネットとケーブルTVを設置、自由にご利用いただけるようになっています。

　次に交換宿泊プログラムを作り昨年実施しました⑧。日本の子供を香港とタイの当ホテルへ、合計30人無料で1週間宿泊してもらい、現地の人と勉強やスポーツ、買い物などをして、異文化体験をしてもらいます。また香港とタイからも、同数の子供たちを日本のホテルへ招待し、同じく日本の文化に接してもらい、互いに理解を深めてもらいます。この活動は平和促進に一役買うことができる⑨と強く信じております。

　最後にこの異文化体験に関連しまして、チームを組みましてタイ語の本を出版いたしました。『タイ語でアイウエオ』という、初心者向けの本です。すでに続編出版

ahead in terms of business and community service.

　The first point is receiving and providing information from around the world as soon as possible.⑦ To do this, each room has had Internet service and cable TVs installed so that guests can use them any time.

　The next point is the exchange-stay program we implemented⑧ last year. Under this program, 30 Japanese children go to our hotels in Hong Kong or Thailand for one week, all expenses paid. By doing things like studying, playing sports, and shopping with the local people, they can experience different cultures. We also invite the same number of children from Hong Kong and Thailand and they do the same things here in Japan to get to know Japanese culture. These cultural exchanges, I strongly believe, will play a role in helping⑨ promote peace.

　Lastly, our team has published a book on the Thai language titled *Taigo de AIUEO*, or *ABC in Thai for Beginners*. A sequel to this book is scheduled to be published soon.

も決まっております。

　ホテルとして、できることは限られておりますが、特にこの交換異文化体験1週間を通じ、国際平和にささやかですが貢献し、いずれはアジアと日本を結ぶ本格的な教育事業に乗り出していきたいという大きな夢⑩も持っております。

　みなとは、いずれは子供たちを育てる事業も行い、皆様に自慢していただける⑪ような企業としてやっていきたいと思います。より良い世界を築いていくため、今後もますますのご支援・ご協力をお願いいたします。ありがとうございました。

As a hotel, we may be able to do only a little but the sky is the limit for our dreams.⑩ Our dream now is to contribute to world peace, especially through this exchange-stay program, and, eventually we'd like to launch educational businesses that unite Japan and the rest of Asia.

We at Minato will make it our business to educate children, and we will make you proud⑪. In order to create a better world, we need your patronage and cooperation. Thank you for listening.

5 プレゼンテーションの実例

解説

④ こういった場面を、皆さんもきっと経験されていると思います。無国籍状態を a borderless world と表現したのは、ちょっといいでしょう？　＊white land（無国籍地）、＊stateless person（無国籍者）、＊fusion food（無国籍料理）といった表現もあります。

⑤ きな臭いとは、戦争や物騒なことが起こりそうな気配があることを言います。また「有事の際は」という「有事」は contingency をよく使います。

⑦ 「(できるだけ) 速く」「瞬時に」にも、いろいろな言い方があります。皆さんがよく知っている at once をはじめ、in a blink (of an eye)、in a moment (of time)、in a tick、in a moment's time、in (less than) no time (at all) などです。また＊with almost no time elapsed（ほぼ瞬時に）

215

という表現もあります。
⑩ The sky is the limit.は「際限（上限）がない」という意味のイディオムです。
⑪ 見ていてください、失望させません、やってみせますよ、といった意味合いです。

7 学術研究の発表

CD 17
CD 18

さて次は、**問題⑤**の学術研究を、一般の方にもわかるように発表するプレゼンテーションの例です。実はこれは、私のいくつかの論文のあちらこちらを持ってきて、後から書き足して作ったものです。実際には1つの論文で4000 words くらいありますが、イントロダクション・ボディ・コンクルージョンという3本柱でとらえていけば、長さやポイントを自由自在に押さえることができるようになります。

日本語と英語における発想の違い	Mind-sets in Japanese and English
① メッセージの伝え方に見られる違い （例）日本語と英語の違いが出るメッセージの例をいくつか取り上げて、その違いをさぐる	① Different ways of thinking shown in conveying messages sample1 / sample2 / sample3 *
② 文の作り方に見られる違い （例）日本語と英語の違いが出る文の例をいくつか取り上げて、その違いをさぐる	② Different ways of thinking shown in making sentences sample1 / sample2 / sample3 *

皆さんこんにちは。英語の指導や翻訳・通訳をされている方なら、興味を持たれるであろう日本語と英語の発想[①]の違い、についてお話しします。

まずはメッセージの伝え方の違いについてお話しします。お手元

Good afternoon. I believe that teachers, translators, and interpreters of English are interested in the different mindsets or ways of thinking[①] of English and Japanese speakers. I'd like to elaborate on those differences.

First, I would like to discuss the differences in conveying messages.

にある資料の1ページ、サンプル1[2]をごらんいただけますでしょうか。ここで取り上げました例文は「うるさい」という日本語とそれに対する英語 Shut up. です。次のページにはサンプル2で「これは飲み水ではありません」とそれに対する英語のメッセージ、Do not drink this water. そして最後のサンプル「ズボンで手をふいてはいけません」という日本語と Dry your hands with a towel. です。これらのサンプルを見て、もう笑っていらっしゃる方もいますが、日本語は本当にダイレクトにはメッセージを伝えない場合が多いのです。

　何のために「うるさい」と言うかといえば、当然「静かにしてほしい」「黙ってほしい」と思っているからです。「これは飲み水ではありません」も、「飲まないでください」というメッセージがあります。「ズボンで手をふいてはいけません」の例は、ご存じの方も多いかと思いますが、『クレヨンしんちゃん』から取りました。お母さんにこの言葉を言われたしんちゃんは、ズボンを脱いでパンツで手をふきます。しんちゃんは、日本語のあいまいさを鋭く突き、

Please look at sample one on page one[2] of the handout you have. The example sentences here are "*Urusai.*" in Japanese and its translation "Shut up." On the next page, you'll see sample two consists of two sentences: "*Kore wa nomimizu dewa arimasen.*" and its translation "Do not drink this water." The last one is, "*Zubon de te wo fuitewa ikemasen*" or "Dry your hands with a towel." Reading those sentences, some of you are already laughing. In Japanese we normally don't say what we want to say directly.

　The reason we say "*Urusai.*" is that we definitely want the others to be quiet or shut up. As for "Kore wa nomimizu dewa arimasen," the bottom line is "Do not drink this water." As for "*Zubon de te wo fuitewa ikemasen,*" many of you know this comes from *Kureyon Shinchan*. When his mother said to him, "You mustn't dry your hands with your pants," Shinchan started taking off his pants and dried his hands with his underwear. Shinchan often points out the vagueness of his parents' expressions

そのため親からよく怒られますが、その言語感覚とダイレクトさは英語の発想に近いのです。

さて、次の例に移りましょう。今度はお手元の資料10ページを開いてください。文の作り方に見られる発想の違いですが、まずは皆さんよくご存じのように、日本語はSVC型、英語はSVO型である[3]ということです。例えばサンプル1に出ておりますように、私たちは「山が見える」という日本語を英語にすると、日本人はMountains are visible.あるいはMountains can be seen.と英作する傾向がありますが、ネイティブはWe can see the mountains.というSVOの発想になります。資料5のアンケート結果をごらんいただいてもわかりますように、対象とした50人のネイティブのうち、46人がまずはその英文を書き、その他としてMountains are visible.などを書いております。

このことに関連して、次はサンプル2を見てください。日本語は受動態[4]が多用され、英語は能動態[5]が好まれることを表しています。サンプル2にありますように、「新聞にあの記事が出ていました」という日本語を英語に訳してもら

and is usually told off by them for this. His literalness and directness is akin to that of English speakers.

For the next examples, please turn to page ten of the handout. This time I'd like to talk about the differences in making sentences. As you well know, Japanese often forms S+V+C style sentences, a subject followed by a verb and a complement, while English forms S+V+O style sentences, a subject followed by a verb and an object.[3] Please look at sample one. When translating "*Yama ga mieru.*" into English, most Japanese say "Mountains are visible." or "Mountains can be seen." and native English speakers say "We can see the mountains." As you can see in the results of data five, 46 out of 50 native speakers said, "We can see the mountains." while the rest said other sentences like "Mountains are visible."

The next examples are related to this SVO and SVC patterns. Please look at sample two that indicates Japanese language is descriptive[4] while English is active.[5] As sample two shows, when translating "*Sinbun ni ano kiji ga deteimashita.*" most Japanese say, "The

うと、ほとんどの日本人はThe article was in the paper. とし、ネイティブの多くはThe paper carried the article. としています。サンプル3もそうで、部屋にイスがあります、と聞けば日本人はThere isの構文が浮かび、ネイティブはThe room hasと発想が全然違います。

　本日はメッセージの伝え方に見られる違い、文の構造に見られる違いから、日本人と英語ネイティブとの発想の違いの一端をお話しさせていただきました。興味を持たれました方は、私の論文を含めて詳しい資料がありますので、遠慮なくおっしゃってください。ありがとうございました。

article was in the paper." and most native English speakers say, "The paper carried the article." Sample three shows the same points using the sentences "*Heya ni isu ga ari masu.*" When hearing this sentence, most Japanese automatically think of a "there is" type structure, and English-speaking people think, "The room has... ." There's such a huge difference in our ways of thinking.

　Today I have talked about the different mindsets or the differences in ways of thinking of native Japanese speakers and native English speakers when conveying messages and making sentences. If you would like to know more, please feel free to ask for more detailed materials, including my essays, at the end. Thank you.

解　説

① 「発想」というのも、直訳できない単語の1つで、要は「考え方」ということなのです。mindsetや、way of thinking、attitudeなどが「発想」にぴったりでしょう。attitudeと言えば「態度」ですって？　いえいえ、＊What is your attitude to this incident? とくれば、「この事件に対するあなたの考え（気持ち）は？」という意味になるのです。

② 1ページ、サンプル2、3章などにはtheがつきません。page one、

sample two、chapter 3 でいいのです。

③ おっと、これはえらく長さが違う！ これも発想の差が出ているところで、日本語にはない説明を英語には入れました。日本語の文にも英語にある説明を足した方が、より明確になっていいですね。

　これはシンプルな英語を使ってあり、あまり表現で問題になるところはありませんでした。「日本語と英語って確かにこういう違い、あるなぁ」と楽しんで読んでいただけたらうれしいです。

8 講座の説明

CD 19
CD 20

TOEIC 講座の売り込み　promotion of TOEIC 730 Course

TOEIC 730 講座	TOEIC 730 Course
当講座だけの特色 ① 時間数（最低20時間から、先方の希望によって時間数増可能） ② 教材（オリジナルでいかにTOEIC本試験に基づいた効率のいい教材かを強調） ③ 講師（英語については当然のこと、TOEICについても知識豊かなベテランで、教え方もうまい） ④ 生徒さんへのケア（充実した小テストや復習テストでペースメーカーとなり、独学につきもののだれてしまうという心配がない・勉強の悩みにも対応）	What makes us different from others ① Number of instruction hours (the minimum is 20 hours and can be increased according to demand) ② Materials (Only original textbooks with strictly handpicked TOEIC questions.) ③ Instructors (Only seasoned instructors with high-level teaching skills and a deep knowledge about both English and TOEIC.) ④ Extra attention (Given to students in the form of tests, encouragement, and pep talks)

　本日はご多忙な中、本校主催によるTOEIC730点を突破するための講座説明会にお集まりいただき、ありがとうございます。皆さ

Thank you for taking time from your busy schedule to come and listen to our presentation on the TOEIC preparation seminar for scoring above

ん、よくご存じのように、海外派遣などの目安とされる 730 点以上ですが、仕事が忙しく英語に関心のない社員にとってはなかなかクリアできない点数です。またTOEIC の一定点数をクリアさせるためのセミナーやコースも、よく行われています。ところが現実にはそういったものに参加しても、思ったような結果を出すことができないのも現実です。本日は私どものセミナーがどうなっており、どうして望んだ結果が出るのか、という点をお話ししたいと思います。

　まずはセミナーの時間数。これは先方の予算・ご都合に合わせて最低 20 時間から開始させていただいております。最長では昨年 4 カ月で社員さんが合宿しての研修体制をサポートする会社があり、時間数にして 600 時間というコースがありました。当然 20 時間と 600 時間では差があり①、結果に違いが出るのは当たり前なのですが、時間数が少ないセミナーではレベルチェックにより受講生のレベルを限定させていただき、かつ宿題＝自宅学習の時間を取っていただくことで、実際のレッスン数の少なさをカバーいたします。

730. As you all know very well, a lot of companies set a score of 730 as the minimum for sending an employee to an English-speaking country on business. But this score is quite high for busy workers, especially when they are not interested in English. Seminars and courses have been offered to attain a certain level. However, those seminars or courses hardly seem to work. Today I would like to talk about how special our seminars are and why we can give you the scores you want.

First of all, we offer a various number of seminar hours. Hours of seminars are based on customers' demands and needs with the minimum set at 20 hours. Actually the longest course we have offered so far was the course consisting of 600 hours, supported by the company providing accommodations and payments for four months. Of course 20 hours and 600 hours are a world apart① and the results are supposed to be different. For short seminars we determine the learner's level by conducting a placement test and we assign a lot of homework so that students have to learn even when they are at home. Through this method, we

さて次は教材。これは全部オリジナル教材を使っております。市販のTOEIC教材は飽和状態[3]、出尽くした感[4]がありますが、本校オリジナル教材はTOEICに詳しい[5]ベテランの講師が集まり、本番の試験に近い問題を再現して作り上げたものです。TOEICからかけ離れた問題をするのも、確かに英語の勉強という観点からは役立ちますが、短時間で目標を達成するためには、できるだけ本番に近いものをする方が効率がよいことは明白です。

さて3つ目の本校の強みは、素晴らしい講師陣。実力が違います。教えるTOEICは全員満点取得、他に主要な資格はいくつか持っており、もっと重要なことは、そういった資格を最終結果としてとらえるのではなく、あくまでも勉強の一過程として、さらに研鑽をつんでいるという点なのです。本校の講師と接した後、多くの生徒さんが英語好きになったり、さらに勉強を続けたいといった感想を述べてくださるのは、自らも学ぶという姿勢を忘れない、熱い講師陣のおかげであると自慢に思ってお

can cover a lot in a limited amount of time and fill the disparity[2].

Second, we use original materials. Books you can buy from book shops seem to have reached a saturation point[3] and you'll hardly find something new.[4] Our original materials, however, were written by seasoned instructors who know TOEIC inside out,[5] and they reproduce actual questions as close as possible. Any questions would be helpful in terms of learning English, but in order to achieve your goal in a short time, exercises using questions resembling real ones are definitely more effective.

Third, our instructors have distinguished skills and an intimate knowledge of English. As for TOEIC, all the instructors scored 990, in addition to having other major qualifications. Moreover, because they see those qualifications as just part of the process of learning English and not a goal itself, they studied even harder after they got a perfect score. After learning under our instructors, a lot of students say they came to like English and they would like to continue learning more. That's the influence our enthusiastic instructors, who never

ります。

最後になりましたが、これもとても重要なことですが[6]、私どもスタッフも一丸となり[7]生徒さんのサポートをいたします。素晴らしい授業は当然ながら、定着度を確実にし、それを測るための小テストから定期的なテスト、学習上の質問などをEメールで相談に乗ったり、オンライン学習を充実させたりしております。中だるみや、脱落者が全然出ないのも、こういった万全のサポートがきいているからなのです。

以上4点、時間数、オリジナル教材、講師、サポート体制、と整ったわが校のセミナーを、ぜひご採用いただきますよう、よろしくお願いいたします。

have stopped learning, have. We are really proud of them.

Last but not least,[6] we staff members support students with concerted efforts.[7] In addition to powerful lessons, we give quizzes and tests on a regular basis to make sure students have mastered what they are taught. We can answer any questions online and offer the e-learning system. Nobody will drop out or lose interest in mid-course because our powerful support systems help everyone.

From those four points — number of seminar hours, original materials, instructors, and support systems — you can see our seminars are different from others, and you will appreciate all the seminars and courses once you have experienced them. Thank you.

解説

① 「とてもかけ離れている」というイディオムです。
② 「違い（差）を埋める」というイディオムで、日本語にはありませんが、20時間と600時間の授業の差では、効果も当然違うのではないか、という疑問に答えようとしている部分ですので、一言補っておきました。
③ 英語は飽和状態に達した、となっています。「飽和状態」には、他に

saturated［saturation］state という言い方もよく用いられます。また saturation だけで飽和状態を意味することもあります。
* come close to saturation（飽和状態に近づく）
* become saturated、reach a saturation point（飽和状態に達する）

④「出尽くした感」とはよく使う日本語ですが、いろいろ類似品が多く、特に目新しいものはない、というところでしょう。

プレゼンテーションの一例をいくつか見ていただきました。いかがだったでしょう？　皆さんが言いたいことを英語で表現する場合の参考になることが、たくさん載っているはずです。

　さて次の章では、実際のプレゼンテーションに役立つ、記号や数字の読み方、ことわざ、英作文のヒント、プレゼンテーションの練習方法などを紹介してあります。

Chapter 6

プレゼンテーションに使える数字・単位・役職の英語表現

Useful Expressions
会社の組織

　会社の組織を、英語でどう言うかを紹介します。ただし会社によって、同じような内容の仕事をしている部署であっても、違う英語で表現する場合もよくありますので、具体的な相手がいる場合には、必ず先方に確認してください。
　名称、つまり「〜部（課）」という意味で使う場合は大文字で、「〜を扱う部門（課・担当者）」という意味で使う場合は、小文字で表してあります。

1　部や課そのものの表し方

〜本部	bureau
〜部	division（Division）/ department（Department）
〜課	section（sect.）
〜係	subsection
〜室	office
〜班	group / team

2　各部・各課の名称（実際に使うときは定冠詞をつけること）

〈経理・財産管理部門〉

管財部	Properties Administration Department
監査部	Inspection Division / Internal Auditing Division / Audit Department / Auditing Department
教育部	Education Division / Training Division
経理部	General Accounting Division / Accounts Department / General Accounting Department / Budget & Accounting Department / Accountants' Department / Accounting Department / Accounting Division / Paymaster's

	Department
財務部	Finance Division / Finance Department / Financial Affairs Division / Financial Department / Treasurer's Department
資金部	Finance Processing Division
証券部	Securities Department

〈経営・総務部門〉

取締役会	Board of Directors
秘書室	Secretariat / Secretary's Office
企画室	Corporate Planning Office / Planning Office
経営企画部	Consulting Operations Department
庶務部	General Affairs Department / Administrative Department
総務部	Administration Department / Administrative Department / General Affairs Department
厚生部	Welfare Department
法務部	Legal Affairs Department / Legal Department
文書課	Archives Division / Correspondence Section
労務部［勤労部］	Labor Relations Department
通信部	Communications Department
福利厚生部	Welfare Department

〈営業・販売部門〉

営業部・マーケティング部	Sales Department / Marketing Department / Business Department
営業本部	Sales Bureau
海外営業部	Overseas Sales Division / International Marketing Department / Overseas Marketing
海外部	Overseas Department / International Department
国際部	International Planning Department
国内営業部	Domestic Sales Division
市場開発部	Customer Service Division

	販売部	Sales Department
	貿易部	Import & Export Department
	輸出営業部	Export Sales Section
	輸出部	Export Department
	輸入営業部	Import Sales Section
	輸入部	Import Department
	販売促進部	Sales Promotion Department

〈人事・広報部門〉

	人事部	Personnel Department / Human Resources Department / Personnel Affairs Department
	人材育成部	Education & Development Department
	教育研修部	Education & Training Department
	広報部	Public Relations Department / Publicity Department / Communications Division
	宣伝部	Advertising Department / Publicity Department

〈事業・業務部門〉

	事業部	Enterprises Department
	海外事業部	Overseas Operations Department
	国際事業部	Overseas Business Development Department
	業務部	Sales Administration Department / Operation Department / Business Department
	販売業務部	Sales Affairs Department / Marketing Technical Service Department
	顧客業務担当チーム	Account Service Team
	購買部	Purchasing Department
	渉外部	Foreign Relations Department / Foreign Affairs Department / Liaison Section

〈管理・サービス部門〉

	管理部	Administration Department
	商品管理部	Product Administration Department
	販売管理部	Sales Administration Department

生産管理部	Production Control Department
サービス部	Service Department
修理部	Repair Service Department
品質保証部	Quality Assurance Department
発送部	Dispatch Department / Shipping Department
品質管理本部	Quality Control Division
顧客サービス部	Customer Service Department / Customer Protection Department
コンプライアンス部門 (法令順守を担当する部署)	Compliance Department

〈技術・生産部門〉

運輸部	Traffic Department
技術部	Engineering Department / Technical Department
建設部	Construction Department / Development & Construction Department
資材部	Materials Department / Supplies Division
機材部	Machinery & Materials Department
事務機械部	Office Machine Department
情報システム部	Information Systems Department / IT Department
生産技術研究所	Process Technology R & D Laboratories
生産技術部	Production Engineering Department
生産部	Production Department
製造本部	Production Bureau
設計部	Designing Department
調達部	Procurement Department
プラント製造部	Plant & Machinery Production Department

〈企画・開発部門〉

企画開発課	Project Planning & Development Section
企画部	Planning Department
技術開発部	Technical Development Department

研究開発部	Research and Development Department ［R&D Dept.］
研究企画係	R & D Planning & Coordination Subsection
コンピュータ商品企画部	Computer Systems Product Planning Department
商品開発部	Product Development Department
商品企画部	Product Planning Department
人材開発部	Human Resources Development Department
調査部	Business Research Department
特許部	Patent Department
能力開発部	Personnel Development Department
マニュアル開発部	Documentation Development Department

3　会社の各施設などの呼び方

本社／本店	(corporate) headquarters / head office
支社／支店	branch office / branch
営業所	sales office
販売店	distributor / dealer
工場	(manufacturing) factory / (industrial) plant
研究所	research laboratory / research institute
関連会社	affiliated company
現地法人	overseas affiliate / overseas subsidiary
連絡事務所	liaison office
出張所／サテライトオフィス	satellite office
親会社	parent company
子会社	subsidiary (company)
下請け企業	subcontractor
中小企業	small-and-medium-sized business
外資系会社	foreign-affiliated [foreign-owned] company
合弁会社	joint venture
多国籍企業	multinational corporation
持ち株会社	holding company

Useful Expressions
会社の役職名

　役職名は、国だけでなく、組織の規模や企業形態によって表現が違うので注意が必要です。係長や主任などは区別しないケースもありますので、日本語による肩書を文字どおり訳すのではなく、実際の仕事内容で判断して英語のタイトルをつける方がよい場合もあります。ここでは主な例を示しますので参考にしてください。

1 役職の名称（実際に使うときは定冠詞をつけること）

〈経営〉

取締役会（議）	the board of directors ［executive meeting / meeting of directors］
最高経営責任者（米国では会長や社長を兼ねることが多い）	CEO（Chief Executive Officer）
最高業務執行責任者	COO（Chief Operating Officer）
財務経理担当責任者	CFO（Chief Financial Officer）
最高技術責任者	CTO（Chief Technology Officer）
社外取締役	outside director
執行役員	corporate officer
チーフ・ラーニング・オフィサー（研修人材開発を担当する、組織開発担当役員のこと）	chief learning officer
会長・取締役会長	Chairperson / Chairman of the Board［of Directors］（英国では実権のない元会長は President）
副会長・取締役副会長	Vice Chairman / Vice Chairman of the Board
社長	President /［英］Managing Director
社長付	Assistant to President
上席副社長	Senior Vice President / Corporate Vice President
副社長	Executive Vice President（Vice President は、米国では日本の部長）
代表取締役	Representative Director /［英］Managing Director
専務取締役	Executive Director / Senior Managing Director / Executive Managing Director
常務取締役	Managing Director / Executive［Managing］Director
取締役・役員・重役	Director / Member of the Board

取締役相談役	Director & Counselor to the Board / Executive Adviser / Senior Adviser
常勤取締役	Internal Director
非常勤取締役	External Director
監査役	Auditor / Corporate Auditor
相談役・顧問	Executive Advisor / Senior ［Corporate］ Advisor / Adviser / Corporate Counselor / Counselor / ［英］Counselor
経営陣	Management
上級幹部	Senior executive

〈管理職〉

部長・本部長・室長	General Manager（本部長は Division Director、事業部制では Group Vice-President）/ Director / Manager / Vice President / Chief of a Department
調査役	Assistant to the Director
副部長	Deputy General Manager / Deputy Director / Assistant Manager
部長代理	Acting General Manager
局長	Director / General Manager
次長	Deputy General Manager / Assistant Deputy Director / Assistant General Manager
主席部員	General Project Manager
室長	Senior Manager / General Manager / Chief / Director / Head of a Section ［Division / Department］
課長	Manager / Section Manager / Section Chief / Assistant General
課長補佐・主査	Assistant Manager / Assistant Section Chief
課長代理	Acting Manager / Deputy Manager / Deputy Section Chief
主幹	Senior Manager

係長・主任	Senior Staff / Assistant Manager / Chief / Senior Chief / Supervisor / Subsection Chief
営業所長	Director of Sales Office
工場長	Plant Manager / Senior Manager / Factory Manager / Shop Foreman / Superintendent of a Factory / Works Manager
支店長・駐在事務所長	Branch Manager / General Manager / District Manager / Director of Branch / Branch Chief / Branch Office Manager
副支店長	Deputy Branch Manager
職長	Foreman
班長	Team Leader / Section Leader / Group Leader / Squad Leader / Unit Head
副班長	Assistant Team Leader
班長補佐	Sub Team Leader
研究所長	Director of Research Laboratory
参与	Senior Counselor / Counselor / Consultant
内部監査人	Internal Auditor
経理担当役員	Controller / Comptroller
顧客主任	Account Executive
秘書（幹事）	Secretary
所属長・直属の上司	Immediate Supervisor
店長	Store Manager

〈一般社員〉

部員	Staff
平社員	Rank-and-file workers / the rank and file
……付	Assistant to ……

※「(会社の) 上層部、経営陣」を表す言い方には、いろいろあります。senior management、top management、upper management、people upstairs、upstairs、people higher up、higher-ups、upper echelon、inner circle of management などは、その一例。また、社長を揶揄して、the big man などと言うこともあります。

2　役職名を言う時

浅井さんは IT マネージャーです。
　　　Ms. Asai **is** the IT Manager.
浅井さんは会計部門に属しています。
　　　Ms. Asai **works in** Accounting.（会計という分野を担当しているという意味で the はつけない）
浅井さんはマーケティング部門の責任者です。
　　　Ms. Asai **is responsible for** Marketing.（the はつけない）
マーケティング部門で働いています。
　　　I work in Marketing.（the はつけない）
マーケティング部で働いています。
　　　I work in **the** Marketing Department.（Department が続いているため、the をつける）
マーケティング部浅井陽子（名札やリストなどで表示する場合）
　　　Yoko Asai. Marketing Department.（the はつけない）

Useful Expressions
数値・記号などの読み方

1 数値の読み方

〈数字〉	**hundred、thousand、million には-s をつけない**
58,750	fifty-eight thousand, seven-hundred fifty または fifty-eight thousand, seven-hundred and fifty
1万	**ten thousand**
15,000,000	fifteen million
100万	**one million**
549,000,000	five hundred forty-nine million
1億	**one hundred million**
65,000,000,000	sixty-five billion
10億	**one billion**（イギリス英語では1兆となるが、最近は混乱をさけるためにアメリカ式に統一される場合が多い）
1兆	**one trillion**
3.54	three point five four（小数点以下は、1桁ずつ読む）
0.357	zero point three five seven
1 / 2	a（one）half / half
1 / 3	a（one）third
1 / 4	a（one）-quarter / a（one）-forth
3 / 4	three quarters（分子が2以上なら分母には複数形の-s がつく）
2 と 3 / 5	two and three fifths
1 / 11	one eleventh / one over by eleven
$\sqrt{a}$	square root of a
5^2	five square（ed）

10^3	ten cube(d)
8^5	eight to the fifth (power)

〈金額〉

¥3,250,000	three million / two hundred (and) fifty thousand yen（yen は単複同形なので s をつけないこと）
$37,000	thirty seven thousand dollars
£6.35	six pounds and thirty-five (pence)
$1.25 / gal.	a dollar twenty-five per gallon / one dollar and twenty-five cents per gallon

〈時〉

1998	nineteen ninety eight
2002	two thousand two
1000 B.C.	one thousand BC
3 p.m.	three p.m. / three in the afternoon
12 a.m.	twelve midnight / twelve a. m. [éiém]
12 p.m.	twelve noon / twelve p. m. [píːém]

〈長さなど〉

mm	millimeter (s)
cm	centimeter (s)
m	meter (s)
km	kilometer (s)
6m	six meters（meter は複数形にするが、記号 m には -s をつけない）
in.	inch
ins.	inches
ft.	foot / feet
yd.	yard
yds	yards
mi.	mile / miles
4'5" (4フィート5インチ)	four feet (and) five inches

6 プレゼンテーションに使える数字・単位・役職の英語表現

40mph（時速 40 マイル）	forty miles per hour

〈面積〉

km²	square kilometer（s）
100m²（100 平方メートル）	a hundred square meters
1ha（1 ヘクタール=100 ares（アールと読む）	one hectare
5,000 sq. ft.	five thousand square feet

〈容積〉

40 ℓ	forty liters
1 クウォートは 2 パイントです。	One quart is equal to 2 pints.
1 ガロンは約 3.8 リットルです。	One gallon is around 3.8（three point eight と読む）liters.
12 × 36 × 60 inches	twelve by thirty six by sixty inches

〈重さ〉

lb（s）.（ポンド）	pound（s）
oz.（オンス）	ounce
g（グラム）	gram（s）
kg	kilogram（s）
CONTENTS 6 oz.（内容量 6 オンス）	6 ounces

〈温度〉

−10 ℃	minus ten degrees（(in) Centigrade / Celsius）/ ten（degrees）below zero
65°F	sixty five degrees（in）Fahrenheit

〈マーク、括弧など〉

（abc）	abc in parentheses / parenthesis open abc parenthesis close
[123]	123 in brackets / bracket open 123 bracket close

*	asterisk / star（sign）
・	bullet point
§	section（mark）
#	number（sign）/ pound（sign）

2　計算式の読み方

3 + 5 = 8	Three and five is［are、equal（s）/ make（s）］eight.（Three and five は単数・複数どちらで受けてもよい）Three plus five is［equals / makes］eight.
8 − 2 = 6	Eight minus two is［equals / leaves］six. Two from［out of］eight leaves［is］four.
5 × 6 = 30	Five multiplied by six is［equals / makes］thirty. Five times six is［equals / makes］thirty. Five sixes are thirty.（six の複数形に注意）
56 ÷ 7 = 8	Fifty-six divided by seven is［equals / makes］eight.

3　相互の関係の表し方

比例した	proportional
正比例した	directly proportional
反比例した	inversely proportional
AとBは（正/反）比例関係にあります。	There is a (direct / inversely) proportional relationship between A and B.
Aは、Bと（正/反）比例関係にあります。	A is (directly / inversely) proportional to B.
相関関係	correlation
AとBは相関関係にあります。	There is a correlation between A and B.
AとBは相関関係にあります。	A is correlated with B.

対応する	correspond
Aは、Bに対応しています。	A corresponds to B.

Useful Expressions
応用表現・ことわざ

プレゼンテーションに使えることわざ！①

ことわざをプレゼンテーションに引用すると、注意を引いたり、印象に残りやすかったり、深みが出たりします。ただし、間違って用いるとまずいので、しっかり意味を確認して使ってください。

A little learning is a dangerous thing.（生兵法は大けがのもと）
○ 知識の生かじり、いいかげんな知識は危険だということ。「生兵法は大けがのもと」（知ったかぶりをすると、ひどい目にあう）という日本のことわざの意味に近い。

Actions speak louder than words.（行為は言葉より雄弁である）
○ 言葉ではなく行動で評価されるということ。口だけで行動が伴わないのは確かにまずい！ 似た意味で ＊ Practice what you preach.（言うことは実行せよ）というのもある。
＊ Deeds, not words.（不言実行）なども使おう！

All is well that ends well.（終わりよければ、すべてよし）
○ 最後が肝心。シェークスピアの喜劇の題名として有名。

All that glitters is not gold.（光るもの必ずしも金ならず）

○ 見かけだけで判断するなということ。これもシェークスピア『ベニスの商人』に出てくる言葉。

Art is long, life is short.（日暮れて道遠し／芸は長く人生は短し）
○ 学ぶべきものは多いのに、それを学ぶ時間は短いということ。医術の父 ヒポクラテスの箴言集の中の言葉に由来する。art の原義は skill、craft（技、技術、学問）で「少年老いやすく学なりがたし」ということわざの意味に近い。

Don't count your chickens before they are hatched.（取らぬ狸の皮算用）
○ 実際に手に入れないうちから、あれこれと予定することの愚かしさのたとえ。『イソップ物語』に出てくる。

Easy come, easy go.（悪銭身につかず）
○ 得やすいものは失いやすい。簡単に手に入ったお金は出ていくのも早いということ。
　＊ easy money（あぶく銭、簡単に手に入るお金）

プレゼンテーションに使えることわざ！②

Even Homer sometimes nods.（弘法にも筆の誤り／猿も木から落ちる）
○ 詩聖 Homer でさえ、ときどき居眠りをする。どんなにその道に優れた人でさえ間違いを犯すということ。

Everybody's business is nobody's business.（共同責任、無責任）
○ 皆でやる仕事は、誰も本気でやらないものだ。古代ギリシャの哲学者、アリストテレスの『Politica』（政治学）の中の言葉に由来する。

Haste makes waste. / More haste, less speed.（急いては事をし損ずる／急がば回れ）
○ あせってやると、物事うまくいかないということ。他に ＊ Make haste slowly.　＊ Slow and steady wins the race. などもある。

A bird in the hand is worth two in the bush.（手中にある1羽は薮の中の2羽の値打ちがある）
○素晴らしいものでも不確実なものよりは、確実に手中にあるものの方に価値があるということ。「明日の百より今日の五十」。Better an egg today than a hen tomorrow.ということわざも同じ意味。

Honesty is the best policy.（正直は最良の策）
○正直、誠実であることは、どんな手段にも勝るということ。

If you run after two hares, you will catch neither.（二兎を追う者は一兎をも得ず）
○欲張っていくつかのことに手を出しても、ひとつも成功しないことのたとえ。
ことわざではないが、＊Fall between two stools.（2つの踏み台の間に落ちる──「あぶはち取らず」）という表現もある。

It is no use crying over spilt milk.（覆水盆に返らず）
○こぼれたミルクを嘆いてもどうにもならない。「やっても無駄だ、どうしようもない、取り返しがつかない」ということのたとえ。

Kill two birds with one stone.（一石二鳥）
○「一挙両得」一度の骨折りでたくさん得をすることをいう。

プレゼンテーションに使えることわざ！③

A stitch in time saves nine.（転ばぬ先のつえ）
○早めにひと針縫えば、9針手間が省ける。取り返しがつかなくなる前に早めに対処した方がよいということ。＊Prevention is better than cure.（予防は治療に勝る）も同じような意味。

Look before you leap.（石橋は叩いて渡れ）
○何かやろうとする前に、危険なことや困難を予測し、よく考えて行動した

方が賢明だということ。

Necessity is the mother of invention.（必要は発明の母）
○「窮すれば通ず」。必要に迫られれば、何か方法を見つけ出すものだということ。

No pains, no gains.（まかぬ種は生えぬ／苦は楽の種）
○ 何の努力もせずに得られることはないということ。

Nothing ventured, nothing gained.（虎穴に入らずんば虎子を得ず）
○ 危険をおかさなければ成果は上げられないことのたとえ。

Practice makes perfect.（習うより慣れろ）
○ 練習を日々積み重ねていけば得意になり、やがて完全にマスターできるということ。

Seeing is believing.（百聞は一見にしかず）
○ 実際に自分の目で見て確かめて、初めて信じることができるということ。

So many men, so many minds.（十人十色）
○ 人の数だけ考え方がある。人それぞれだということ。同じような意味のことわざに ＊ Tastes differ.　＊ There is no accounting for tastes. などがある。

Strike the iron while it is hot.（鉄は熱いうちに打て）
○ 好機を逃すなということ。同じような意味で、＊ Make hay while the sun shines.（陽の照るうちに干草を作れ）もよく知られている。また、よりポジティブなことわざとしては、＊ Take time by the forelock.（チャンスは前髪でつかめ──好機を逃すな！）がある。時の神様は前髪が一房あるだけで、後ろ髪がないという寓話から生まれたことわざらしい。

プレゼンテーションに使えることわざ！ ④

There is no royal road to learning.（学問に王道なし）
○ 学問に楽な道、近道はないということ。royal road（近道、楽な道）ギリシャの哲学者、ユークリッドがエジプトの王の質問に答えて言った言葉と言われている。

Two heads are better than one.（三人寄れば文殊の知恵）
○ 2人の頭脳は1人に勝る。みんなで知恵を出し合えば素晴らしい考えが浮かぶものだということ。

Well begun is half done.（良きスタートは成功の始まり）
○ 初めが良ければ、半ば終わったようなもの。初めが大事ということのたとえ。

Where there's a will there's a way.（意志あるところに道あり）
○ 心の底から何かしたい！　と強く望むのなら道は開ける、探し出せるということ。「一念岩をも通す」

You cannot see the forest for the trees.（木を見て森を見ず）
○ 小さなことにとらわれて大局を見失うということ。

The darkest hour is that before the dawn.（一番暗いのは夜明け前）
○ 最悪の状態は好転の兆しだということ。If winter comes, can spring be far behind?（冬来りなば春遠からじ）「冬のあとには春がくる」とシェリー（イギリスの詩人）の詩の一節にもある。

よりよいプレゼンテーションに向けての練習方法

練習1　とにかく読む！

　とにかく音読することです。読めば読むほど上手になります。何度も音読することで皆さんが作った原稿は、皆さんの体にしみこむように、自然と頭に入ってきます。プレゼンテーション当日、ほぼ原稿なしですらすら言えるくらい読み込んでおけば、もう怖いものナシ！

練習2　小道具その①　レコーダー

　音読が板についてきたら、自分の声を録音しましょう。自分の声が録音されたものを聞くのは、誰にとってもあまり気分がいいものではありませんが、それだけに効果絶大！　客観的に自分がどのように話しているかを知るよい方法だからです。「声を低めにした方がいいなぁ」とか「あ、この発音はわかりにくいぞ」といったことがよく理解できます。厳しくチェックを入れて、何度も録音し直してみましょう。ここで頑張れば、必ず自分の理想の **delivery**（話し方）に近づくことができますよ。

練習3　小道具その②　鏡

　鏡も使ってみましょう。聞き手に語りかけるつもりで鏡の前に立ち、プレゼンテーションの練習をするのです。まずは身だしなみ OK かどうかをチェックし、背中はしゃんと伸びているか、アイコンタクトをしているかどうかなどを、鏡でチェックしていきます。原稿ばかりに目を落として鏡の自分を見ないようでは、まだまだ練習不足だということもわかりますね。その場合は「音読」に戻って、ひたすら読むことからやり直しです。

練習4　小道具その③　デジカメ・ビデオ

　レコーダーや鏡より、さらに客観的に自分を見ることができるのは、ビデオ！

自信なげに手を振り回していないか、神経質に髪の毛ばかりさわっていないか、下ばかり見ていないか、などなど第三者の目で、プレゼンテーションを必死で行っている自分を見ることができます。自分でいけないと思う点を直すようにすれば、かなり完成度の高いプレゼンテーションが可能となるわけです。

練習5　小道具その④　家族・友人

　これは最強の小道具！　とも言えるでしょう。デジカメやレコーダーの記録を一緒に見て（聞いて）もらってコメントを言ってもらうのも、自分とはまた違った視点からの指摘があるので、大変役立ちます。

　そして仕上げとして、家族や友人の前で、本番のつもりでプレゼンテーションを行い、遠慮のない意見を聞かせてもらいましょう。もちろん本番での聞き手とは、プレゼンテーションの内容に対する習熟度が違うでしょうから、一概には判断できない部分もあるでしょうが、率直な意見は必ずプラスになります。また人前で話すことに慣れるという点だけでも、相当なメリットがあります。

　運悪く「そんなことにつきあってられない」と言われたら、あきらめましょう。特に家族や友人が冷たいのではなく、ごく普通の反応でしょう。逆に、真剣につきあってくれて、いろいろな意見を言ってくれる家族や友人に恵まれたら、それは超ラッキーなのです。そういう人たちに恵まれている自分の状況に、心から感謝しましょう！

　さて次の章では、よく使う日本語の表現で「こう言えば決まるよ！」という英語の表現を集めました。読むだけでも楽しく、役立ちますよ。

Chapter 7
プレゼンテーションに使える光る表現集

1　プレゼンテーションを生き生きとしたものにする表現

　ここでは、「ちょっと粋な言い回し」「ちょっと高度な言い方」なども含めた使える表現を集めておきます。ぜひ参考にしてどんどん使い、皆さんのプレゼンテーションを生き生きしたものにしてください。

あ行

明るみに出る	○ come to light ○ become known ［open］ ○ break［bring］out into the open ○ come out

□ 社長がそのスキャンダルに関与していたことが、明るみに出ました。
The president's involvement in that scandal **came to light**［was brought out into the open］.

メモ　明るみに「出す」と表現する場合は、bring ～ to light、break［bring］～ out into the open のように使えます。

□ 秘書が社長のスキャンダル関与を明るみに出したのです。
The secretary **brought** the president's involvement in the scandal **to light**.

悪習慣をやめる［絶つ］	○ kick the habit ○ break［drop］a［the］habit ○ disaccustom

□ わが社では、禁煙を決意した社員には、禁煙セミナー実施など手助けをすることにしました。
We will help our employees who have decided to **kick the** smoking **habit** by implementing programs with things such as seminars on

quitting smoking.

悪循環／いたちごっこ	○ vicious circle ○ vicious cycle ○ rat race

☐ その国が陥っている貧困と環境破壊の悪循環を阻止するため、この方策を取ることにしたのです。
We have decided to take the measures in order to break the **vicious circle** of poverty and environmental destruction in that country.

メモ inflationary spiral（インフレの悪循環）

足並みがそろう［合う］	○ fall in and pull together ○ in close cooperation ○ keep pace / move closely together

☐ 足並みをそろえれば、このプロジェクトは10日で仕上げることができると見込んでいます。
We are expecting to complete this project in 10 days if we **fall in and pull together**.

メモ fall in は軍隊用語で「整列する」、pull together は「一致協力する」という意味。他に get into step、move in tandem なども OK。

☐ 名古屋の支所だけ、他の支所と足並みがそろっていないことがわかりました。
○ We found that the Nagoya branch marched to the beat of a different drummer.
○ We found that the Nagoya branch had gotten out of step with the other branches.

メモ 足並みがそろわないという表現には、他に fail to reach an agreement などもあります。

斡旋	○ good offices ○ mediation

☐ この機関は、オリオン社の斡旋で設立されました。
This organization was established through **the good offices** of Orion Corporation.

> **メモ**
> ＊ She helped me find this job.（彼女がこの仕事を斡旋してくれた）

後知恵	hindsight

☐ 愚者の後知恵と申しますが、反省することは大切です。
It is said that fools are wise after the event, but reflecting on your actions is always important. = **Hindsight** is better than foresight.

後に引けない	there's no turning back / no return

☐ 私たちは、もう後には引けないところにおります。
○ We have reached the point of **no return**.
○（We are in the situation.）**There's no turning back** now.

荒療治する	take drastic measures

☐ 私どもの赤字を黒字にするには、荒療治する必要があります。
We must **take drastic measures** to get the company back in the black.

いい経験	○ good medicine ○ positive [learning] experience ○ learn a lot

☐ 学生時代のそのアルバイトは、楽しくはなかったですが、いい経験になりました。
The part-time job I did when I was a student was not fun at all, but I **learned a lot** from it.

☐ そのつらい出来事をいい経験として受け止めて、また頑張ってください。
I do hope you chalk the hardship up to a **good learning experience** and be positive about it again.

メモ	chalk it up to ~ (それを~として受け止める)

生き甲斐（にする）	○ reason for living ○ something to live for ○ thrive on

□ 高齢者に雇用の機会を与えるのは、生き甲斐を与えるという点で意義があります。
Giving employment opportunities to elderly people has a meaning in terms of giving them **a reason for living**.

□ 1950年代半ばから、70年代にかけての高度成長を支えたのは、仕事が生き甲斐だという世代でした。
The generation who **thrived on** hard work achieved high growth from the mid-1950's to 70's.

メモ

* My job is my life. （仕事が生き甲斐です）
* When I'm hard at work on writing, I really feel alive. （ものを書いて一生懸命仕事をしているときに、生き甲斐を感じます）

一を聞いて十を知る	○ be quick to grasp ○ have a very perceptive mind

□ 部長は、一を聞いて十を知るようなとても鋭い人です。
○ Our chief **is very quick to grasp** things.
○ Our chief has a very perceptive mind.

| メモ | ことわざとしては A word is enough to the wise. Say one, know ten. という表現もあります。

一触即発の	explosive / hair-trigger / powder-keg / volatile / sensitive

□ その国の政治情勢はとても複雑で、一触即発の状態です。
The political situation of the country is very complex ; it's an

	explosive situation.
一心同体（で）	○ always act with one heart and mind ○ as one

☐ 一心同体なのですから、問題があれば1人で抱え込まずに話してください。
We **always act with one heart and mind**, so share your problem with us instead of keeping it to yourself.

腕の見せ所	time [chance] to show one's stuff [skill]

☐ ここが皆さんの腕の見せ所です。
Now is the **time to show your stuff**.

うまみがある／おいしい	○ have (its) advantages [rewards] ○ lucrative / profitable
うまみがある部分／おいしい部分	○ prime cut

☐ あなたの仕事には、うまみがあっていいですね。
I like your job because it **has its advantages**.

裏方	○ one who remains behind the scenes ○ backseat role

☐ この会議にあたり、裏方をしてくれたスタッフに感謝します。
　○ I'd like to express my thanks to the staffers **who have remained behind the scenes** of this convention.
　○ I really appreciate the staff members who played **backseat roles** during this convention.

うるさい（好みが）	○ particular about ○ picky about ○ stickler for ○ discriminating

☐ お客様はサービスについてうるさいものです。そこで店員教育について考えましょう。
Customers are **particular about** good service, so let's think about training attendants.

> **メモ** stickler for は、ルールや時間などに正確であることにこだわる場合に使います。

影響を与える	rub off（on）

☐ 同僚が使う豊かな表現を聞いているうちに、私も影響されたのです。
My co-worker's colorful expressions have **rubbed off** on me.

> **メモ** rub off は「こすり取る」という意味があり、こすり取れたものがつく＝影響を与えるというわけです。

縁の下の力持ち	unsung hero

☐ 国際交渉の場において、通訳は欠かすことができない縁の下の力持ちです。
In international negotiations, interpreters are essential **unsung heroes**.

追い込みにかかる	make a final push

☐ 今そのプロジェクトを今月末に完成させるべく、追い込みにかかっているところです。
We are **making a final push** to complete the project by the end of this month.

お言葉に甘えて	○ if you're sure it's all right ○ accept your kind offer

☐ ではお言葉に甘えて。
Well, **if you're sure it's all right**.

☐ お言葉に甘えて、私どもの新人を、御社の研修チームに入れていただいてもいいのでしょうか？

7 プレゼンテーションに使える光る表現集

255

Is it really all right to **accept your kind offer** to send our new recruits to your training team?

鬼に金棒	the strength of Samson

□ あなたが入ってくれたおかげで、鬼に金棒です。
　Now that you've joined us, we have **the strength of Samson**.

　メモ　Samson は聖書に出てくる怪力の持ち主。また次のようにも言えます。
　　* With your help, we cannot lose.（君がいてくれたら、鬼に金棒です）

恩	morally indebted

□ 学生時代の恩師に深い恩を感じています。
　I feel morally indebted to my teacher who taught me at school.

　メモ　「恩に着せる」は次のように言えます。
　　* dwell [harp] on how grateful one should be to
　　* expect something in return

お互いにメリットがある	win-win

□ 労使間双方にとって、メリットのある合意に達したいと思っています。
　I'd like to reach a **win-win** agreement between management and labor.

か 行

傀儡（かいらい）	puppet

□ 役員会のメンバーは、社長の傀儡であるというもっぱらの噂だ。
　Rumor has it that the board members are **puppets** of the president.

　メモ　傀儡とは難しい日本語ですが、英語は「操り人形」を意味する puppet。

顔が広い	○ know a lot of people ○ have a lot of friends [connections]

□ 顔が広いおばのおかげで、今の仕事が見つかりました。
Since my aunt **knows a lot of people**, I was able to get this job.

格が違う	○ not in the same league ○ out of your league ○ be in a different class ○ be on different levels

□ わが社と御社とでは格が違うのですが、御社の方針から学ばせていただいたことは多々あります。
Although your company and ours are **not in the same league**, we've learned a lot of things from your strategies.

覚悟しておく／腹をくくる	○ prepare yourself for (the worst) ○ brace oneself for

□ 悪いことを覚悟しておくのも必要です。
It's necessary to **prepare yourself for** something bad.

□ 最悪の事態に備えて腹をくくりました［覚悟を決めました］。
I have **prepared myself for the worst**.

拡大解釈する	○ interpret something in one's favor ○ stretch the meaning of

□ このプランは、私が社長の言葉を拡大解釈したことから思いついたのです。
This plan came about when I **interpreted** what the president said **in my favor**.

(メモ)

＊ It's sometimes necessary to stretch the truth . （事実を拡大解釈することも時には必要です＝うそも方便）

7 プレゼンテーションに使える光る表現集

風当たりが強い	○ come under intense [a lot of] pressure ○ be under attack

□ スキャンダルで、その一流企業社員に対して辞職しろという世間の風当たりは強くなりました。
The employee of the prestigious company **came under intense pressure** to leave his position from the public because of the scandal.

肩の荷が下りる／気が軽くなる／気が楽になる	○ take a load off one's mind ○ be a great weight off one's shoulders ○ have a great weight lifted from one's shoulders ○ take the pressure off

□ 本日の会議が滞りなく終われば、私も肩の荷が下ります。
It will **take a load off my mind** when today's meeting finishes without a hitch .

メモ

* without a hitch = without any delay（滞りなく／首尾よく）
* It will take the pressure off me.（それで私も気が楽になります）

買って出る	○ take it upon oneself to ○ volunteer

□ その危険な仕事を買って出たのは貝渕さんだけでしたので、見所のある青年だと思っていました。
I marked Mr. Kaibuchi as a promising young person, because only Mr. Kaibuchi **took it upon himself to** do the dangerous jobs.

メモ　take it upon oneself to の it は to ～の不定詞を取る、it ～ to の構文です。
他に次のような「買って出る」もあります。
* play devil's advocate（議論を面白くするために反対役を買って出る）
* offer to assist in（援助を買って出る）

* take up someone's quarrel（けんかを買って出る）

かなりの割合	fair [significant] percentage [proportion] of

□ このプロジェクトが本年度予算の中で、かなりの割合を占めております。
The project accounts for a **significant percentage of** the budget for the current year.

金儲け主義の	○ money-hungry ○ money-driven ○ greedy

□ 当社は金儲け主義でなく、品質本意・お客様主義の姿勢を貫きます。
We will stick to the quality-and-customer-oriented policy, not a **money-hungry** one.

メモ
* diploma mill（学位製造所＝金儲け主義でいいかげんに学位を与える大学）

壁にぶつかる	○ run up against a stone [brick] wall ○ reach a plateau

□ なぜこのプロジェクトが壁にぶつかったか、今からご説明します。
Now I'll tell you why we have **run up against a stone wall** with this project.

かみあわない	○ argue on different planes ○ there's a gap in the conversation

□ 前回は議論がかみあわず、結論が出ませんでした。
We didn't get anywhere because we **argued on different planes**.

メモ
* I don't think we were talking about the same thing at that time.（あのときは、話がかみあっていませんでした）

かゆいところに手が届く	○ have nothing to be desired ○ be very attentive / be very helpful

☐ かゆいところに手が届くようなマニュアルにしたいと思っています。
　We'd like to make a manual that **leaves nothing to be desired**.

感銘を受ける	○ be deeply impressed ○ be struck

☐ 短期間で御社がここまで発展されましたことに、大変な感銘を受けました。
　I **was deeply impressed** by your rapid growth in such a short time.

既成概念	○ stereotype ○ ready-made idea

☐ 既成概念を捨てて、新しいことにチャレンジしたいものです。
　We'd like to get rid of **stereotypes** and try something new.

メモ 「チャレンジ」は要注意！　日本語で私たちが言う「チャレンジ」は英語にすると **try** あたりがぴったりくる場合が多く、**challenge** は次のような用法に要注意です。
　* face a challenge（課題に直面する）
　* meet a challenge（要求に応じる、難問に対処する）
　* challenge the law（法律に異議を唱える）

軌道に乗る	○ get into gear ○ take off ○ get on the right track ○ head in the right direction

☐ そのプランが軌道に乗るには、まだしばらく時を要すると思いますが、ご協力ご理解をお願いします。
　It may take some time for the plan to **get into gear**, and I would like to thank you for your patience.

脚光を浴びる	○ come into the limelight ○ attract lots of attention ○ be highlighted [spotlighted] ○ grab the spotlight / come under the spotlight ○ hold center stage

□ あの会社は、人間型ロボットを作って脚光を浴びました。
The company **came into the limelight** after they created a humanoid robot.

共存共栄	○ coexistence for mutual benefit ○ co-existence and co-prosperity

□ これからは共存共栄の精神でやっていかなくては、生き残れないだろうと思います。
We will have to follow the principle of **coexistence for mutual benefit** to survive.

木を見て森を見ず	○ can't [fail to] see the forest for the trees ○ fuss over details while ignoring the broader picture

□ 小さな問題にばかりとらわれていると、木を見て森を見ず、という状態になりかねません。
If you are too preoccupied with minor problems, you could **fail to see the forest for the trees**.

共同責任は無責任	everyone's business is nobody's business

□ 先代社長は、共同責任は無責任だとよく言っていました。
The former president used to say that **everyone's business is nobody's business**.

苦心して進む	work one's way

- 彼は苦労して出世街道を進み、社長になったのです。
  He **worked his way** through the ranks to president.

- 彼女は苦労して出世の階段を上り、重役になりました。
  She has **worked her way** up the corporate ladder to an executive position.

口コミ	word of mouth

- あの全国規模で展開している大型チェーン店も、もともとは口コミで客が増えたそうです。
  I heard that the large-scale nationwide chain store originally gained customers by **word of mouth**.

口添えする	○ put in a good word for ○ speak up for

- 後輩のために、上司に口添えしてくれるような先輩は少ないです。
  You cannot easily find superiors who **put in a good word** with a boss **for** their subordinates.

口約束	○ verbal [oral] agreement [pledge / promise / contract] ○ word-of-mouth promise

- オリオン社の担当者との口約束を書面にしておいてください。
  Please have the **verbal agreement** of Orion Co. put into writing.

契約を締結する	○ enter into [conclude] an agreement [a contract] ○ exchange contracts / sign a contract

- オリオン社と契約を締結することになりました。
  We **entered into an agreement** with Orion Corporation.

> **メモ**
> * terminate an agreement（契約を解消する）
> * strike a deal（取引を結ぶ）

けじめ	○ line ○ mental demarcation / taking moral responsibility
けじめをつける	○ draw a line ○ settle finally ○ take responsibility

☐ 社会人となったのですから、公私のけじめをしっかりつけてください。
I strongly hope that you'll draw a sharp **line** between your public and private life now that you are contributing members of society.

言行一致	○ practice what you preach ○ no gap between words and deeds

☐ 私の上司は言行一致の人で、皆から尊敬されています。
Every worker looks up to the boss because she **practices what she preaches**.

> **メモ** preach とは説教するということで、人に説いて聞かせることは、自分も実行せよという意味の言葉です。

現在の栄誉に甘んずる［あぐらをかく］	rest on one's laurels

☐ 当社も大企業と言われるようになりましたが、それにあぐらをかくことなく日々研鑽を積み努力を重ねてまいります。
Our company now enjoys its reputation as an established corporation, but we will continue to try our best and work hard, without **resting on our laurels**.

現状維持	○ stay the same

7 プレゼンテーションに使える光る表現集

	○ remain unchanged ○ keeping things as they are ○ maintenance of the status quo

□ 係の人数を増やすよう上に頼んだのですが、顔ぶれは変わっても、数については現状維持となりそうです。
I asked my boss to increase the number of people in this section, but it will probably **stay the same.** There might be some changes though.

後援 〜の後援で〔のもとに〕	○ patronage / back up / sponsorship ○ under the <u>auspices</u>〔patronage / aegis〕of ○ sponsored〔supported〕by ○ with the <u>aid</u>〔assistance / help /support〕of

□ 政府の後援を受けております。今回の催しにはできる限り大勢の財界人を招きたいと考えております。
We would like to invite as many business people as possible to <u>the event being held</u> **under the auspices of** <u>the government</u>〔the government-sponsored event〕.

□ 今回、当社がそのイベントを後援することになりました。
This time we are going to **back** the event.

> **メモ**
>
> ○ Thank you for your **patronage**.（いつもご愛顧いただき、ありがとうございます）
> また「主催」という場合にも、auspices が使えます。

後学のため	○ just for future reference ○ for future <u>benefit</u>〔use〕 ○ for your information

□ 後学のため、読んでおくと仕事に役立つ本をご紹介しましょう。
Let me tell you about some books that would be useful for your work,

just for future reference.

> **メモ**
> * just for reference（参考までに）

公私混同する	○ mix company business with personal affairs ○ mix private and public matters ○ mix up personal matters and official ones

□ 会社のEメールを私用で使うなど社員が公私混同することで、企業の損失はかなり大きいのです。
Employees' **mixing company business with personal affairs**, such as the use of company e-mail for personal purposes, costs businesses a lot.

心に刻みつける	take ～ to heart

□ 父からのアドバイスを心に刻みつけて、今日まで頑張ってきました。
I've always tried my best, **taking** my father's advice **to heart**.

心の命ずるまま	follow your heart

□ 時には、自分の心が命じるままに行動するのも大切です。
Sometimes it's important to **follow your heart**.

心を通わせる	○ relate / communicate ○ keep the lines of communication open with

□ 最初は、そこの住人たちと心を通わせることから始めました。
I started to **keep the lines of communication open with** the local residents.

コツがわかる／コツをのみこむ	get the hang [knack] of

☐ コツさえわかれば、この仕事は簡単です。
　The job will be easy once you **get the hang of** it.

言葉のあや	○ figure of speech ○ rhetoric / rhetorical figure

☐ あの上司が言ったことは、言葉のあやなのだから、あまり気にしない方がいいですよ。
　You shouldn't be worried about what your superior said. It was only a **figure of speech**.

根拠がない	○ there's nothing to ○ have no [without] foundation

☐ あの銀行があぶない、という噂には根拠がありません。
　○ **There's nothing to** the rumor that the bank is on the verge of bankruptcy.
　○ The rumor that the bank might go bankrupt **has no foundation**.

根底にある	underlying

☐ 労使間の根底にある原因に、取り組まなくてはならないと思います。
　I think we have to address the **underlying** causes of disputes between employees and their employer.

さ　行

幸先（さいさき）[縁起] がいい	○ be a good [an auspicious] sign ○ have a good beginning ○ make a good start

☐ 今年は新製品が売れて、幸先のいいスタートを切りました。
　○ Our company **made an auspicious start** by selling the new product very well.
　○ We **got off to a good** [great / quick] **start** with the very marketable

new product.

> **メモ**
> * The results of the meeting bode well for the company's future.（会議の結果は会社にとって幸先がいい）⇔ bode ill / bode evil（幸先が悪い）
> * hopeful beginning（幸先のいい出足）
> * make an auspicious beginning（幸先のいい出発をする）
> * auspicious news（幸先のいい知らせ）
> * head start in sales（販売面での幸先のいいスタート）

最初から	○ from scratch / from square one ○ from ground zero [the beginning / the bottom up / the outset] ○ back to the drawing board

□ この実験が失敗すれば、最初から全部やり直さなくてはなりません。
We will have to redo the experiment **from scratch** if it fails.

先細りになる	decline / dwindle（away）/ shrink

□ この不況下、私たちの収入も先細りになりそうです。
Under the economic recession, our income will probably **decline**.

差し出がましい	○ officious / presumptuous / uncalled-for / obtrusive

□ 差し出がましいようですが、アドバイスをさせてください。
I don't mean to sound **presumptuous**, but let me give you a piece of advice.

> **メモ**
> * uncalled-for advice（差し出がましい忠告）
> * make an obtrusive [uncalled-for] remark（差し出がましい口をきく）

左遷される	be demoted / be relegated

□ 今回の彼の転勤については、左遷されたのだという見方をしている人が多いようです。
A lot of workers seem to think that he was't just transferred, but demoted.

山積する	○ pile up ○ a mountain of ○ lie in a heap

□ 最近わが社は問題が山積しており、それらに真剣に取り組まなくてはなりません。
The company's problems have **piled up** recently and we really have to address them.

□ 片づけなくてはならない仕事が山積しています。
I have **a mountain of** work to complete.

三人寄れば文殊の知恵	○ Two heads are better than one. ○ Four eyes see more than two. ○ Out of the counsel of three comes wisdom.

□ 三人寄れば文殊の知恵と言います。頑張ってその問題の解決方法を考えましょう。
As the saying goes: **two heads are better than one**. Let's figure out solutions to the problem.

死活問題	○ a matter [question] of life and death ○ issue of critical [vital] importance ○ life-or-death [life-and-death] problem

□このプロジェクトが成功するかどうかは、私たちにとって死活問題です。
Making this project succeed is **a matter of life and death** for us.

時間の問題	a matter [question] of time

□ 社内では全面的に禁煙になるのも、時間の問題でしょう。

I think it's just **a matter of time** before smoking is totally banned in the office.

試行錯誤	○ by trial and error ○ cut and try ○ learn by mistake

□ より効率のよい方法が見つかるまでは、試行錯誤しなくてはならないでしょう。
You do things by **trial and error** before you find more efficient ways.

思考の糧、考えるべきこと	food for thought

□ この本にはずいぶん考えさせられました。
This book left me with a lot of **food for thought**.

仕事の鬼	○ workhorse / work fiend / workaholic ○ work like a demon

□ 日本人は全体に、仕事の鬼だと思われています。
Japanese people are generally regarded as **workaholics**.

仕事を片づける	tie up loose ends

□ 残業しなくていいように、急いで仕事を片づけてしまいましょう。
Let's **tie up loose ends** so that we won't have to work overtime.

示唆に富む	thought provoking

□ 売り上げ促進のための示唆に富む話を、ありがとうございました。
Thank you for your **thought-provoking** talk on how to promote sales.

下積み	the bottom(of the heap)

□ 副社長は下積み時代が長かったそうです。
I heard that the vice president worked at **the bottom(of the heap)** for a long time.

> **メ モ**
> * early years（下積み時代）
> * after all one's preparatory training（下積み時代を経て）

下火になる	die down / slow down

□ この種類のゲームはすぐ下火になりましたね。まぁ、一時的に流行するものは何でもそうですが。
This type of game soon **died down**, as most fads do.

示談	out-of-court settlement

□ その件については、裁判沙汰にするよりは、示談ですませた方が時間もお金も節約できます。
　○ An **out-of-court settlement** on the issue will save time and money rather than a court case.
　○ **Settling out of court** will save time and money.

十把一絡げにする	○ lump together ○ put all ~ in one bag ○ treat alike ○ make a sweeping generalization

□ 社員を十把一絡げにして批判するのは、間違っています。
It's wrong to **lump together** employees by making sweeping criticisms.

自転車操業	○ have to run just to keep from going bankrupt ○ precarious day-to-day management ○ running on a hand-to-mouth basis ○ shoestring operation

□ わが社も、自転車操業をしていた時代がありました。
Our company once **had to run just to keep from going bankrupt** for some time.

老舗	○ an old established store ○ long-established business ○ old establishment ○ store of long standing

☐ 長引く不況で、老舗のデパートや銀行ですら倒産、吸収合併を余儀なくされています。
Under the prolonged recession, **old established** department **stores** and banks are forced to close or merge.

私腹を肥やす	line one's own pocket(s)

☐ 私の上司は、私腹を肥やすといったことにはまったく関心がありません。
My boss would be the last person to try and **line her own pockets**.

示しがつかない	set a bad example

☐ 部長が仕事に対してそんなにも熱意がないようでは、社員に対して示しがつかないですね。
The manager's apathy toward work **sets a bad example** for other workers.

四面楚歌	○ be surrounded by foes ○ no-win situation ○ be blamed by everybody

☐ プロジェクトが失敗してあまりにも非難され、彼女は社内で四面楚歌のように感じた。
After the project failed to work, her critics were so numerous that she felt as if she **were surrounded by foes** in the office.

社風	○ company's style ○ company climate [culture] ○ corporate character [personality]

☐ 新入社員が社風に染まるのには、そう時間はかかりません。

It takes little time for new employees to adapt to the **company's style**.

熟知している	know inside out

- 彼女は数年ここで働き、この部署については熟知しているので、何でも彼女に聞いてください。
  She's been working here for several years and **knows** this department **inside out**, so ask her anything if you have questions.

手段を選ばない	○ go to any lengths ○ use any measures

- 私のボスは、勝つためなら手段を選びません。
  My boss is willing to **go to any lengths** to win.

順風満帆（じゅんぷうまんぱん）	○ smooth sailing ○ clear sailing ○ full sail of wind

- 数年前までは、わが社も順風満帆だったのですが、最近は経営が苦しいです。
  It was **smooth sailing** for our company until a few years ago, but it's now in financial trouble.

諸悪の根源	○ all the evils (of something) can be traced to ○ Pandora's box ○ root of all evil（deeds）

- 金銭に執着することが、諸悪の根源なのです。
  All the evils can be traced to obsession with money.

障害物	obstacle to progress

- 当社の今後にとって障害物となるようなものは、取り除かなくてはなりません。
  We have to get rid of anything that poses an **obstacle to progress** to our company.

少数精鋭	○ elite corps ○ select few

☐ このプロジェクトは少数精鋭で行う予定です。
This project will be carried out by an **elite corps** [a **select few**].

メモ　corps の発音は [kɔ́:r] となりますので、要注意！

職人気質	artisan spirit

☐ あそこの大将は職人気質なので、同じものを10個も頼んだら怒ると思います。
The owner has the **artisan spirit**, so asking for ten objects of the same design will make him angry.

メモ
＊ skill of an artisan（職人芸）

処世術	○ know-how ○ art of managing in society / art of getting along with people ○ people skills

☐ 彼は処世術に長けています。
He has a lot of **know-how**.

☐ 前のボスは処世術が下手だったのです。
My former boss lacked **people skills**.

白羽の矢が立つ	○ be singled out ○ be chosen for ○ be marked out

☐ 次期社長として、彼女に白羽の矢が立ちました。
She **was singled out** to be the next president.

メモ　白羽の矢を「立てる」なら、能動態にすればOK。例えば次のよう

7 プレゼンテーションに使える光る表現集

にします。
* The president singled out her to be the next president.

素人考え	○ layperson's way of thinking ○ amateurish idea

□ プログラマーなら、コンピュータ機器に詳しいというのは素人考えです。
It is a **layperson's way of thinking** that every programmer knows computer equipment very well.

時流に乗る	○ jump on [climb onto] the bandwagon ○ swim with the tide

□ あの会社は時流に乗るのが上手です。
The company is good at **jumping on the bandwagon**.

新旧交代	○ replace veterans with newcomers ○ replace the old with the new

□ 上層部の考え方は古いので、新旧交代の時だと思います。
The management's way of thinking is old fashioned and I think it's time to **replace veterans with newcomers**.

メモ replace the old with the new は、人間以外に replace the old system with a new one（システムの新旧交代）のようにも使えます。

人材を育てる［育成する］ 人材育成	○ develop one's human resources ○ cultivation [development / fostering / nurturing / training] of human resources ○ human resources development（略 HRD）

□ 今年は人材育成に重点を置き、各部署の充実を図りたいと考えております。
I am thinking of enhancing each section with a focus on **human resources development** this year.

> **メモ**　他にも使える表現を載せておきます。
> * develop and ensure high-level human resources in this area（この分野における高レベルの人材育成および確保を行う）
> * nurture high-quality human resources for the new era（新時代に向けた上質の人材育成を行う）
> * support human resources development in developing countries（途上国での人材育成を支援する）
> * intake of technical trainees with a view to human resources development（人材育成を目的とした技術研修員の受け入れ）

新風を吹き込む	○ breathe new life（into） ○ allow a fresh breeze to blow ○ provide a breath of fresh air ○ inject some fresh air into

☐ この人なら、生彩を欠く支店に、新風を吹き込んでくれるでしょう。
　This person will **breathe new life into** the lackluster branch.

☐ 本社に新風を吹き込んでくれる人材が必要だったのです。
　○ We have needed someone who can **provide a breath of fresh air** for the head office.
　○ We have needed a good worker who can **provide** the head office with **a breath of fresh air**.

> **メモ**　この表現は provide を用いますので、前置詞に注意！ provide の直後に吹き込むものがきている場合（a breath of fresh air）は for を用いて、吹き込む相手（この場合は the head office）を続けます。吹き込む相手が provide の直後にきている場合は、with を用いて吹き込むもの（a breath of fresh air）を続けるのです。

過ぎたるは及ばざるがごとし	too much of a good thing

☐ 何事もやりすぎないようにしないといけないですね。過ぎたるは及ばざるがごとし、ですよ。
　You shouldn't overdo anything. There's such a thing as **too much of a good thing**.

> **メモ** 他にも次のような表現があります。
> * Too much water drowned the miller.
> * Too much is as bad as too little.
> * The last drop makes the cup run over.

スタンドプレー	○ grandstand ○ publicity stunt

☐ この職場では、スタンドプレーが好きな人ではなく、協調してやっていける人材が求められています。
In this office, we don't need a person who likes to make **grandstand**, but a person who is willing to work in harmony with others.

住めば都	Home is where you make it.

☐ 住めば都と言いますが、住んで都にしようと決意してここに来ました。
They say **home is where you make it.** I came here, thinking I'll make it my home.

> **メモ** 「住んで都にする」は、"Spirited Away"『千と千尋の神隠し』の英訳では、It'll be great, once we get used to it. となっています。これは「住んで都にする」という意志がこもっている表現というよりは、まさに「住めば都」の感じがよく出ている英語です。

正義感	○ sense of justice ［equity］ ○ moral sense

☐ 警察官や弁護士といった職業には、正義感の強い人がなってほしいと思います。
I think a person with a strong **sense of justice** is ideal for a police officer or a lawyer.

（考えなどを）整理する	organize one's ideas ［thoughts］

☐ 話す前に2分あげますので、考えを整理してください。
I'll give you two minutes to **organize your ideas** before you speak.

先制攻撃	○ opening gambit ○ preemptive attack ［strike / action］

□ その製品の価格を大幅に下げたことで、オリオン社は当社に対して先制攻撃をしかけてきました。
Orion Corporation's **opening gambit** was lowering the price of the product drastically.

メモ

* make［carry out / launch］a preemptive strike（先制攻撃をする）
* preemptive price（先制攻撃的価格）

センセーションを巻き起こす	○ make a splash ○ create a sensation

□ 戦後すぐでしたので、当社の初代社長は女性だということでセンセーションを巻き起こしました。
Since it was right after the war, our first president **made a splash** because of her gender.

メモ

* The politician caused a stir in his party by claiming that he was involved in the bribery case.（その政治家は、その贈収賄事件に関与していると公言して自分の党内にセンセーションを巻き起こした）

前代未聞（の）	○ unheard of ○ unprecedented

□ 当社がその外国企業と結んだ契約は、当時では前代未聞でした。
○ The contract we signed with the foreign company was **unheard of** at that time.
○ It was an unheard-of contract we signed with the foreign company at that time.

7 プレゼンテーションに使える光る表現集

> **メモ**
> * unprecedented price-slashing（前代未聞の価格破壊）
> * unheard-of scandal（前代未聞の不祥事）

選択肢	○ acceptable alternative ○ alternative / decision branch / option / choice

☐ 御社の方法は、選択肢としてあり得ると考えております。
　We think your method can be an **acceptable alternative**.

☐ チームの1人が、リスクの少ない選択肢として、以下の提案をしてくれました。
　One of the team members suggested the following low-risk **options**.

船頭多くして（船山に登る）	too many cooks spoil（the broth）

☐ このプロジェクトに関しては、数名でする方がいいと思います。船頭多くして、このプロジェクトをつぶすということがあり得るからです。
　I think this project should be carried out by only a few people. As they say **too many cooks** can **spoil** the project.

前途多難	○ have（got）one's work cut out for one ○ rough sailing ahead of ○ many difficulties lie ahead

☐ もう1カ月は、自宅にこもって仕事をしているのですが、まだメドが立たないのです。本当に前途多難です。
　I've been working alone in my house for a month, but I still don't see the light at the end of the tunnel. I really **have got my work cut out for me**.

> **メモ**　have（got）one's work cut out for one は「難しい仕事がある」という意味。She's cut out for the job.（彼女はその仕事に最適です）と間違えないように！
> * **have a promising future**（**ahead of one**）（前途洋々）

＊ rocky start（前途多難なスタート）

餞別	a going-away present

□ 皆で選んだ餞別の品です。気に入っていただけるとうれしいのですが。
　Here's **a going-away present** we picked out for you. We do hope you'll like it.

戦力	a powerful asset

□ きっと君なら、わが社の大きな戦力となってくれると信じています。
　I believe that you'll be a **powerful asset** to our company.

相場	going rate（for）

□ いい人材を集めるために、相場よりかなり高い賃金を払いたいと考えています。
　In order to get good workers, I would like to pay much above the **going rate**.

素質がある	○ have the makings of ○ have potential

□ 彼女には、人の上に立って指導していく素質があると思います。
　I think she **has the makings of** a good leader.

俎上（そじょう）に載せる	table for discussion

□ 今日は、いかにして新製品の売り上げを向上させるかを俎上に載せたいと思います。
　○ Today let us **table** how to sell the new product more **for discussion**.
　○ Today how to sell the new product should be **tabled for discussion**.

メモ table だけだと棚上げすることになるので、注意！

袖の下	○ money under the table ○ bribe

7 プレゼンテーションに使える光る表現集

□ 袖の下を使われても、できないことはできないのです。 I cannot do what I cannot do even if you offer **money under the table**.	
備えあれば憂いなし	planning ahead will bring peace of mind
□ 備えあれば憂いなしと言うように、前もって準備しておきましょう。 As they say **planning ahead will bring peace of mind**, so let's prepare in advance.	
その気になる	get serious
□ その気になれば何でもできる、とはよく使われる励ましの言葉です。 If you **get serious** you can do anything —— that's a commonly used encouraging phrase.	

> **メモ**
> * I couldn't bring myself to study.（勉強する気になれなかった）

その場しのぎ（の）	○ stopgap / ad hoc ○ makeshift
□ その場しのぎの方法では、問題の解決にはならないですよ。 Those **stopgap** methods will not solve anything.	
□ その場しのぎの方法でも、一時的な処置をするという役割があるのです。 Even **makeshift** solutions have their place as quick fixes.	
遜色がない	○ can hold one's own（with）/ can stand comparison with ○ be a match for ○ be by no means inferior ○ fill someone's shoes

☐ 新社長は人柄と仕事の能力の点から見て、前社長と遜色がないです。
The new president **can hold his own with** the former president in terms of personality and ability.

た　行

第一線で	on the front lines

☐ 本日お話を伺いますのは、外交の第一線でご活躍されている波平さんです。
The next speaker is Mr. Namihei who has been **in the** diplomatic **front lines**.

太鼓判を押す	give ［put］ one's seal of approval

☐ この新製品は、社長が太鼓判を押したものなのですから、絶対売れるはずなのです。
This new product must sell well, because the president **gave her seal of approval** on it.

大所高所から	from a broad ［broader］ perspective

☐ このような複雑な問題は、判断を下す前に大所高所から考えなくてはなりません。
You must consider this complex problem **from a broad perspective** before making a judgment.

大事を取る	○ play（it）safe ○ take extra precaution

☐ 大事を取りまして、出版前にもう一度、皆さんと最後の原稿チェックを行います。
We should **play it safe** and check the draft before publishing. So we are here today.

7　プレゼンテーションに使える光る表現集

> **メモ**
> * It's [It is] best to be on the safe side.（大事を取るに越したことはない）

多角経営	○ diversification of business ○ diversified business [management / operation] ○ multiple management [operation]

□ 多角経営は今や常識でしょう。
  Diversification of business is standard corporate practice nowadays.

□ 生き残りをかけて、多角経営する企業が増えております。
  A lot of companies have **diversified their businesses** in order to survive.

妥協する	○ compromise ○ come to a compromise / make [reach] a compromise ○ meet (each other) halfway ○ strike a happy mean [medium]

□ この件に関しましては、双方が妥協することで決着がつきました。
  This issue was settled after both parties decided to **meet halfway**.

> **メモ**　私たちにとって「妥協する」と言えば、すぐ浮かぶのが compromise。compromise には日本語の「妥協する」とはひと味違った次のような用法があります。
> * I do not want to **compromise** my integrity as an English teacher.（英語教師としての自分の品位を落としたくない [汚したくない]）

他山の石	object lesson

□ 彼らの失敗を他山の石として、われわれは人材開発を行わなくてはなりません。
  We should consider their failure as an **object lesson** in how to develop human resources.

メモ 「他山の石とする」という表現には、他に次のようなものがあります。 ＊profit by ～を他山の石とする ＊ let ~ be a lesson to one（～を）他山の石とする ＊ draw a lesson（from）	
たたき台	○ springboard［basis］for discussion ○ material for further discussion

□ たたき台となるよう、レポートを作成しました。
I did this report so that we can use it as a **springboard for discussion**.

正しい方向への一歩	step in the right direction

□ 今回このシステムを見直そうとなったのは、正しい方向への一歩だと考えております。
I think this effort to revise the system is a **step in the right direction**.

ただほど高いものはない	○ you never get something for nothing ○ there is nothing more costly than something got for nothing

□ 何かをしてもらうばかりでは公平ではありませんし、ただほど高いものはないと言うではありませんか。
Just being a taker is not fair, and as they say, **you never get something for nothing**.

立ち往生する	○ get stuck（in the place） ○ come to a standstill ○ be brought to a standstill

□ 深刻になる不況の中で、立ち往生する企業が多い中、当社は緩やかではありますが、着実に売り上げを伸ばしてきております。
Although there are a lot of companies that **got stuck** in the deepening economic slump, we have slowly but steadily increased sales figures.

脱税	tax evasion

□ オリオン社が脱税で告訴されたのは、皆さんお聞き及びだと思います。
I assume all of you heard that Orion Co. executives were indicted for **tax evasion**.

> **メモ** indict（告訴する）の発音は [indáit] です。注意しましょう。

脱線する	get off track

□ 話が脱線してしまい、申し訳ありませんでした。
I'm sorry my presentation has **gotten off track** for a while.

建前と本音	words and actual intention(s)

□ 担当部長はわが社の新製品を買いたいと言ってはくれるのですが、どうも建前と本音は違うようなのです。
The manager in charge says that he would like to purchase our new product, but there seems to be a disparity between **words and actual intentions**.

立てる／花を持たせる	○ give the credit for ○ make someone look good

□ 上司は、いつも仕事がうまくいけば部下のおかげだと立ててくれるので、皆、とても慕っています。
Our boss always **gives** her subordinates **the credit for** success, so everyone really likes her.

棚上げする	○ shelve ○ lay on the shelf / put on the shelf ○ pigeonhole

□ この件につきましては、棚上げしまして、次回のミーティングで話すことにしてはどうでしょうか？
What do you say if I asked you to **shelve** this issue for now and discuss it at the next meeting?

だぶつく（供給過剰）	there is a glut（in the ~ market）

□ 金融市場はだぶついているそうです。
They say that **there is a glut** in the market.

だまされたと思って	take someone's word for it（and）

□ 今から言う方法は、簡単で誰でもできますので、だまされたと思って実行していただきたいと思います。
The method I'm going to tell you is easy and anyone can do it, so I'd like you to **take my word for it** and practice it.

玉（珠）に瑕（傷）	a fly in the ointment

□ この製品は、デザインが素晴らしく値段も手頃なのですが、サイズが大きいのが玉に瑕です。
This product is excellently designed and reasonably priced. But its large size is a bit of **a fly in the ointment**.

たらい回しにする	○ give someone the runaround ○ shuffle someone around

□ お客様からの質問を、たらい回しにすることだけは、しないようにしてください。
Giving customers the runaround before answering their questions is the last thing we would want to do.

メモ
* The buck stops here.（たらい回しはここまで／責任は私が取る）これは米国第33代大統領トルーマン（1884～1972）の言葉。
* pass the buck（責任転嫁する）

段取りをつける	make (the) arrangements

□ 会議の段取りは、全部波平さんがつけてくれました。
Mr. Namihei **made** all **the arrangements** for the meeting.

7 プレゼンテーションに使える光る表現集

力を合わせる	pull together

□ 力を合わせて、この厳しい時代を乗り越えましょう。
　Let us **pull together** and get over this tough time.

メモ
　* make a concerted action / effort（力を合わせての行動）

力になる	be there for

□ 困ったことがあれば力になりますので、遠慮なく言ってください。
　If there's something I can do, please feel free to tell to me. I'll **be there for** you.

知能犯	○ criminal with a good head on his shoulders ○ intellectual [smart] crime [offense] ○ smart [thinking] criminal

□ 成功した試しがないと言われる誘拐に成功し、身代金を持ち去ったのですから、知能犯の仕業に違いないと言われております。
　Although it is said that kidnapping is hardly successful, the criminal succeeded in it and ran away with ransom. It must have been the work of a **criminal with a head on his shoulders**.

恥部	source of embarrassment

□ 不法投棄でゴミ溜まりとなったあの丘の麓は、当市の恥部です。
　The foot of the hill has become a **source of embarrassment** for the city with all the illegally dumped wastes.

注意の喚起／警鐘	wake-up call

□ 鳥や昆虫の減少は、自然環境が、危機にさらされているという人間への警鐘なのです。
　The declining number of birds or insects is a **wake-up call** to human

beings in order to remind us nature is in peril.

長者番付	list of the largest income earners

☐ 御社の役員であり、小説家でもある坂本さんが、長者番付に出ていましたね。
Mr. Sakamoto, who is a board member of your company and writer, was on the **list of the largest income earners**.

帳尻を合わせる	○ balance the books ○ balance out ○ balance an account

☐ 会計係はいつも、帳尻を合わせるのに苦労しているみたいです。
The accountant always seems to have a hard time **balancing the books**.

調達する	procure

☐ その地域の人にとっては、いまだに食料や燃料を調達するのは困難なのです。
It has remained very difficult for the local people to **procure** food and fuel.

メモ
* raise funds（資金を調達する）
* the procurement department（調達部）

長蛇の列	long queue / huge line

☐ 大変喜ばしいことに、新製品発売の日、都内の主要デパートにはその製品を求める長蛇の列ができたのです。
Much to our delight, people made a **long queue** for our new products in the major department stores in Tokyo on the release day.

潮流	current / tidal current / tide / trend

☐ 誰も、国際化という時代の潮流を避けたままではいられないでしょう。
Nobody will be able to bypass the modern **current** of globalization.

直面する	face up to

- 困難な問題に直面したとき、その人の真価が問われます。
  You will be put to the test when you **face up to** a difficult problem.

陳情する	○ petition / lobby ○ make representations

- いくつかの市民団体が、その湿地を保護するように市に陳情した。
  Some citizen groups **petitioned** the city to preserve the swamp.

通	○ know all there is to know about ○ connoisseur / maven / person of delicate taste

- その英語講師は、日本文化の通です。
  The English instructor **knows all there is to know about** the Japanese culture.

メモ　ワインの通なら、artist at wine、connoisseur of fine wines、wine expert、wine-head などの表現があります。

通用する	○ acceptable / available / current / pass / passable / translate / valid / viable ○ go anywhere

- 当社も、国際的に通用する企業となってまいりました。
  ○ Our company has been **acceptable** by international standards.
  ○ Our company has become internationally **viable**.
- ドルはどこでも通用します。
  The dollar **goes anywhere**.

つぶしが利く	○ have a marketable skill / have marketable skills ○ be useful for some other work

□ この部署では、ビジネス上のあらゆることを学びますので、つぶしが利くようになります。
Since you learn all business-related things here in this section, you'll **have marketable skills**.

つまり（言い換えれば）／すなわち	○ in other words / stated another way [differently] / or / namely ○ in sum / to sum up the matter ○ that is / that is to say / which is to say ○ which brings me to the (main) point ○ put it this way / put it plainly [simply] ○ which means / mean

□ 彼には別の職場を当たってほしいと思います。つまり、この仕事には向いていないと思うのです。
I would like him to try other job openings. **In other words**, I don't think he's cut out for this job.

□ つまり、こういうことです。（説明などをする前に）
Let me **put it this way**.

□ 今の仕事はつまりません。つまり、それを続ける必要があるのでしょうか？
My present job is dull and menial. **Which brings me to the point**: why do I have to continue it?

□ 彼女には強みがあります。つまり、あの英語力です。
She has a strong point, **namely** her excellent command of English.

爪の垢を煎じて飲む	○ take a lesson from someone ○ follow in someone's footsteps [steps] ○ follow in the footsteps of

□ 私たちは、先輩たちの爪の垢を煎じて飲んで、もっと頑張らなくてはなりません。
○ We should **take a lesson from our** superiors and work harder.

○ We should **follow in the footsteps of** our superiors and try harder.

鶴の一声	○ one's word is law ○ voice of authority ○ word from the top

□ 皆迷っていたのですが、社長がいいと言われたので、この計画を進めることになったのです。まさに鶴の一声です。
We were getting nowhere until the president came and gave a green light to the project. **His word is law**.

出足がいい／出足がよい	get off to a good start / get off on the right foot

□ 小樽に出した店は出足がよく、現在のところ毎日黒字です。
The shop we launched in Otaru has **gotten off to a good start**. It's been showing a profit everyday so far.

(メモ) 選挙の「出足がいい」のは there is a good turnout。

提示する ［協議の対象とする／交渉のテーブルに乗せる］	put ～ on the table

□ 本日は、現行の服装規定について協議したいと思います。
Today let me **put** the present dress code **on the table**.

適材適所	right person for [in] the right job [place]

□ 適材適所に心がけるのも、上司のつとめです。
Appointing the **right person for the right job** is one of a supervisor's responsibilities.

てこ入れをする	○ shore up / prop up ○ give more teeth to ○ leverage / bolster / boost

☐ 国は、低迷する日本経済をてこ入れする必要があります。
The government needs to **shore up** the lumping economy.

鉄則	○ ironclad rule / iron rule / rigid rule ○ cardinal rule / hard-and-fast rule

☐ 私たちのクラブでも鉄則を作る必要があると思います。
We need to lay down **ironclad rules** for our club.

> メモ
> ＊ lay down（決定する、規定する）

轍を踏む	○ fall into the same rut（as） ○ follow in the wake（of） ○ follow in someone's footsteps［steps］ ○ follow in the footsteps of

☐ 私の父は自営で生活が不安定でした。その轍を踏みたくなかったので、サラリーマンになったのです。
My father was self-employed and led an unstable life. Since I didn't want to **fall into the same rut**, I became an office worker.

手に職がある	○ have a manual skill ○ have a good skill set ○ have marketable skills

☐ 手に職があるというのは、いつの時代も強みです。
Having strong manual skills is an advantage in any age［all ages］.

手広くやる	have one's fingers in many different pies

☐ せっかく親から引き継いだ会社を、彼は手広くやりすぎてつぶしてしまいました。
The company he took over from his parents went out of business because he **had his fingers in too many different pies**.

7 プレゼンテーションに使える光る表現集

> **メモ**　many different pies を two pies に変えると「二足のわらじ」という意味で使えます。
> * She's been very busy since she　had her fingers in two pies　.（彼女は二足のわらじをはいて以来、とても忙しい）

手ほどきする	○ teach someone the basics ○ initiate / initiate someone into

□ 著名な芸術家が、彼に絵の手ほどきをしました。
An eminent artist **taught him the basics of painting**.

□ 父が、この仕事への手ほどきをしてくれました。
My father **initiated me into** this business.

手間暇かける	○ put in a lot of time and effort ○ devote a great deal of time and care ○ spend time and effort

□ 手間暇がかかっている職人芸の作品には、大量生産品にない味わいがあります。
An object a craftsperson **put in a lot of time and effort** to make has a charm and taste that you cannot expect from mass-produced articles.

手を打つ（合意する／妥協する）	○ shake (hands) on it ○ close a bargain / make a bargain ○ get something done ○ make everything certain

□ この案は、何もかも完璧ではないでしょうが、手を打つことも必要です。
Even if the proposal is not perfect, we need to **shake hands on it**.

> **メモ**　対処策を講じる、という意味での「手を打つ」には、次のような表現があります。
> * Our office　took measures　to prevent sexual harassment.（オフィスではセクハラ防止のための手を打った）

手を抜く	○ cut corners ○ take second best

□ オーナーがメンテナンスに手を抜いたので、そのアパートは、人に貸せるような状態ではありませんでした。
The owner **cut corners** on the maintenance of the apartment, so it was in too poor a condition to let.

電光石火	○ with [at] lightening speed ○ as quick as lightening

□ 当社は、トレンドセッターとして電光石火のスピードで、若者の服装に変化をもたらしてきました。
We, as a trend-setter, have changed clothes for young people **with lightening speed**.

点数を稼ぐ	score brownie points（with someone）

□ 上司の点数を稼ぐ方法を考えるより、一生懸命仕事をしていれば、自然と上司のあなたへの印象も、よくなるものです。
Hard work will impress your boss not trying to **score brownie points with him**.

天秤にかける	○ weigh the advantages of ○ compare A to [with] B

□ 私どもの製品を採用していただけるか、オリオン社をご採用になるか、天秤にかけていただくときだと思います。
　○I think it's time for you to **weigh the advantages of** choosing our products or those of Orion Company.
　○I think it's time for you to **compare our products to** [**with**] those of Orion Company's.

頭角を現す	○ stand out（above） ○ distinguish oneself

| | ○ make one's mark |
| | ○ prove oneself |

□ 勤勉で先見の明もある彼女は、徐々に頭角を現し、同期の中でも一番に部長になりました。
She is hardworking and blessed with the faculty of foresight. So she gradually **stood out above** the others who joined the company with her, and she was the first to become manager.

□ 彼は、優秀な社員として頭角を現しました。
He **distinguished himself** [**made his mark / proved himself**] as a brilliant worker.

| どう転ぶかわからない | can't tell which way the ball will bounce |

□ 事態は好転しているようですが、まだどう転ぶかわかりません。
The situation seems to be on the way to a solution, but we still **can't tell which way the ball will bounce**.

| 灯台もと暗し | it's often difficult to see what's right in front of your eyes |

□ 岡本さんは、経済誌にエッセイを投稿して賞を獲得しました。こんな素晴らしいエコノミストが私たちのそばにいたとは、本当に灯台もと暗しです。
Mrs. Okamoto won the prize for the essay in the economics magazine. We have such an excellent economist and **it's often difficult to see what's right in front of your eyes**.

> **メモ** 灯台もと暗しの表現にはいろいろあります。
> * When you stand in front of the lighthouse you often miss the light.
> * The lighthouse does not shine on its base.
> * The darkest place is under the candlestick.
> * It's dark at the foot of a candle.

| 堂々巡りする | go round in circles |

☐ 何時間も、この点で堂々巡りをしています。 We've been **going round in circles** for hours on this point.	
登竜門	gateway to success
☐ この賞は、この業界での登竜門です。 This prize is the **gateway to success** for anyone who wants to do business in this industry.	
通りがいい／聞こえがいい／格好がいい	○ it looks [sounds] better ○ be more acceptable
☐ 本当は休暇だったのですが、出張と言った方が通りがいいと思いました。 ○ I was taking a vacation but I thought **it** would **sound better** if I called it a business trip. ○ I was on a vacation but I thought it would **be more acceptable** if I called it a business trip.	
時がきたら	time will
☐ 時がたてばわかりますよ。 **Time will** tell. ☐ 時が解決してくれます。 **Time will** set you free. **メモ** 映画『赤毛のアン』の中で、友人の親に誤解されて苦しんでいるアンをステイシー先生が励ます言葉 ＊ The truth will set you free.（いつか本当のことがわかりますよ）と似ています。簡潔ですが、力強い美しい言葉ですね。	
時の人	○ person in the news [spotlight / limelight] ○ flavor of the month / focal figure ○ hottest person of the moment [day]

☐ 彼女は弱冠 18 歳で芥川賞を受賞し、いちやく時の人となりました。
She was awarded an Akutagawa Prize when she was only eighteen and became a **person in the news** overnight.

特筆すべき	○ worthy of special mention ○ noteworthy/ red-letter / significant / striking

☐ 展示会自体が大成功だったのですが、特筆すべきは、わが社のブースの前に黒山の人だかりができたことです。
The exhibition itself was a great success. Moreover, **worthy of special mention** was the dense crowd of people in front of our booth.

メモ Moreover の後は、it is **worthy of special mention** that our booth had a dense crowd of people in front of it. としても OK。

☐ それは、特筆すべき出来事でした。
It was a **noteworthy** [**red-letter / significant / striking**] event.

所を得る	○ find one's niche ○ attain [gain] a proper place [position]

☐ 人は所を得れば、効率よく楽しく働けるものです。
People will be efficient and happy when working if they **find their niche**.

土壇場で	○ at the last minute [moment] ○ at the eleventh hour ○ in the final hours

☐ 土壇場でキャンセルするお客様もいます。
We will have customers who cancel **at the last minute**.

メモ
＊ I'm sorry for any inconvenience caused by my last-minute cancellation.
（土壇場でキャンセルして迷惑をおかけして、すみません）

□ 彼女は、土壇場になると力を発揮するのです。
　She shows her stuff **at the eleventh hour**.

メモ　ここでは時間的に切迫した「土壇場」をメインに紹介していますが、決定的局面という意味での土壇場には、do-or-die situation という表現もあります。そこで、土壇場になると力を発揮するとして次のようにも言えます。
　＊ She shows her stuff in do-or-die situations .

突貫工事	○ eleventh-hour job ○ crash job

□ 急に今月末が締め切りだと言われ、突貫工事ではありましたが、やり遂げました。
　After receiving the sudden notice of the dead line, which was the end of this month, we did it, although it was an **eleventh-hour job**.

メモ
　＊ rushed（and halfhearted）job（やっつけ仕事）

突然の目覚め［ショック］	rude awakening

□ 大学に入り、自分はたいしたことがないのだとわかったのは、突然受けたショックでした。
　It was a **rude awakening** to learn after I joined the university that I wasn't so smart.

とって代わる	replace

□ 誰も是恒さんにとって代わることはできませんが、退職されたあとは皆で是恒さんの分まで頑張ります。
　I know no one can **replace** Mrs. Koretsune, but after she leaves, we'll try our best to fill the vacant post.

突破口を開く／突破口が開ける	make a breakthrough / find a

	breakthrough
□ 半年間にわたる私たちの実験が、この難病に対する突破口を開いたと確信しております。 We are certain that our six-month experiment **made a breakthrough** in the intractable disease research.	

飛ぶように売れる	○ sell like hotcakes ［T shirts］ ○ fly off the shelves

□ うれしいニュースです：新製品が飛ぶように売れております。
Good news, everyone: Our new product is **selling like hotcakes**!

> **メモ** 他にもいろいろな表現があります。
> * sell like cold beer on a hot summer day
> * fly out of stores（店から飛ぶように売れる）
> * jump out of display cases（ショーウィンドウから飛ぶように売れる）
> * hot seller（飛ぶように売れるもの）

取らぬ狸の皮算用	count one's chickens before they're hatched

□ 寄付金を当てにして、先に使い道を考えるなんて、それは取らぬ狸の皮算用というものです。
Relying on donations and thinking how to use that money is like **counting your chickens before they're hatched**.

取り組む	wrestle with

□ この課題にはもう半年取り組んでいるのですが、まだまだ先は長そうです。
I have been **wrestling with** this task, but I still have a long way to go.

取るに足りない問題	for the birds

□ 上層部では、それを取るに足りない問題として片づけてしまいました。
The upper management dismissed it as **for the birds**.

徒労	exercise in futility

☐ 私たちの努力が、徒労に終わることのないように、最後まで注意を払ってください。
Pay close attention to the last minute so that our effort will not be an **exercise in futility**.

メモ　「徒労に終わる」には、次のような表現があります。
* exert oneself to no purpose
* end (up) in smoke
* go up in smoke

な 行

長い目で見る	○ take a long range view ○ give someone time

☐ 長い目で見て、企画を立てていくことも必要です。
It is necessary to make a plan **taking a long range view**.

☐ 彼はまだ入ったばかりなのだから、長い目で見てあげなくてはいけませんよ。
He's just joined us only for a short time, so we should **give him time**.

メモ
* It will pay off in the long run .（それは長い目で見れば、利益が出ます）

長いものには巻かれろ	○ if you can't beat them, join them ○ yield to the powerful ○ you can't fight city hall

☐ 何を言っても上司が聞いてくれない場合は、長いものには巻かれろと言いますように、あきらめることも必要です。
When your boss doesn't listen to you, sometimes it's best to give up. Like they say **if you can't beat them, join them**.

7　プレゼンテーションに使える光る表現集

七転び八起き	○ have nine lives ○ life is full of [has] ups and downs

□ 社長のモットーは「人生、七転び八起き」です。
　○ Our president's creed is that **life is full of ups and downs**, so never give up.

何はともあれ／とにかく／いずれにしろ	○ in any case ○ apart from anything else ○ at any rate

□ 何はともあれ、丸く収まって本当によかったです。
　In any case, I'm glad it's settled peacefully.

鳴り物入りで	○ with a (lot of) fanfare / with great fanfare ○ to great fanfare ○ with a flourish of trumpets

□ あの会社は鳴り物入りで支所を開きましたが、すぐ閉じてしまいましたね。
　The company opened an office **with great fanfare** [**to great fanfare**], but soon after it was closed.

> メモ
> 　＊ highly-touted negotiation（鳴り物入りで始まった交渉）
> 　＊ ballyhooed presentation party（鳴り物入りの発表会）

成り行きに任せる	○ let nature [fate] take its course ○ leave it to nature / leave the matter to chance / leave things to chance

□ 定職を持たず、成り行きに任せる生き方をする若者が増えています。
　An increasing number of young people have no full-time job and live **letting nature take its course**.

□ 何もせず、成り行きに任せることはよくないと思います。

I've never believed in sitting back and **leaving things to chance**.

> メモ

＊We will see.（成り行きに任せましょう）

鳴りをひそめる	keep a low profile

□ あのデザイナーは、例のスキャンダル以来、すっかり鳴りをひそめています。
The designer has **kept a low profile** since the scandal.

荷が重い	be too heavy a load（for one）

□ 彼が、その会議の司会者というのは、荷が重いでしょう。
Chairing the meeting would **be too heavy a load** for him.

握りつぶす	squash / bury / burke

□ 私はその案を握りつぶしました。
I **squashed** [**buried** / **burked**] the proposals.

> メモ 　他に smother an inquiry（調査を握りつぶす）などもあります。squash は圧力で何かを押しつぶすこと。smother は窒息させることから、口を「覆う」→覆って「隠す」。
>
> ＊**smother my anger**（怒りを隠す）、そして「握りつぶす」という用法もあります。

日常茶飯事	○ everyday occurrences [events] ○ part of life / way of life ○ plain everyday things

□ 青少年犯罪も、日常茶飯事となってしまいました。
Juvenile crimes have become **everyday occurrences**.

□ 一旦そういうことを許可すれば、規則を曲げることが、日常茶飯事になるのではないでしょうか。
I'm afraid that once you let such things happen, then rule bending becomes a **plain everyday thing**.

二度あることは三度ある	○ things always happen in threes ○ disasters come in three ○ never two without a third ○ what happens twice will happen three times

□ 2社から採用の電話をいただき、3社目からの電話を待っているところでした。二度あることは三度あるという言葉を信じて。
After having received telephone calls from two companies I applied to, I was waiting for the last call, believing that **things always happen in threes**.

> **メモ**
>
> * When it rains, it pours.　これも二度あることは三度あるという意味ですが、悪いことは立て続けに何度も起こるという状況で使います。

二の足を踏む	○ have second thought(s) ○ have cold feet ○ have qualms about doing

□ その業績が悪い支所を閉じることについて、会社は二の足を踏んでいます。
The company is **having second thoughts** about closing the under-performing branch office.

二の句がつげない	○ be dumbfounded ○ be struck dumb

□ 担当者からミスの報告を聞いて、二の句がつげませんでした。
When I heard about the mistake from the person in charge, I was **struck dumb**.

二の次／後回し（になる）	○ (be) of secondary importance ○ take a back seat ○ leave [put] 〜 on a back burner

□ 家族の問題が二の次だった時代は終わりました。
The time when family problems **take a back seat** [**are of secondary importance**] is over.

□ 彼は、いつも自分のことを二の次にし、会社を優先させます。
He always **puts** his private life **on a back burner** and puts his job first.

メモ この例文は He puts his job before his private life. としても同じです。

ニュースになる	○ be in [on] the news ○ make the news ○ grab the headline ○ make the front page

□ 社長の辞任は、大きなニュースとなりました。
The resignation of our president **made the front page** [**headline**].

にらみを利かす／にらみを利かせる	○ keep someone in fear of one ○ assert one's position in dealing with the companies

□ 団体には、にらみを利かせるリーダーがいる方が、まとまりがあっていいものです。
　○ A group should have a leader who **keeps the others in fear of him** [**her**] so that it can be well united.
　○ A group with a leader who **asserts his** [**her**] **position in dealing with the companies** will be well united.

願ったりかなったり	○ it's like a wish come true ○ dream come true ○ the very thing for our purposes

□ 先方から、当社の製品を使いたいという申し出があり、まさに願ったりかなったりでした。

7 プレゼンテーションに使える光る表現集

They told us they would like to use our product. **It was like a wish come true.**

□ それは願ったりかなったりの話でした。
  ○ It was a **dream-come-true** offer.
  ○ It was **the very thing for our purposes**.

> メモ

＊ That's just what I was hoping for. と言っても OK。

願ってもない	○ couldn't ask for a better ○ heaven-sent / welcome

□ それは願ってもないチャンスじゃないですか。ぜひ引き受けるべきですよ。
  ○ You certainly **couldn't ask for a better** chance than that. You should take it.
  ○ That's a **heaven-sent** opportunity. You should take it.

□ それは願ってもない話です。
  It's **welcome** news.

猫にかつお節	○ like trusting a wolf to watch over sheep ○ like trusting a cat to with the canary

□ 彼女は活字中毒なので、司書としての仕事より読書に夢中です。猫にかつお節といったところですね。
Since she is a printed-word addict, she's hooked on reading but doesn't do her work as a librarian. It's **like trusting a wolf to watch over sheep**.

猫も杓子も	○ everybody and his brother ○ anybody and everybody

□ 最近は、猫も杓子も留学します。
These days **everybody and his brother** go abroad to study.

メモ 英語には否定的な響きはありませんが、日本語はいい意味では使わないので注意しましょう。

ネズミ算（式にふえる）	multiply like rabbits

□ この方法でいくと、使用者がネズミ算式に増えるわけです。
　Under the system, users will **multiply like rabbits**.

根回しする	○ lay the groundwork ［foundation］ ○ behind-the-scenes maneuvering ○ prior consultation ○ spadework

□ 根回しの予備会議が功を奏し、本会議はスムーズに進みました。
　The preliminary session **laid the groundwork** for the successful plenary meeting.

年季の入った／熟練した	seasoned

□ 賞品は、年季の入った陶芸家による大皿にしました。
　I chose a large platter made by the **seasoned** potter.

年功序列	○ seniority（system） ○ promotion by［of］seniority

□ 日本の会社も年功序列制から、能力主義型へと変わりつつあります。
　The merit system is replacing the **seniority system** in Japanese companies.

望みを託す	○ pin one's hopes on ○ concentrate one's hopes on ○ get one's hopes up

□ 社長は、望みを委員会のメンバーに託しました。
　The president **pinned his hopes on** the board members.

> **メモ**
> * place one's last glimmer of hope on（〜に一縷（いちる）の望みを託す）

喉元過ぎれば熱さ忘れる	○ a crisis once past is too soon forgotten ○ the danger [river] past and God forgotten ○ once the danger's past, God's forgotten

□ 喉元過ぎれば熱さ忘れると言いますが、教訓として覚えておくべきこともあります。
　They say **a crisis once past is too soon forgotten**, but there are important things we should remember as lessons.

野放しで／野放しにする	○ let 〜 go unchecked / allow 〜 a free hand ○ at large
野放しの	○ uncontrolled / ungoverned

□ あの会社は、ネット上の掲示板に書き込まれる誹謗中傷を、野放しにしていると非難されています。
　The company has been criticized for **letting** defamation on the Internet **go unchecked**.

□ 犯人はまだ野放しです［逮捕されていません］。
　The criminal is still **at large**.

□ 違法コピーされたソフトは、野放しになっています。
　Pirated software is **uncontrolled**.

伸び悩む	○ hit the wall / hit a plateau ○ continue to lag / see sluggish growth ○ grow at a sluggish pace

□ わが社の業績は、アジア経済減速の影響を受けて、伸び悩んでおります。
　Our performance **hit a plateau** under the influence of the economic

slowdown in Asia.

| 乗りかかった船 | ○ as long as one has come this far
○ cannot go back now |

□ 乗りかかった船ですので、最後までお手伝いします。
As long as we have come this far, I will help you until you finish.

| 乗り気になる | ○ show [display] enthusiasm [interest]
○ be keen to do |

□ 部長は、最初からこのプランに、乗り気ではありませんでした。
The manager didn't **show enthusiasm** from the beginning.

は 行

| 背水の陣（で戦う）

背水の陣を敷く | ○ fight with one's back to the wall

○ burn one's boats [bridges] (behind one) |

□ 背水の陣の覚悟で、最後まで頑張りましょう。
Let us **burn the boats behind us** and try our best to the last minute.

メモ
* A precipice in front, a wolf behind.（前に絶壁、後ろに狼＝背水の陣）

| 売名行為 | ○ publicity stunt / publicity seeking
○ act of self-advertisement |

□ あの有名人は、最近多額の寄付をし、売名行為ではないかと言われています。
The celebrity contributed a huge amount of money and people suspect it must have been a **publicity stunt**.

> **メ モ**
> * make oneself famous（売名行為をする）

場数を踏む	○ get a lot of practical experience ○ accumulate considerable experience

□ プレゼンテーションが上手になるには、場数を踏むことが必要です。
In order to make a good presentation you have to **get a lot of practical experience**.

> **メ モ**
> * veteran lecturer with a lot of experience（場数を踏んだベテラン講師）
> * battle-scarred veteran（場数を踏んだ人）
> * have long experience（場数を踏んでいる）

はかどる	○ make good progress with ○ get much work done ○ speed up progress ○ go ［get］ ahead

□ プロジェクトは、はかどっています。
We are **making good progress with** the project.

□ そのやり方の方が、よりはかどると思います。
I think I will **get more work done** that way.

歯切れのいい	○ crisp and clear ○ have a clear and crisp way of speaking ○ articulate

□ 彼女は、いつも歯切れのいい話し方をします。
 ○ Her way of speaking is always **crisp and clear**.
 ○ She always **has a clear and crisp way of speaking**.

□ 彼女は、聡明で歯切れのいい話し方をします。
 She's bright and **articulate**.

メモ

* pithy line（歯切れのいいせりふ）
* sharp tongue、clear-cut statement（歯切れのいい発言）
* brisk and spirited speech、neatly-phrased speech（歯切れのいいスピーチ）
* articulate way of speaking、clear-cut manner of speaking（歯切れのいい話し方）

歯切れの悪い	○ evasive ○ not make oneself quite clear ○ slur one's words

□ そのとき、彼は私に歯切れの悪い返事をしました。
At that time he gave me an **evasive** reply.

メモ

* weasel-worded excuse（歯切れの悪い言い訳）
* sloppy sentences（歯切れの悪い文章）
* awkward conclusion（歯切れの悪い幕切れ）

拍車をかける	spur 〜（on）/ speed / accelerate

□ この方法で、売り上げに拍車をかけたいと思います。
I think we can **spur** sales by using this method.

メモ

* Criticism will not **spur** a child **on** to greater efforts.（叱っても、子供は頑張ろうとは思わない）　spur と spur 〜 on は、ほぼ同じですが、spur の後に人がくる場合 on を用いる場合が多いようです。

伯仲する	○ be perfectly [evenly] matched ○ run a dead heat

□ 今日のディベートは、実力が伯仲している 2 チームですので、とても面白くなりそうです。
Since the two teams **are perfectly matched**, today's debate will be

very intriguing.

- □ あの2チームが行うので、今日のディベートは伯仲することでしょう。
  Today's debate teams will **run a dead heat** because the two are perfectly matched.

薄利多売	○ narrow [low]-margin [profits] high-turnover ○ frequent turnover ○ quick sales and [at] small profits ○ slash prices and compete on volume

- □ 当店は、薄利多売で勝負したいと思います。
  ○ Our shop's policy is **narrow [low]-margin [profits] high-turnover**.
  ○ Our shop will **slash prices and compete on volume**.

> **メモ** 1つ目の例文は、narrow margin（少ない利益）、high-turnover（高い回転率）、2つ目の例文は slash prices（値段を切りつめ）、compete on volume（量で競争する）となって、どちらも薄利多売をきれいに表現できています。

歯車	○ gear / gear pair /gearwheel / mate / toothed gear / toothed wheel
歯車（の歯）	○ cog / teeth of a gear
歯車が狂う	○ be out of joint ○ get off track

- □ 会社員は、大組織の歯車にすぎない、とよく言われます。
  It is often pointed out that an office worker is just a **cog** in the wheel [corporate machine].

- □ それは小さい存在という意味でなく、1つでも欠けると歯車が狂うという意味ではないでしょうか。
  It does not mean each worker is weak and helpless, but it means a company can **be out of joint** without even a single worker.

> **メモ**
> * engage a gear（歯車をかみあわせる）
> * reverse the wheel of history（歴史の歯車を逆戻りさせる）

箔（はく）がつく／はくをつける	○ add luster to ○ gain prestige

□ この賞でわれわれの会社もはくがつきました。
　○This prize **added luster to** the company.
　○The company **gained prestige** from（having received）the prize.

> **メモ**
> * The license looks good on your resume.（その資格で、履歴書にはくがつきますね）

馬耳東風（ばじとうふう）である／馬耳東風と聞き流す	○ take ～ in stride ○ turn a deaf ear ○ go in one ear and out the other

□ 信念を貫くためには、周囲の悪口を馬耳東風と聞き流すことも必要です。
　In order to stick to what you believe in, you should **take** name-callers around you **in stride**.

> **メモ**　（人）には馬耳東風である pass off someone like water off a duck's back、roll off someone like water off a duck's back　馬耳東風と聞き流される go in（through）one ear and out（of）the other

箸にも棒にもかからない	hopeless case

□ 同じ失敗を繰り返していると、箸にも棒にもかからないとして、見放されてしまうでしょう。
　If you make the same kind of mistakes again and again, people give up on you as being a **hopeless case**.

橋渡しをする	○ serve［act／work］as an intermediary［a bridge］

7　プレゼンテーションに使える光る表現集

	○ bridge / span

☐ 皆さんは営業担当者として、ものを作る人々と使う人々の橋渡しをするわけです。
You will **serve as a bridge** between those who create goods and those who use them.

場違い	out of place

☐ それは、場違いの発言だと思います。
I think your remarks are **out of place**.

> **メモ**
> ＊I felt like a fish out of water at that party.（そのパーティーは私には場違いであるように感じた）

はっきり言う／歯に衣を着せない／ずけずけ言う	not mince words

☐ はっきり言ってもかまいませんか？
Would you mind if I **didn't mince words**?

☐ ずばりと言いますね。
You **don't mince words**, do you?

パッとしない	○ colorless / lackluster / unspectacular ○ not very exciting / not gain much popularity

☐ 最初はパッとしないアイデアだと思ったのですが、説明を聞くうちにいいかもしれないと思い直しました。
At first I thought it was a **colorless** idea, but as I heard her explanation, I thought it might be a good one.

> **メモ**
> ＊No one stands out.（誰もパッとしませんね）

八方手を尽くしてさがす	search high and low（for）

□ 最近は特に珍しいものがないので、とにかく何か変わったものをと、八方手を尽くしてさがしました。
These days it's really hard to find something rare, but we have **searched high and low for** something unusual and interesting.

メモ

* The police left no stone unturned in the search for the missing boy.（警察は行方不明の少年をくまなくさがした）

八方ふさがり	○ up against the wall（on all sides） ○ beset from all sides
八方ふさがりになる／万事休す	○ be stuck in ○ run into a brick wall ○ there is no way out

□ あの会社は、今八方ふさがりだそうです。
○ I heard that company is **up against the wall** now.
○ People say that company **is stuck in** the mire [the dead end].
○ **There is no way out** for that company. That's what I heard.

歯止め	○ brake
歯止めをかける	○ apply brakes/ put an end to / stave off ○ limit / stem / corral / halt

□ 私たちの方針が地球環境破壊に歯止めをかけることができれば、と強く願っております。 We strongly hope that our policy will be able to **apply a brake** [**limit / stem / corral / halt**] to the destruction of the global environment.

メモ 他にもいろいろな表現があります。

* The stock market has shown no sign of touching bottom .（株式市場の急落は、歯止めがかかっていない）
* They started giving a premium to customers who bring their own bags in

order to curb the use of plastic bags in that supermarket.（客のビニール袋使用に歯止めをかけるため、そのスーパーマーケットでは袋持参の客におまけを渡しだした）

話は違いますが／話を変えるつもりはないのですが	not mean to change the subject, but

☐ 話を変えるつもりはないのですが、午後の体操休憩は定着しつつありますか？
　I **don't mean to change the subject, but** is the exercise break in the afternoon taking root?

　メモ　それまでとは違った話題を持ち出すときの決まり文句。「話は変わりまして」と言いたい場合は、普通の会話なら By the way, ～と言って切り出す方法もありますし、プレゼンテーションなどでは、The next subject is ～と明確に変わることを示します。

話は別／それなら話は別／そういう事情なら	○ that's a horse of different color ○ that's a different story

☐ 今まで渋っていたのは、私どもに何の利益もないと思ったからですが、それなら話は別です。
　We have hesitated to answer because we didn't see anything in it for us. But **that's a horse of different color**.

話半分に 話半分に聞く	with a grain [pinch] of salt ○ take it [someone's story / what one says] with a grain of salt ○ discount someone's statement

☐ 私だったら、そうしたおいしそうな話は、話半分に聞いておきます。
　If I were you, I'd take the rosy picture you were shown **with a grain of salt**.

万策尽きる	○ reach the end of one's rope ○ reach the limit of one's resources

	○ play one's last card / have no more hands to play ○ shoot one's (last) bolt

□ とにかく万策尽きるまで、最善を尽くしましょう。
Anyway let us try our best until we **reach the end of our rope**.

□ 手を尽くしましたが、万策尽きたようです。
We have done everything we can, but we **have played our last card**.

引き抜く	○ pick out / recruit away ○ poach

□ 社長は、ライバル社の部長を引き抜きたいと考えています。
The president is thinking of **picking out** a manager from the competitor.

□ 他社から、才能ある人物を引き抜きたいと思っています。
I would like to **poach** talented people from other companies.

メモ poach は密猟の意味があり、poach someone だとその人に現在所属している所をやめて、自分の方へ来るように説得することを表します。また poach ideas だと不正・違法に他人のアイデアを使うことです。

引く手あまた	○ be very much in demand / in great demand ○ be very much sought after ○ have a lot going for one / have a plenty going for one

□ このサービスは、今引く手あまたなのです。
This service **is very much in demand** now.

□ その講師は、面白くてためになる話をするので、引く手あまたです。
The lecturer **is very much sought after** because she always gives an interesting and enlightening speech.

人ごとではない	○ we might be next ○ be no longer someone else's affair ○ be not an event isolated from one's own life

☐ この不況下で、経営破綻する会社が相次いでおり、人ごとではないのです。
Under this economic recession, companies continue to go under and **we might be next**.

☐ その災難は、人ごとではありません。
The misfortune **is no longer someone else's affair**.

人と付き合う	socialize

☐ 人付き合いはよい方ですか？
Do you **socialize** much?

非難の的になる	○ come under fire [attack] ○ be in the firing line ○ become a focus [a target] of criticism

☐ あの会社が発表した新製品は、天然資源の無駄使いであるとして、非難の的になっています。
The product the company released has **come under fire** for being wasteful of natural resources.

(メモ)
* much criticized project（厳しい非難の的になっているプロジェクト）
* object of public reproach（世間の非難の的）

火に油を注ぐ	○ add [put] fuel [coals] to the fire [flames] ○ heap fuel on the fire / fan the flames [fire] ○ worsen the situation

□ 消費者の怒りを鎮めようとして、社は声明を発表しましたが、かえって火に油を注ぐ結果になってしまいました。
The company's announcement, released in an attempt to calm the consumers, only **added fuel to the fire**.

| 檜（ひのき）舞台を踏む | ○ make it to the big time
○ appear on a big stage
○ stand in the limelight
○ appear on the stage of a major [first-class / leading] theater |

□ 私にとりまして、このような会議でプレゼンテーションをする機会を得ましたことは、いわば檜舞台を踏むことです。
For me, making a presentation at this conference is like **making it to the big time**.

| 飛躍的に | by leaps and bounds |

□ あの会社は、最近飛躍的に成長しました。
The company has grown **by leaps and bounds in recent years**.

(メモ)

＊ make a great jump from a small company to a big corporation（小さな会社から大きな企業へと大飛躍する）

| 百も承知 | ○ be well aware / be fully aware of
○ know perfectly [exactly] |
| 百も承知で | ○ in the full knowledge |

□ 批判されることは百も承知で、提案したいことがあります。
I **am well aware** that you might not like this, but I have some suggestions to make.

□ 今年の流行色は、百も承知でこの色を押したいのですが、今から理由を説明いたします。

In the full knowledge of the trend color of this year, I'd like to go with this color. Please let me share my opinion with you.

> メモ
> * I can see it from a mile away.（百も承知だ）
> * You're telling me.（百も承知だ）
> * I know it only too well.（そんなこと百も承知だ）

180度の転向［転換］	○ about-face / volte-face ○ complete change
180度の方向転換をする	○ do［make］a complete about-face［volte-face］

□ あの会社は、合併以来経営方針を、180度転換しました。
　The company **made a complete about-face** after the merger.

> メモ
> * What a change, if not a reversal.（180度転換とはいかないまでも、かなりの変化ですね）
> * Your thoughts have changed my opinion of this book 180 degrees.（あなたの考えを聞いて、この本を見る目が、180度変わりました）

百発百中	○ hit the mark ten times out of ten［every time］ ○ never miss the mark［target］

□ 彼の企画による製品は、百発百中、必ずヒットするのです。
　○ He **hits the mark ten times out of ten,** and products he designs always win a big market share.
　○ Products by him always catch on, **never missing the target.**

百歩譲って／仮に〜だとして	for argument's sake, let's assume that 〜

□ この件に関しては同意しかねるのですが、2番目の点につき、百歩譲って御社

が正しいとして、そこから話しましょう。
I don't agree with this issue, but **for argument's sake, let's assume that** you're right on the second point and continue from there.

| 氷山の一角 | ○ the tip of the iceberg
○ small fraction of the real figure
○ a drop in the bucket ［ocean］ |

□ 今回発覚した汚職事件は、氷山の一角に過ぎないのです。
The revelation about bribery is merely **the tip of the iceberg**.

| 瓢箪（ひょうたん）から駒 | produce an unexpected dividend |

□ オリオン社に行ったときに、瓢箪から駒でこの話が持ち上がり、全部当社に任せてもらう話になったのです。
My visit to Orion Co. **produced an unexpected dividend**. They have decided to leave all the planning to us.

| 秒読みの段階 | final countdown stage |

□ 新しい本社ビルの完成も、秒読み段階となってまいりました。
The completion of the innovative head-office building has entered the **final countdown stage**.

> メモ
>
> * in countdown to finish（完成まで秒読みの中で）
> * begin ［start］ the countdown for the rocket（ロケット発射の秒読みを開始する）

| 日和見主義 | ○ opportunism |
| 日和見主義者 | ○ opportunist / fence-sitter / timeserver |

□ あの部長は、日和見主義者で、権力に弱いですよ。
The manager is an **opportunist** and obedient to authority.

> **メモ**
> * pussyfoot around with exceptions（例外を設けては日和見主義的に立ち回る）
> * political opportunist（政界の日和見主義者）

ピンからキリまである	○ run the whole ［entire / full］ gamut ○ all sorts of

□ 去年の志願者は、学歴も経験もピンからキリまでいましたが、今年は粒がそろっています。
　The applicants last year **ran the whole gamut** in educational background and working experience, but those of this year are of even quality.

便乗値上げ	○ me-too price hikes ［price-raising］ ○ follow-up price hikes ［increase / raise］ ○ opportunistic price hikes

□ あの会社が値上げすると、他社も便乗値上げをする可能性はありますが、当社の値上げは、据え置きにしたいと思います。
　If that company increases the price, other companies will probably carry out **me-too price hikes**. But we'd like to defer it.

不可抗力	○ act of God ○ any cause beyond its control ○ inevitable force / unavoidable occurrence

□ あれはあなたの責任ではなく、不可抗力だったのです。
　It was not your fault but an **act of God**.

舞台裏交渉	○ backstage negotiation (s) ○ behind-the-scenes negotiation

□ 相手方と私たちの意見は、かなり対立しておりますので、舞台裏交渉が必要になってくると考えております。

Since their opinions are in opposition to ours, we'll need to call for **backstage negotiations**.

踏み切る	take the plunge

☐ このたび、討議しておりました ZT 型賞品の値下げに、踏み切ることにいたしました。
We have discussed the price cut of ZT-type products and decided to **take the plunge**.

プラス・アルファ	a little something extra

☐ オリオン社が出した提案には、プラス・アルファが欠けているように思われます。
The proposal that Orion Corporation made seems to lack **a little something extra**.

メモ プラス・アルファをそのまま plus alpha［α］と言っても英語では通用しないので、注意しましょう。

振り出しに戻る	○ go back［return］to square one / start off from square one ○ make a fresh start ○ return to the drawing board

☐ オリオン社もアースグリーン社も、スポンサーになれないと言ってきたので、また振り出しに戻って、スポンサー探しから始めなくてはなりません。
Since Orion Co. and Earth Green Co. cancelled their sponsorship, we have to **go back to square one** and find another sponsor again.

付和雷同（する）	○ go along with the crowd［others］ ○ behave like a lot of sheep ○ follow blindly

☐ いつも付和雷同する上司では、信用できないです。
I cannot trust a boss who always **goes along with the crowd**.

踏んだり蹴ったり	○ a real beating ○ it never rains but pours

☐ 友人はリストラされてから、踏んだり蹴ったりの目に遭っています。
　A friend of mine has been taking **a real beating** since he got laid off.

へそが茶を沸かす	○ be the joke of the century ○ that's a laugh / that's a big joke

☐ 私が、そのコンクールに応募すると言ったとき、家族は、へそが茶を沸かすと言いました。
　When I said I'd send my work to the competition, my family said **that was the joke of the century**.

（メモ）　へそが茶を沸かすのは、「お笑いぐさ」「笑わせないで」といった意味合いがありますが、もっと明るく豪快に「おなかを抱えて笑う」なら次のような表現があります。
* double up with laughter
* shake with laughter
* split one's sides（by［with］）laughing

別格（だ／の）	○ be in a class by oneself ［of one's own］ ○ exceptional

☐ 同期の社員の中で、彼女は別格です。
　Among the employees who joined the company in the same year, she **is in a class by herself**.

（メモ）
* Those books are handled separately.（それらの本は別格扱い）
* He's been given a special treatment.（彼は特別扱いされている）

仏の顔も三度	you can only go so far

☐ また失敗したのですか？　仏の顔も三度までって言うじゃないですか、いくら

優しい部長でも怒りますよ。
You made a mistake again? **You can only go so far** before even the nice manager is mad with you.

ほとぼりがさめる	○ the excitement dies down ○ the dust is beginning to settle ○ things calm down

☐ 彼らもほとぼりがさめるまでは、おとなしくしているでしょう。
They will keep a low profile until **the excitement dies down**.

> メモ

* They had more problems while the previous scandal was still hot .
（彼らは、この前のスキャンダルのほとぼりがさめないうちに、また別の問題を起こした）
* You should wait out the storm.（ほとぼりがさめるのを待つべきだ）

骨を埋める覚悟で 会社に骨を埋める覚悟で	○ with the intention of staying for the rest of one's life ○ be part of my company ○ stay loyal to one's company for life

☐ 私は、骨を埋める覚悟で、この会社にしたのです。
I chose this company **with the intention of staying for the rest of my life**.

掘り下げる	delve into

☐ 最近起こったこの問題の理由について、もっと深く掘り下げたいと思います。
I would like to **delve into** the reasons behind the problem that occurred recently.

> メモ

* dig into what's going on（事態を掘り下げる）
* sink a shaft（縦坑を掘り下げる）
* dig for the truth（真実を掘り下げる）

本腰を入れる	○ put everything one has got into ○ get down to seriously

□ 納期まで1カ月を切りました。仕上げに本腰を入れて取り組みましょう。
　We have less than one month now till the due date. Let's **put everything we have got into** finishing it.

本題に入る	○ get down to business [nitty-gritty] ○ go on to the main subject ○ touch ground ○ get into the theme of ~

□ 前置きはこのくらいにして、本題に入りたいと思います。
　Well, so much for preliminaries. Let us **get down to business**, shall we?

> **メモ**　so much for も使ってほしい表現の1つ。
* So much for a society of mutual admiration.（お互いにほめあうのは、このくらいにしましょう）
* cut to the chase（本題に入る、ずばり要点を言う）
* come right to the point（前置きを抜きにして本題に入る）

本場	○ the home ○ best place / birthplace / cradle

□ 当選者には、リンゴの本場、青森から取り寄せたアップルサイダーの詰め合わせをお送りします。
　Winners will receive the assorted apple ciders obtained from **the home** of apples, Aomori.

> **メモ**
* learn a language in the country where it is spoken（言葉をその本場で習う）
* authentic Spanish restaurant（本場のスペイン・レストラン）

本末転倒	○ the tail wagging the dog
本末転倒する	○ put the cart before the horse ○ overlook the forest for the trees ○ get one's priorities wrong ○ reverse the cart and the horse ○ think upside down

□ スポンサーのためでなく、聴衆のために公演をするのです。あなたは本末転倒していますね。
Performances are for audience, not for sponsors. You are **putting the cart before the horse**.

本領を発揮する	○ show one's stuff ○ display one's real ability

□ 適材適所で、皆に本領を発揮する場所を、与えたいと考えています。
I would like to provide everyone with chances to **show their stuff** by appointing the right person for the right job.

ま 行

前置き	○ introductory remarks ○ preamble / preface / preliminary

□ 前置きが長くならないように気をつけてください。
Please be careful not to make your **introductory remarks** too long.

メモ

* by way of introduction、by way of preface（前置きとして）
* Will you get [come] to the point?（前置きはいいから、要点を言ってくれませんか？）
* preface a book（本に前置きをつける）
* without preamble [preface / preliminary]（前置き抜きで）

preludeは音楽の序曲、という意味で使います。また It was a prelude to the event.（それはその出来事の前兆だった）という使い方もできます。

| 曲がり角／転換期／過渡期 | ○ turning point
○ period of transition / transition stage [phase]
○ transitional age / transitory period |

□ わが社も創立50年を迎え、転換期にきているのかもしれません。
We are reaching a **turning point** in celebration of the company's 50 years since its establishment.

（ メモ ）　chrysalis は蛾や蝶が「さなぎ」である状態で、そこから「過渡期」という意味でも用いることができます。

| 間口を広げる | expand one's scope of business |

□ 当社は間口を広げ、いろいろな業務をこなしていくべきです。
We should **expand our scope of business** to deal with anything.

（ メモ ）　「建物や店などの間口を広げる」場合は widen the entrance [storefront] です。

| 負けっぷりのいい人／気のいい人 | good sport |

□ 勝ち負けにこだわらず、正々堂々と、ベストを尽くしたいものです。
Everyone should be a **good sport** and play clean games, with doing their best.

（ メモ ）

○ Be a good sport.（くよくよするな／自分本位になるな／話のわかる人間であれ）
文脈なしに、He is a good sport. だけを言うと、「彼は遊び相手にいい」という意味にも取られる場合もありますので、注意しましょう。

| まさか！（うそでしょう。冗談で | ○ I don't believe it. |

しょう）	○ You can't be serious. ○ No way! Shut up! ○ Don't tell me!
まさかとは思うでしょうが	○ believe it or not
まさか〜ではないでしょうね	○ don't tell me that 〜
まさか〜とは思わなかった	○ never thought [expected] 〜

□ まさかとは思うでしょうが、この企画の提案者は社長なのです。
　Believe it or not, it was the president who proposed this project.

□ まさか、この話を知らなかったのではないでしょうね。
　Don't tell me that you didn't know about this matter.

□ まさか、このようなことが起こるなんて、思いもしませんでした。
　I **never thought** a thing like this would happen.

丸く収まる［収める］	○ work out peacefully ○ settle nicely

□ 私の上司は、何事も丸く収めます。
　My boss always **works out** everything **peacefully**.

□ すべて丸く収まり、ほっとしています。
　I'm relieved because everything was **settled nicely**.

満場一致で	○ unanimous / unanimously ○ by unanimous consent / in a unanimous ○ with［by］one accord / with［by］one voice/ with［by］unanimity ○ without a (single) dissenting voice / without dissent

□ この予算案は、委員会において満場一致で決まりました。
　○ The committee reached a **unanimous** decision on the budget plan.

7 プレゼンテーションに使える光る表現集

○ The committee **unanimously** passed [carried] the budget plan.
○ The budget plan was passed **by unanimity** at the committee meeting.
○ The budget plan was approved **without a single dissenting voice**.

□ 満場一致で可決されたプランに基づいて、来年度の予算案を、討議したいと思います。
Starting with the project that was **unanimously** passed, we would like to discuss budget proposals for the next year.

メモ unanimously（満場一致で）と anonymously（匿名で）は、紛らわしいので間違わないように要注意！ unanimously ＜ unanimous の語源は un + animus。un は unit- で、unite などに見られるように 1 つ＝ one を表します。animus は心という意味で、1 つの心＝満場一致。anonymously ＜ anonymous は、a ＝ without さえ覚えておけば、もう間違うことはありませんね！ apathy も pathy（pathos 感情が語源）なので「無関心な」となるのです。

身が引き締まる	have a sobering effect on

□ 制服を着れば、従業員はこれから仕事だという身が引き締まる感じを持つと思います。
I think wearing a uniform **has a sobering effect on** workers.

メモ 身が引き締まる、と一口に言っても次のように、頑張るぞ！ と前向き度が高い表現もあります。
＊ I feel it is a great honor to have been assigned such an important task.（そのように、重要な任務をおおせつかり、身が引き締まる思いがしております）

右に出る者がいない	○ nobody can come close to someone ○ in a league by oneself

□ この業界において、これだけの品質を誇る私たちの、右に出る者はないと思われます。
○ We think that **nobody can come close to our high-quality products**.
○ Our products are **in a league by themselves** in this industry.

水に流す	○ forgive and forget ○ drop one's grudge

□ あの事件から、もう 10 年以上もたちましたので、そろそろ過去のことは水に流すべきでしょう。
More than ten years have passed since the incident, so I think it's time to **forgive and forget**.

> **メモ** 他に次のような表現もあります。
> * Let the past drift away with the water.（過去を水に流す）
> * sweep the slate clean（水に流す）
> さらにこの slate を使った粋な表現に die with a clean slate というのがあります。過去を清算して死ぬ＝思い残すことなく死ぬという意味です。

水を差す	○ throw cold water on ○ be a wet blanket ○ douse / dampen / cramp / chill / discourage

□ 皆で食事に行こうとしていたら、課長に水を差されてしまいました。
The section chief **threw cold water on** our going out for lunch.

□ 水を差したくないのですが、先に帰らなくてはなりません。
I don't want to **be a wet blanket** but I have to leave early.

□ 彼らの人間関係に水を差すようなことをせず、見守ってあげるべきですよ。
You shouldn't **dampen** their relationships. Try being more helpful.

見せ場	○ high point ○ big scene / moment / highlight ○ showtime

□ このプレゼンテーションには、何か見せ場を作った方がいいと思います。
I think you should make a **high point** of your presentation.

メモ	ちなみに You are making a scene . は醜態を演じている、（その醜態のために）皆が見ている、という意味になります。

見所がある	○ show a lot of promise ○ have good points

□ 今年入社したあの社員には、見所があります。
The recruit who joined us this year **shows a lot of promise**.

メモ

＊ He is mildly impressive.（彼は少しは見所がある）

（人を）見直す	give someone more credit

□ 彼が、こんなによく働くとは思いませんでした。見直しました。
I didn't know he is such a hard worker. I should have **given him more credit**.

メモ ここは should have given という形で、〜すればよかった、という意味を表していますので、「もっと credit をあげればよかった＝見直した」という意味になります。

＊ I have to **give you more credit**.（あなたのことを、見直さなくてはなりませんね）

耳が痛い	○ make one's ears burn [hurt] ○ be ashamed to hear

□ 同僚に、私の至らない点について、耳の痛いことを言われました。
One of my colleagues made remarks about my shortcomings that **made my ears burn**.

耳にタコができる	○ be sick and tired of hearing ○ hear a lot about / hear so much about / hear more than enough of

□ また部長から同じ話が出ましたね。もうあのことについては、耳にタコができ

るくらい聞きました。
- ○ The manager brought up the same story again. I'm **sick and tired of hearing** it.
- ○ The manager repeated the same story. I've **heard more than enough of** it.

見る影もない	○ a mere shadow of one's former self ○ be a mere shadow of what one used to be

□ 以前とても美しかったあの建物ですが、今見る影もありません。
The building was once beautiful, but now it's **a mere shadow of its former self**.

メモ
* miserable sight（見る影もない有様）
* The man wore himself to a shadow.（その男は、見る影もなくやつれていた）
* The bike was wrecked beyond recognition.（その自転車は、見る影もなくつぶれていた）

昔取った杵柄（で）	○ one never loses one's touch ○ using one's experience from the past

□ 昔取った杵柄で、その仕事ができると彼は言いました。
He said that **he never loses his touch** and he would be able to do the job.

難しい注文	tall order

□ この注文は難しいようですが、わが社では十分対応できます。
This seems to be a **tall order** but we are fully capable of meeting it.

無用の長物	white elephant

□ 賞品は車だったのですが、免許がないので、私には無用の長物です。
The car I received as a prize is a **white elephant** because I don't have a car license.

無理難題	○ completely unreasonable demand ○ impossible [irrational] demand

□ 1週間で、これだけの量を仕上げるというのは、無理難題というものです。
　It's a **completely unreasonable demand** that we complete that much in a week.

目が利く	○ have a sharp [expert / critical] eye for ○ be a good judge

□ 社長室に飾る工芸品ですが、目が利く方に一度相談したかったのです。
　I have wanted to talk about objects for the president's office with someone who **has a sharp eye for** them.

> メモ
> * connoisseur〔kànəsə́:r〕（目利き／鑑定家）

目頭が熱くなる	○ one's eyes fill with tears ○ be moved to tears

□ 受賞の知らせを受けたときは、目頭が熱くなりました。
　○ When I heard about winning the prize, I felt **my eyes fill with tears**.
　○ When I heard I had won the prize, I **was moved to tears**.

目から鱗が落ちる	see the light

□ 本日お話を伺い、子供の英語教育について、目から鱗が落ちる思いがしました。
　When I heard your presentation about English education for children today, I **saw the light**.

目先の（が）利く	○ farsighted ○ have acumen ○ see beyond the end of one's nose

□ 目先が利く人なら、あそこの土地を買っていたでしょうね。
　A **farsighted** person would have bought the land there.

目玉商品	○ eye-catcher ○ come-on ○ feature

□ セール期間中は、毎日違う目玉商品を、ウインドウに飾ることにしましょう。
During the sale period, let's display different **eye-catchers** everyday.

メモ　「目玉商品」は、他にもいろいろな表現で表すことができます。
* This is a flagship product of our company.（これは、わが社の目玉商品）
* scramble for the best bargain （目玉商品の奪い合い）
* bargain hunting （目玉商品探し）

目に見える以上のものがある	there's more to something than meets the eye

□ この仕事には目に見える以上のものがあるのです。そんなに単純でも簡単でもないですよ。
There's more to this job than meets the eye. This job is not that simple or easy.

□ 彼は、いつも明るく笑ってばかりいますが、目に見える以上のものが彼にはあるのです。洞察力の鋭い思想家なのですよ。
There's more to him than meets the eye. Although he is always cheerful and laughs a lot, he is a great thinker with penetrating insight.

目鼻をつける	complete all but the finishing touches

□ 締め切りに間に合わせるためには、今日中に目鼻をつけておかなくてはなりません。
In order to meet the dead line, we have to **complete all but the finishing touches** today.

目安	○ rough standard ○ (general) rule

| | ○ goal |
| | ○ rough idea |

☐ この検定試験の合否の目安は、70 点だそうです。
I heard that the score of 70 on the certificate exam is a **rough standard** for passing.

☐ この薬の効果は、目安として 1 カ月くらい持続します。
As a **general rule**, the effectiveness of this medicine will last about a month.

☐ 締め切りの目安は、来年の 3 月でよろしいでしょうか?
Is it all right to make next March's deadline our goal?

☐ 誰がやったか、目安はついています。
I have a **rough idea** about who did that.

メ モ　一口に「目安」と言っても、いろいろあります。ここの例文を目安 (guide、rules of thumb、indication) にして使ってください。

| 持ち味を生かす | ○ make the most of what one has |
| | ○ make the most of characteristics |

☐ この作品は、デザイナーの持ち味を生かしたものです。
The designer **made the most of what he has** in the work.

☐ 1 人 1 人の、持ち味を生かしたユニークでまとまった部署にしたいと思っています。
I want this section to be special and united by **making the most of your characteristics**.

| 持ちつ持たれつ | ○ give and take |
| | ○ interdependence / mutual dependence |

☐ 持ちつ持たれつが、スムーズな人間関係の基本です。
Smooth relationships are based on **give and take**.

> **メモ**　他にも「魚心あれば水心」（＝持ちつ持たれつでいきましょう）ということわざとして、よく使われる英語があります。
> * You scratch my back, (and) I'll scratch yours.
> * One hand washes the other (hand).

元の木阿弥（となる）	○ be [go] right back where one started from ○ be right back at the starting point ○ back to square one

□ 使っていたデータが無効だとわかり、実験は元の木阿弥です。
  ○ Due to the invalid data we used, our experiement **went right back where we started from**.
  ○ Our experiment went **back to square one** because we found the data we had used was invalid.

元はと言えば	○ when you get [come] right down to it ○ when you get to the core of it

□ この仕事を始めようと思ったのも、元はと言えば、同僚の言葉だったのです。
When you get right down to it, the reason I started this business was my colleagues' encouragement.

もみ消す	hush up / cover up / stifle / smother

□ 彼らは、スキャンダルをもみ消そうとして、事態を悪化させてしまいました。
They worsened the situation by an attempt to **hush up** the scandal.

> **メモ**
> * cover up malpractice（医療ミスをもみ消す）
> * smother a crime（犯罪をもみ消す）
> * erase the records（記録をもみ消す）

問題発言	controversial statement [remark]

□ 政治家の問題発言には、いつもうんざりしますね。

We are sick and tired of **controversial remarks** by politicians, aren't we?

問題を避けて通る	skirt the issue

□ 問題を避けて通ろうとしていても、何の解決にもなりません。
   Skirting the issue will find no solution to it.

や 行

役得	○ side benefit ○ professional privileges ○ perquisite ［perk / perq］

□ この仕事には役得が多いです。
   There are many **side benefits** to this job.

> **メモ**
> ＊ fringe benefit（特別給付）は、健康保険や有給休暇などの給与以外のことで、役得とは違うので注意。

焼け石に水	drop in the bucket

□ そんなに少額の寄付では、焼け石に水でしょう。
   Such a small contribution will be just a **drop in the bucket**.

> **メモ**
> ＊ That doesn't help much.（それでは焼け石に水だ）

安請け合い	○ rash promise / easy promise ○ hasty commitment ○ promise without due consideration

□ 上層部は、その支店を閉じると安請け合いしましたが、そう簡単にはいかないでしょう。

The senior workers made **a rash** [**easy / hasty**] **promise** [**commitment**] to close the branch, but I'm afraid things are not that easy.

八つ当たりをする	take it out on someone

□ 私の上司は、仕事でストレスがたまると、私たちに八つ当たりする傾向があります。
When my boss is frustrated with his job, he tends to **take it out on us**.

□ 私に八つ当たりしないでください。
Don't **take it out on me**.

厄介な人／目の上のこぶ	pain in the neck

□ 私たちにとって、彼は厄介な人でした。
He was a **pain in the neck** for us.

〔 メ モ 〕　He was a problem.とも言えます。他にも「目の上のこぶ」を表すには次のようなものがあります。
　　* a thorn in the flesh [one's flesh]
　　* constant hindrance
　　* person standing in one's way

厄介払いをする	○ get rid of bad rubbish ○ get rid of a nuisance

□ 彼は、無能で怠惰、その上愛想が悪く、いるだけで職場の雰囲気が悪くなるので、皆上司が厄介払いしてくれないかと強く願っています。
He is incompetent, lazy, and unfriendly, and he upsets the working environment. So everyone in the office strongly hopes that the boss will **get rid of that bad rubbish**.

〔 メ モ 〕
　　* drop the person like a hot potato（その人の厄介払いをする）という表現方法もあります。これは熱いポテトを手にし、「あちちっ」と手放す様子からできた表現だそうです。

やぶさかではない	○ be willing to ○ not be unwilling to ○ have no reluctance to

□ その会議に部長の代わりに出席することにつきましては、やぶさかではありません。
　I **am willing to** attend the meeting in place of the division chief.

やむにやまれず	be compelled by forces beyond one's control

□ その少年は、やむにやまれずその罪を犯したと言っていますが、許されるものではありません。
　The boy said he had **been compelled** to commit the crime **by forces beyond his control**, but it's still not forgivable.

□矢も楯もたまらず～する	○ have an uncontrollable urge to ○ feel compelled to

□ 事故に遭われたと聞いて、矢も楯もたまらず駆けつけました。
　I **had an uncontrollable urge to** come and see you after I heard that you got involved in the accident.

メモ 「～したくてたまらない」という意味で、
* can't stand still（じっとしていられない）
* be dying to ～ などの表現もあります。

槍玉に挙げる	single out someone for criticism

□ 出張費が、あまりにもかさんでいたので、彼は会議で槍玉に挙がりました。
　He was **singled out for criticism** at the meeting for overusing travel expenses.

やる気	○ drive ○ can-do spirit ○ morale

☐ 何事にも成功するためには、やる気が大切です。
You need a lot of **drive** to succeed in everything.

☐ 彼女はやる気があり、周りがかすんで見えるくらいです。
Her **can-do spirit** makes other workers appear lackluster.

> **メモ**
> * I don't feel like working today.（今日は仕事をする気になれない）

| 由緒ある | with a long and distinguished history |

☐ それは、由緒ある伝統行事だという人もいますが、私は、時間の無駄だと思います。
Some people say it's a traditional event **with a long and distinguished history**, but for me it's just time consuming.

> **メモ** 何が由緒あるかによって、いろいろな表現が使えます。
> * prestigious school（由緒ある学校）
> * blue blood（由緒ある家柄）
> * historic monument（由緒ある記念碑）
> * time-honored ceremony（古来の由緒ある儀式）
> * sword with a history（由緒ある刀）

| 優柔不断な | ○ indecisive / vacillating
○ weak-minded
○ wishy-washy |

☐ 彼は思慮深いのだが、それが優柔不断だというイメージを、よく与えるのです。
His thoughtfulness often projects an image of an **indecisive** person.

| 悠長に構える | ○ afford to be complacent about
○ lean back
○ take things easy |

☐ 環境問題については、悠長に構えていられません。

- ○ We can't **afford to be complacent about** environmental issues.
- ○ We can't **take** environmental issues **easy**.

融通が利く	○ flexible / versatile
融通が利かない	○ inflexible / rigid ○ have a red-tape mind / have a one-track mind

- □ こちらのスケジュールなら、融通が利きますので、そちらに都合のいい日で結構です。
  My schedule is **flexible**, so please choose a date convenient for you.

- □ 彼はどんな材料でも、融通を利かせて上手に料理します。
  He is a **versatile** cook, no matter what ingredients he has.

- □ 融通が利かず、形式張ったシステムは、廃止すべきです。
  A **rigid** and formatted system should be abandoned.

- □ 私の上司は、融通が利きません。
  My boss **has a red-tape mind**.

有名税	the price of fame

- □ 御社の社長の私生活について、ある週刊誌に書かれていましたが、これも有名税ですね。
  The private life of your president was exposed in the magazine, but that's part of **the price of fame**.

容赦無用／情状酌量なし	zero tolerance

- □ 私たちの会社では、セクハラに対し、情状酌量の余地はまったくありません。
  Our company's policy has **zero tolerance** for sexual harassment.

様子をつかむ	get the drift

□ 常に職場全体の様子をつかんでおくのは、上司として大切なことです。
Getting the drift of the whole office is very important for a supervisor.

> **メモ**　drift は漂流、流れということ。
> ＊I drifted off to the land of dreams.（うとうとした）

| よく言えば～、悪く言えば～ | some people (might) say ～, (but) others (might) say ～ |

□ クローン技術について、よく言えば不治の病を治す可能性があり、悪く言えば自然に反するとも言えます。
As for cloning technology, **some people say** it can cure some incurable diseases, but **others say** it tinkers with Mother Nature.

> **メモ**　これは「～と言う人もいれば、～と言う人もいる」という定番。ライティングの始まりにも使いやすいので、ぜひマスターして使ってください。ここでは、Some people say の後にポジティブな内容、others say の後にネガティブな内容を持ってくれば、日本語の「よく言えば～、悪く言えば～」にぴったりになります。say という単語が出たところで
> ＊You have said it well.（よく言ってくれました）という言い方もあります。

| 横ばいである／横ばいになる | remain (at) the same level
○ remain unchanged
○ level off / level out |

□ 景気低迷が続く中、わが社の売り上げも、2年続けて横ばいです。
Under the prolonged recession, our sales have **remained at the same level** for the past two years.

| 寄せ付けない | ○ not let someone get close to one
○ keep off [away / out] |

□ あの会社は、他社を寄せ付けない勢いで、急成長しています。
That company is rapidly growing, **not letting any other companies get close to it**.

□ このリング型新製品をつけていると、蚊が寄ってこないのです。
This new ring-shaped product **keeps** mosquitoes **away**.

余談になりますが／話はそれますが	○ this is a little off the track［subject］but ○ and a quick digression

□ 余談になりますが、天候異変の恐ろしさを扱った、あの映画をごらんになった方はいらっしゃいますか？
This is a little off the track［**subject**］, but is there anyone here who saw the movie about the terror of weather change?

> **メモ**
>
> * I'd like to digress for a moment 〜（余談になりますが）はプレゼンテーションに最適のややフォーマルな表現。digress は「（話が）わき道へそれる」という意味です。
> * Let us go back to what we were talking about.（余談はさておき、話を元に戻しましょう）

予断を許さない	○ one can't tell ○ not allow optimism［premature conclusions］ ○ twist and turn

□ そのプランが、問題解決の役に立つかどうかは、まだ予断を許しません。
Whether the plan will help solve the problem or not, **one can't tell**.

□ 事態は、予断を許しません。
The situation **doesn't allow optimism**［**premature conclusions**］.

世渡りがうまい	○ know how to get ahead
世渡りが下手である	○ have no social graces

□ 彼は世渡りが上手です。
He **knows how to get ahead**.

> **メモ**
> * Those who live by their wits can't make it big.（小才で世渡りする輩は大物にはなれない）
> * art of getting ahead in life（世渡りの術）
> * worldly wisdom（世渡りの知恵）
> * She's been the difficult world of international business.（彼女は難しい国際ビジネス界の世渡りをしている）

弱みにつけこむ	○ take advantage of someone's weak position [weakness] ○ exploit someone's vulnerability

□ 人の弱みにつけこんでも、失敗するだけでしょう。
Taking advantage of others' weaknesses will lead you nowhere.

> **メモ**
> * hit someone when he's down、kick someone when he's down（弱みにつけこんで、ひどいことをする）
> * hit (on) a sensitive point（弱みに触れる）

弱みを握る	○ have something on someone ○ hold someone's weak point

□ うわさでは、私たちの上司は、社長の弱みを握っているとか。
Rumors have it that our boss **has something on the president**.

弱り目に祟り目	○ things go from bad to worse
弱り目に祟り目になる	○ change [turn] from bad to worse

□ その会社にとっては、災難が続き、弱り目に祟り目でした。
Things went from bad to worse for that company, suffering calamities one after another.

ら行

楽観的に物を見る	see through rose-colored glasses

□ 私は楽観的に物を見るのですが、もう少し慎重であるべきかもしれません。
　I **see** things **through rose-colored glasses**, but I should be more cautious.

楽あれば苦あり	○ take the good with the bad ○ take the bitter with the sweet ○ pay for one's fun

□ 人生は、楽あれば苦ありと言いますから、前向きでいましょう。
　In life you have to **take the good with the bad**, so be positive and happy.

メモ 他にもいろいろ「楽あれば苦あり」を表す言い方があります。
* No rose without a thorn. (きれいなバラには刺がある＝楽あれば苦あり)
* Pleasure is the source of pain; pain is the source of pleasure.
* Every cloud has a silver lining.

楽ではない	be no picnic

□ この仕事は、あなたが思うほど楽ではないのですよ。
　This job **is no picnic** as you might think.

メモ
* Life is not always a bed of roses. (人生は、必ずしもバラ色とは限らない)

らちが明かない	get nowhere

□ 陰で文句を言っても、らちが明きません。
　Complaining behind the scenes will **get** you **nowhere**.

メモ らちが明く、つまり話に進展がついたり、まとまりそうなら get somewhere にすれば OK。

良心の呵責	○ pang [prick] of conscience [compunction] ○ twinge of remorse
良心の呵責を感じる [覚える]	○ have qualms of conscience ○ feel qualms about ○ feel the sharp pangs of conscience

□ 社長は、彼を解雇して以来、良心の呵責にさいなまれているようです。
　The president seems to have been tormented by a **pang of conscience**.

□ 良心の呵責というものがないのですか？
　Don't you have little **twinge of remorse**?

冷却期間	○ cooling-off period / period of cooling down ○ cooling period / cooling time

□ 交渉が行き詰まったので、しばらく冷却期間を置いてはどうでしょうか？
　Since our negotiations were at a deadlock , how about having a **cooling-off period**?

【メモ】
＊deadlock、gridlock、impasse、standstill、stalemate（行き詰まり）

老婆心から	out of friendship

□ 老婆心から忠告しますが、言葉遣いには気をつけないとだめですよ。
　Out of friendship, let me advise you to watch your tongue.

わ 行

和解する	○ settle one's differences ○ bury the hatchet

□ 経営陣と組合は、和解することにしたそうです。
  I heard that the management and the union have decided to **settle their differences**.

> **メモ**
> * pay as much as ￥500,000 to settle the lawsuit brought by the company（その会社が起こした訴訟に、最高 50 万円を支払い、和解する）
> * negotiations for reconciliation with ～（～と和解するための交渉）
> * settle out of court with someone for ￥100,000（10 万円で人と和解する／示談にする）

わからないこともない	there's some truth to

□ あなたが言いたいことは、わからないこともないのですが、次の問題があります。
  There's some truth to your opinion, but it has the following problems.

> **メモ** 日本語に合わせて言えば、That's not entirely unacceptable. という二重否定の表現がありますが、二重否定がややこしいのは、日本語も英語も同じ。できればストレートにわかりやすくいきましょう！

和気あいあい	in happy harmony

□ 私たちの職場は、和気あいあいとしています。
  We work **in happy harmony**.

> **メモ**
> * enjoy each other's company（和気あいあいと楽しむ）

脇役に回る	○ play second fiddle ○ play a supporting role

□ 私は、脇役に向いていません。
I'm not cut out to **play second fiddle**.

| 渡りに船 | provide a convenient answer ［escape］ |

□ 転職したかったので、そのオファーは渡りに船でした。
I had wanted to change jobs, so the offer **provided a convenient answer**.

メモ
* What perfect timing!（好都合だ＝渡りに船だ）
* I viewed the offer as a godsend.（そのオファーが渡りに船と映った）
* I bit at the chance.（渡りに船と飛びついた）

　いかがでしょうか？　日本語ではよく使うけど英語では想像もつかないもの、日本語より英語の方がよく意味がわかるものなど、いろいろあったことと思います。プレゼンテーションにはもちろんのこと、日頃の会話にも使える表現ばかりですので、ぜひ使ってください。

　さぁ、皆さん、お疲れ様でした。本書はこれで終わりです。日本語から引ける索引を利用して、自分が言いたい表現を見つけて素晴らしい英語のプレゼンテーションをしてください。またそのプレゼンテーションを通じて、皆さんが今後も英語の研鑽を積まれることを祈っております。一緒に頑張りましょう！

●参考文献

アメリカ人はこうしてプレゼンに自信をつけている！（スリーエーネットワーク）
英会話マル表現バツ表現（日本経済新聞社）
英語スピーキングスキルアップ BOOK（明日香出版社）
英語で意見を論理的に述べる技術とトレーニング（ベレ出版）
英語でプレゼン　そのまま使える表現集（日興企画）
英語プレゼンテーションの基本スキル（朝日出版社）
英語プレゼンテーションの技術（The Japan Times）
英語論文すぐに使える表現集（ベレ出版）
決定版やさしいビジネス英語 Vol.1 〜 3（NHK 出版）
外資系でやっていける英語が身につく（明日香出版社)
交渉の英語 2　相手を説得する技術
スーパー口語表現（ベレ出版）
スーパーボキャビル（ベレ出版）
戦略的英語プレゼンテーション（DHC 出版社）
茅ヶ崎方式英語教本 Book 1 〜 3（茅ヶ崎出版）
DEAR ABBY 悩める英語（増進会出版）
とっておきの英語（毎日新聞社）
最新日米口語辞典（朝日出版社）
パーティー・プレゼンテーションに必要な英語表現（日興企画）
初めての英語プレゼンテーション（語研）
はじめての英語プレゼンテーション（The Japan Times)
ビジネス英会話 2004.8（日本放送協会出版）
ビジネス・プレゼンテーション 101 の鉄則（ロングマン）
プレゼン英語必勝の法則　Messages!（日経 PB 社)
やさしいビジネス英語ベストセレクション Vol.1 〜 2（NHK 出版）
Collins Cobuild English Dictionary for Advanced Learners
Macmillan English Dictionary
Longman Dictionary of Contemporary English
Longman WordWise Dictionary
詳説レクシスプラネットボード（旺文社）
レクシス英和辞典（旺文社）
Comprehensive 英和辞書　　（旺文社：付録英語のことわざ参照）

日本語索引

*例えば「〜を考える」といった表現の場合、「〜」は省いてありますので、「を考える」あるいは「考える」から表現をさがしてみてください。

あ

IT マネージャーです	237
明るみに出る	250
悪習慣をやめる［絶つ］	250
悪循環	251
悪銭身につかず	243
あぐらをかく	263
足並みがそろう［合う］	251
明日の百より今日の五十	244
斡旋	251
集まりました総額	208
頭を痛める	203
当てはまる	121
後知恵	252
後で触れる	174
後に引けない	252
後回し	302
あぶく銭	243
あぶはち取らず	244
荒療治する	252
ある一定期間	105
あるそうです	71
あればいいがなくても命に別状がないもの	200

い

言い換えれば	143
いい経験	252
生き甲斐	253
行き詰まり	345
行き届いたサービス	212
偉業	181
意見	173
意見の相違	109
意見を述べたい	132
意志あるところに道あり	246
意識を高め	197
石橋は叩いて渡れ	244
以上のように	165
いずれにしても／いずれにしろ	164, 300
以前	104
依然としていくつか困難な問題が待ち受けている	114
忙しい中から時間をさいていただき	47
急がば回れ	243
委託する	82
いただいた寄付金の使い道	21
いたちごっこ	251
イタリックで	130
1 時間半	63
一助となる	166
一番暗いのは夜明け前	246
一番重要な資質	96
1 ページ	220
一を聞いて十を知る	253
一挙両得	244
一触即発の	253
一心同体（で）	254
一石二鳥	244
一致協力する	251
一念岩をも通す	246
いつかはよくわからない	113
一般的な考え方	78
一般的に	158
一般通念に異議を唱える	81
一般通念を覆す	82
いつまでもお幸せに	190
イデオロギーの相違	109
遺伝的な相違	109
異文化コミュニケーションの相違	109
今でも	148
今に始まったことではない	149
今は	106
今は荒廃して使われていない工場	104
今は無効の法律	104
イメージアップ	155
イメージを高める	156
言わせてください	89
インスタント食品に対する消費者の好み	126
インフレの悪循環	251
引用する	185

う

植えつけている／植えつける	78
魚心あれば水心あり	335
後ろの方	66
嘘も方便	257
打つ手がない	113
移る	64
腕の見せ所	254
うとうとした	341
うまく問題を解決する	93
うまみがある	254
埋める（違いなどの溝を）	108
裏方	254
うるさい（好みが）	254
運輸部	231

え

営業所	233
営業所長	236
営業部	229
営業本部	229
影響を与える	108, 255
影響を及ぼす	108
A社のBと申します	49
選り抜きの	45
縁起がいい	266
縁の下の力持ち	255
遠慮なく	169

お

追い込みにかかる	255
おいしい（部分）	254
終える	165
大きく飛躍する	207
大きな関心	111
大きな相違	109
大きな夢	215
大きな利点は	97
大ざっぱに言って	158
オーバーヘッドプロジェクター OHP	16
大船に乗ったつもり	13
おかげさまで	213
お聞き及びとは思いますが	55
遅れを取らないようについていく	143
お越しいただきありがとうございます	46
お言葉ですが	173
お言葉に甘えて	255
お幸せに	190
教える	82
推し進める	167
遅かれ早かれ	106
恐れながら	173
お互いにメリットがある	256
お互いの相違を尊重すること	109
おっしゃること	176
おっしゃることはごもっともですが	173
お手上げ	113
落とす（電気・音量などを）／下げる	67
驚くほどよく効く	82
同じことが言える［見られる］	120
同じような対応をする	159
おなかを抱えて笑う	322
鬼に金棒	256
思い起こさせるもの	162
思い起こす	162
思い出す	162
思い残すことなく死ぬ	329
面白いことに	135
主な決定要因	96
思わぬ困難な問題にぶつかる	114
親会社	233
折り紙付きの（人物）	82
お礼を言う	183
おわかりのように	107
終わりよければすべてよし	242
恩	256
恩に着せる	256

か

課	228
が頭から離れない	102
がある	118
会計部門に属しています	237
海外営業部	229
海外事業部	230
海外部	229
解決する鍵	135
外国に関心がある	111
外資系会社	233
概して	158
会社に骨を埋める覚悟で	323
会社（部署）の概要	18
会社の一員として	19
会社の説明	21
会社を好転させる	207
会社を立て直す	207
会社を回す	207
改善する	167
外注する	107
会長	234
開発する	207
外部の方と接していたからこそ見えてくる内部の姿があります	204

傀儡（かいらい）	256	かつてフル回転していた工場	104	監査役	235
変える／変わる	167	活躍を祈る	187	関心がある	111
顔が広い	257	過渡期	326	肝心な部分は	70
が行った調査では	128	がなければ…は不可能である	101	簡単に言いますと	157
係	228	必ず〜する	93	簡単に説明する	59
係長	236	かなりの割合	259	鑑定家	332
かかる（時間が）	63	金儲け主義の	259	乾杯！	191
学位製造所	259	が必要［不可欠／重要］である	99	頑張る	180
各係の特徴・特に注意すべき点	18	株価が高騰する	69	幹部グループ	99
格が違う	257	株式会社みなとの概略	22	感銘を受ける	260
覚悟しておく	257	株を買い占める	198	管理部	230
学術研究の発表	22	壁にぶつかる	259	関連会社	233
拡大解釈する	257	かみあわない	259	**き**	
確たる	174	上半期	59	企画開発課	231
各部署にある各係の役割と相互の関連性	18	かゆいところに手が届く	260	企画室	229
各部署の役割と相互の関連性	18	から…がわかる	130	企画部	231
学問に関心がある	111	体によい	82	気兼ねなく	169
学問に王道なし	246	から逃げる道はない	101	気が楽になる（軽くなる）	258
が原因で	125	から抜け出す道はない	101	企業の製品データ管理システム	206
過去から現在まで	57	から始めさせていただきます	60	基金［資金］不足の	116
が重要です	95	から判断する	127	効く	70
過小評価	116	から見ていきましょう	60	聞こえがいい	295
風当たりが強い	258	仮に〜だとして	318	機材部	231
風通しのいい	205	彼は海軍に所属している	51	技術開発部	231
肩の荷が下りる	258	考えてみると	132	技術部	231
価値観（解釈）の相違	109	考え直してみると	132	既成概念	260
が注目される［注目を浴びる・注目を引く］ようになってきた	119	考えるべきこと	269	奇跡を起こす	82
課長	235	環境に対する考慮を常に念頭に置きながら	79	寄贈品	211
課長代理	235	環境にやさしい	155	期待に添う	180
課長補佐	235	環境にやさしい材料	16	きっと〜する	92
格好がいい	295	環境を配慮した	156	規定する	291
かつて	104	歓迎の辞	18	来てくださってありがとう	47
かつて影響力のあった人	104	管財部	228	来てくれて感謝している	46
買って出る	258	監査部	228	軌道に乗る	260
				きな臭い	213
				気のいい人	326
				寄付金	211

351

寄付行為	211
決まった手順	148
疑問が残る	114
脚光を浴びる	261
急な連絡	47
寄与する	166
教育研修部	230
教育の重要性は強調しても し過ぎることはない	94
教育部	228
教育不足の	116
供給不足	116
教材（オリジナルでいかに …）	25, 222
業績	181
共存共栄	261
共同責任は無責任	261
業務部	230
巨額の赤字を～で埋める	110
極端に言えば	143
局長	235
極論すれば	143
議論を～に限定する	136
木を見て森を見ず	246, 261
禁煙グッズ	207
勤労部	229

く

空虚感を埋める	110
苦心して進む	262
口コミ	262
口添えする	262
口約束	262
苦は楽の種	245
繰り返す	161
グリーンソープ導入について	15
グリーンソープの長所	15,16

グリーンソープを生み出す ことになった背景	15
詳しく説明する	59
軍備が不十分な	116

け

敬意を払う	183
敬意を表する	183
経営企画部	229
経営合理化	52
経営陣	235
計算式の読み方	241
警鐘	286
芸は長く人生は短し	243
契約を解消する	263
契約を締結する	262
経理担当役員	236
経理部	228
けじめ／けじめをつける	263
消す（電気などを）	67
欠員を埋める	110
結果として	143
結果も出ています	79
結局は	164
決定する	162, 291
結論が出すに会議が終わっ た	163
結論が出ない	163
結論として	155
結論に達する	162
結論は？	163
結論は	145
下落する（株価が）	69
原因となっている	166
原因となる	126
見解の相違を認める	109
元気	72
研究開発部	232
研究企画係	232

研究所	233
研究所長	236
研究は今までなかった	147
言行一致	263
健康グッズ	207
現行市場レートで	198
現在の栄誉に甘んずる	263
現在は	102
現状維持	263
建設的な意見を大いに歓迎し	201
建設部	231
現段階では	103
現地法人	233
顕著な相違	109
検討する	150
健闘を祈る	187
現物で	159

こ

ご愛顧	264
ご意見	171
ご意見箱	173
ご意見番	173
合意する	292
行為は言葉より雄弁である	242
後援	264
効果がある	82
後学のため	264
講義する	56
高級なもの＝体や肌によい	78
貢献し（たい）	200
講師（英語については当然 のこと、…）	25, 222
公私混同する	265
工場	233
向上（する）	167
工場長	236

後進	187
後進に道を譲る［開く］	188
公正な市価	81
厚生部	229
好都合	158
好都合だ	347
後任者	115
購買部	230
合弁会社	233
広報部	230
弘法にも筆の誤り	243
子会社	233
顧客サービス担当者	121
顧客サービス部	231
顧客業務担当チーム	230
顧客主任	236
顧客対応	203, 206
顧客データ管理	203
ご協力	178
国際事業部	230
国際部	229
告訴する	284
国内営業部	229
虎穴に入らずんば	245
ここで	142
ここに書いてありますように	83
ここまで〜、ここからは…	142
ここまでは	164
心からお悔やみを	192
心からお礼を言いたい	46
心に刻みつける	265
〈心の〉空虚感を埋める	110
心の命ずるまま	265
心を通わせる	265
ご支援	178
ご質問があれば	65
ご質問に喜んでお答えします	66

ご出席	184
ご紹介いただきましたように	49
ご紹介させていただきます	54
個人差による判断の相違＝個人的偏見	109
個人的な意見を述べたい	91
コストパフォーマンス	77, 80
ご成功	184
ご清聴	185
ご存じのように	55
コツがわかる	265
コツをのみこむ	265
言葉のあや	266
この考えを〜へと発展させる	140
このグラフが示すのは	83
この件に関して	146
このプレゼンテーションが終わる頃には	69
この方法が成功への重要な決め手	96
好み	126
ご発展	184
細かい意味の相違	109
困ったことは	145
ご冥福をお祈りするばかりです	192
顧問	235, 236
コラム担当者	121
ごらんのように	107
ご理解	177
これが成功への決め手	96
ご列席の皆様	46
これは［が］〜に多い［共通してみられる］パターンである	118
これは［が］〜に多い［共通して見られる］パターンである	118
これは〜のよい例だ	136
これは重要です、なぜなら	70
これは重要です	70
これまでの常識で考えると	82
これらを念頭に〜に目を向ける	141
転ばぬ先のつえ	244
根拠がない	266
今後の展望	22, 212
今後のわが社は皆さんにかかっているのです	204
コンセプト	77, 80
根底にある	266
困難な問題	114
困難な問題に直面して	114
困難な問題を扱う	114
コンピュータ商品企画部	232
コンプライアンス部門	231
根本的な相違	109

さ

サービス部	231
最近	103
際限（上限）がない	216
最高技術責任者	234
最高業務執行責任者	234
最高経営責任者	234
最後に	87, 161, 165
最後に言いたいのは	87
最後になりましたがこれもとても重要なことですが	225
最後になりましたがこれもまた重要なこと	79
最後に申し上げたいことは

	161	
幸先（さいさき）がいい		
	266	
幸先が悪い	267	
最終的に	106	
最初から	267	
最初からわかっている避けられない結果	101	
最初に〜について簡単にご説明申し上げます	59	
最新の	70	
最先端の	70	
最大の関心（事）	111	
最大の関心事	95	
最大の悩み	111	
再度［もう一度］見る［確かめる］	161	
再発（病気）	110	
再発	110	
再発しそうにないこと	110	
再発を避ける	110	
財務経理担当責任者	234	
財務部	229	
最優先事項は	95, 98	
差があり	223	
先細りになる	267	
作業（うんざりして疲れるような）	86	
作業（機械などの操作を伴う）	86	
作業（グループ）	86	
作業（事務的）	86	
下げ相場	198	
下げる(電気・音量などを)	67	
さしあたり	106	
差し出がましい	267	
左遷される	267	
査定	135	
サテライトオフィス	233	

左右する	108	
さらに	144	
さらに詳しく	170	
猿も木から落ちる	243	
参加してください	174	
参考までに	265	
参照してください	128	
賛成です	134	
賛成でも反対でもない	134	
山積する	268	
三人寄れば文殊の知恵	246, 268	
残念ながら	176	
残念な知らせがあります	89	
賛否両論	134	
参与	236	

し

市価	81	
司会	50	
市価高騰	81	
死活問題	268	
市価の5分の1	80	
市価の下落	81	
市価の変動	81	
市価の約2分の1から3分の1で	77	
市価を下げる	81	
時間がない	175, 186	
時間数（最低20時間から…）	25, 222	
時間の制約	175	
時間の問題	268	
時間をいただき感謝している	47	
事業部	230	
資金部	229	
資金を調達する	287	
試行錯誤	269	
思考の糧、考えるべきこと		

	269	
自己紹介	20, 203	
仕事の鬼	269	
仕事を片づける	269	
資材部	231	
自殺する	202	
示唆に富む	269	
支社	233	
市場開発部	229	
市場価格を上回る値段	198	
市場に（出て）	198	
市場の現況では	198	
姿勢を貫く	200	
自然に還る	79	
次第	138	
下請け企業	233	
したくてたまらない	338	
従って	160	
した結果	126	
下積み	269	
下火になる	270	
示談	270	
次長	235	
室	228	
質	96	
質疑応答	65	
質疑応答（の）時間	65	
実現させよう	207	
執行役員	234	
実際（は）	146	
実施しました	214	
実証済みの	78	
室長	235	
じっとしていられない	338	
実は（真実は）	145	
十把一絡げにする	270	
質問があれば	65, 173	
質問と討議の時間	65	
質問に喜んでお答えします	66	

質問をお待ちいただければ		周知の事実	112	証券部	229
	65	自由に〜できない	176	詳細に	63, 170
してください	207	十人十色	245	詳細に述べる（わたる）	63
して初めて	74	就任の挨拶	19, 20	正直に言うと	144
支店	233	十分な商品を入れない	116	正直は最良の策	244
自転車操業	270	重役	234	少数精鋭	273
支店長	236	重要である	161	上席副社長	234
しないと〜（になるかも）		重要なことは	95	情状酌量なし	340
	102	従来品	195	消費者からの声を参考に	44
しなくてはならない	100	修理部	231	消費者の意見が大いに役立	
しなければならない問題		主幹	235	った	45
［点］は	98	主義を貫く	202	商品開発部	232
老舗	271	熟知している	272	商品管理部	230
私腹を肥やす	271	熟練した	305	商品企画部	232
自分の考えを端的に言いま		主査	235	情報システム部	231
すと	131	主催	264	情報不足の	116
資本金〜で	55	手術後再発する危険性が高		情報をお伝えします	91
事務機械部	231	い患者	110	常務取締役	234
事務的なミスの再発	110	受賞する	188	証明された	82
締めくくる	165	主席部員	235	証明する	88, 126
示しがつかない	271	手段を選ばない	272	将来の展望	180
示している	124	手中にある1羽は藪の中の		将来は	106
示す	129, 130	2羽の値打ちがある	244	将来有望な会社	199
四面楚歌	271	出資者へのお礼と報告を兼		除外する	149
社員を減らす	157	ねたスピーチ	20	職長	236
社会人として	19	出張所	233	職人気質	273
社会的通念では〜となって		受動態	219	職人芸	273
いる	81	主任	236	初志を貫く	202
社会的通念では	149	首尾よく	258	処世術	273
社会的地位を築く	80, 83	瞬時に	215	所属する	51
社外取締役	234	準備不足の	116	所属長	236
社長	234	順風満帆	272	庶民のための政治家である	
社長付	234	諸悪の根源	272	ことを貫く	202
社のイメージアップと利益		常温	195	庶務部	229
	16	紹介ありがとう	48	白羽の矢が立つ	273
社の現状	22	紹介させてください	48	時流に乗る	274
社の〜と申します	49	渉外部	230	資料	117
社の方針・信念	22	障害物	272	資料をご覧ください	128
社の歴史	22	上級幹部	235	素人考え	274
社風	271	常勤取締役	235	新旧交代	274

355

人工着色料不使用	81
人材育成部	230
人材開発部	232
人材開発を行って	205
震災被災地	209
人材育成／人材を育てる	274
新事情	182
真実は	145
信じている	168
人事部	230
進出する	107
進取の気象に富んでいる	196
進展	182
新聞に	72
新入社員の役割	18
新入社員への研修	18
新年	189
新年度に向けて	190
信念を貫く	202
新風を吹き込む	275
新ポジションでしたいこと	20, 203
新ポジションでの仕事内容	20, 203
信用する	169

す

推進する	167
数値・記号などの読み方（数字・金額・時・長さ等・面積・容積・重さ・温度・マーク・括弧など）	238
スカウト担当者	121
過ぎたるは及ばざるがごとし	275
すき間市場を埋める	110
少ない利益	310

ずけずけ言う	312
進む	167
スタッフ部門	204, 206
スタンドプレー	276
すなわち	289
頭脳の副産物	45
素晴らしい効き目がある	82
すべてを考慮すると	135
住めば都	276
することは妥当［適切／もっとも］である	133
するには	99
する必要がある	99
する必要はない	100
するふりをする	133
するべきだ	133
する前に	64

せ

精鋭	44
成果	181
成果がある	181
成果が上がる	181
成果をもたらす	181
正義感	276
成功しました	78
生産管理部	231
生産技術研究所	231
生産技術部	231
生産部	231
製造本部	231
生体分解性の	83
急いては事をし損ずる	243
生徒さんへのケア	25, 222
正比例した	241
製品	45
製品化	77, 80
製品として売り出す	196
生物分解可能の	83
生物分解性洗剤	83

生分解性高分子	83
整理する（考えなどを）	276
整列する	251
責任転嫁する	285
責任者（リーダー）として担当している	51
世代による意識の相違	109
説教する	263
設計部	231
説得力がない理由	115
設備が不十分な	116
説明する	88
善意	211
先駆者	196
先制攻撃	277
先制攻撃的価格	277
センセーションを巻き起こす	277
全体として	151, 158
前代未聞	277
選択肢	278
宣伝部	230
船頭多くして（船山に登る）	278
前途多難	278
前途洋々	278
餞別	279
専務取締役	234
全面戦争の再発	110
戦力	279

そ

相違［違い］がある	108
そういう事情なら	314
そういった見地から	204
相違を解決する	110
総括して	158
相関関係	241
総じて	158
造成地	182

相談役	235, 236
相場	198, 279
相場は決まっている	148
総務部	229
底なしに下落する(株価が)	69
組織全体	18
素質がある	279
俎上（そじょう）に載せる	279
率直に言うと	144
袖の下	279
外から見ればこそ見えてくる部分が多い	204
備えあれば憂いなし	280
その気になる	280
その件に関しては考え中＝結論が出ていない	163
その場しのぎ（の）	280
その人の立場になって考える	140
そもそも（〜に決まっている）	159
それ以来	107
それなら話は別	314
遜色がない	280
そんな程度の認識	200

た

第1に、グリーンソープの素晴らしさとして強調したいことは	77, 80
第1に、第2に、最後に	62
第一線で	281
対応する	242
太鼓判を押す	281
大所高所から	281
大事を取る	281
第2に	86
代表として	54
代表取締役	234
大量生産	96
高い回転率	310
多角経営	282
妥協する	282, 292
宅地造成	182
多国籍企業	233
他山の石	282
尋ねる	169
たたき台	283
正しい方向への一歩	283
ただほど高いものはない	283
立ち往生している	159
立ち往生する	283
立場上〜するわけにはいかない	176
脱税	283
達成	181
脱線する	284
建前と本音	284
立てる／花を持たせる	284
例えば	136
例えばパセフィック社の同じような石鹸は	77
例えば〜を例として見てみましょう	81
棚上げする	284
だぶつく（供給過剰）	285
だまされたと思って	285
玉（珠）に瑕（傷）	285
賜（物）	181
頼りにしていますよ＝よろしく…	180
たらい回しにする	285
たらい回しはここまで	285
誰かはよくわからない	113
誰もが関心を持っている	111

断言する	174
団地	182
担当者	121
担当者名	121
段取りをつける	285

ち

チーフ・ラーニング・オフィサー	234
違い	195, 197
力になる	286
力を合わせて	100
力を合わせて頑張りましょう	205
力を合わせる	286
知能犯	286
恥部	286
チャレンジ	260
チャンスは前髪でつかめ	245
注意に値する	96
注意の喚起／警鐘	286
中核となるグループ	99
駐在事務所長	236
中小企業	233
注目	119
注目株	120
調査部	232
調査役	235
長者番付	287
長所	155, 156
長所は短所に勝る	134
帳尻を合わせる	287
調達する	287
調達部	231, 287
長蛇の列	287
潮流	287
直属の上司	236
直面する	288
賃金格差を埋める	110

つ

陳情する	288
通	288
通常の郵便	149
通常兵器	198
通信部	229
通用する	288
次々と発売される	198
突き詰めれば	164
次に	86, 141
付	236
ツケが回ってくる	102
付け加えておかなければならないことは	143
付け加えると	144
つける(電気などを)／消す	67
つぶしが利く	288
つまり(言い換えれば)	289
つまり	145
罪を犯す	201
爪の垢を煎じて飲む	289
貫く	200, 202
鶴の一声	290

て

出足がいい	290
低開発の	116
低コストで高品質	16
低賃金の	116
提示する	290
データ管理機能	206
データ管理サービス	206
データ管理システム	206
適材適所	290
できるだけ速く	214, 215
てこ入れをする	290
手頃な値段で便利な所にある宿泊施設	212
で栄える	145
出尽くした感	224
鉄則	291
徹底的に調べる[研究する]	102
鉄は熱いうちに打て	245
轍を踏む	291
手に職がある	291
手の施しよう[打ちよう]がない	113
(調査)では	79
では〜から見ていきましょう	60
手広くやる	291
でプレゼンテーションを終わる	165
手ほどきする	292
手間暇かける	292
手短に言いますと	157
で読んだ	72
手を打つ	292
手を抜く	293
添加物	195
転換期	326
電光石火	293
天候の悪い中お集まりいただきありがとうございました	208
点数を稼ぐ	293
伝染病の再発	110
店長	236
点について話す	61
天秤にかける	293

と

と〜は違う	121
と〜は似ている	121
問い合わせる	169
という一般的な考え方	78
ということは〜だ	150
という時代を迎えている	148
というように	99
と言った方がより正確	135
頭角を現す	293
同感です	134
どう転ぶかわからない	294
当時は	104
当社が顧客と直接接する第一線の場	203
当社にもたらされるもの	80, 83
当社の現状	212
当社の方針・信念	212
当社の歴史	212
当社は	49
どうしようもない	113
どうすることもできない	113
当然	159
灯台もと暗し	294
導入する	54
堂々巡りする	294
登竜門	295
TOEIC 講座の売り込み	24
TOEIC730 講座	25, 222
通りがいい	295
と確信しています	92
と関係がある	51
時がきたら	295
時の人	295
特性	155
特徴	122
特に〜について話します	57
特筆すべき	296
特別給付	336
匿名で	328
所を得る	296
として受け止める	253
として有名	209

としましょう		137
と信じています		92
土壇場で		296
と違って		146
突貫工事		297
特許部		232
突然の目覚め		297
とって代わる		297
滞りなく		258
突破口が開ける		297
突破口を開く		297
とにかく		300
どのようにか[経緯・方法・手段]はよくわからない		113
飛ぶように売れる		298
取らぬ狸の皮算用	243,	298
取り上げる		56
取り入れる		54
取り組む		298
取締役相談役		235
取締役		234
取締役会	93,	229
取締役会（議）	229,	234
取締役会長		234
取締役副会長		234
取引を結ぶ		263
取るべき手段がない		113
徒労		299
どんなに～ても		100

な

内部監査人	236
長い目で見る	299
長いものには巻かれろ	299
長年頭を痛めてきた	196
情けは人のためならず	73
なせば成る	207
雪崩	107
七転び八起き	300

何かご質問があれば	65
何かはよくわからない	113
何はともあれ	300
生兵法は大けがのもと	242
悩みの種	112
習うより慣れろ	245
鳴り物入りで	300
成り行きに任せる	300
鳴りをひそめる	301
何としても	94

に

に～以上勤務している	50
に移る	139
荷が重い	301
にかかっている	207
に隠された真実を見られる	135
に関する意見の相違	109
握りつぶす	301
に決定的な影響を及ぼす	108
に3倍の影響を及ぼす	108
に従って	160
に重大な影響を及ぼす	108
20%の低下を示す	130
20%の伸びを示す	130
に所属している	50
に進む	139
に成功する	78, 82
二足のわらじをはいて	292
日常茶飯事	301
についてお聞きになった方はいらっしゃいますか	68
についてお知らせします	89
についてお話したいと思います	56
についてお話しします	57, 87
について聞いている	68

について聞いたことがありますか	68
についてご説明申し上げます	90
について話す	59
についてよく知っている人	119
に照らしてみる	146
二度あることは三度ある	302
二兎を追う者は一兎をも得ず	244
二の足を踏む	302
二の句がつげない	302
二の次になる／後回しになる	302
に載っている記事では	128
に入る	64
には根拠がない	128
にはそうではない[当てはまらない]	118
には早すぎる	132
には例外がある	137
に反して（を裏切って）	124
に広い影響を及ぼす	108
日本語と英語における発想の違い	23
に本社を構える	199
日本語はSVC型、英語はSVO型である	219
に見える	110
に向かう	166
に目を向ける	141
に基づいている	125
に基づいて判断する	127
ニュースで言っていました	71
ニュースになる	303
ニュースを伝える	55
によくある[当てはまる]	

ことだが	118
による	125, 138
によると	128
にらみを利かす／にらみを利かせる	303
に分ける	61
認識する	202

ね

願ったりかなったり	303
願ってもない	304
猫にかつお節	304
猫も杓子も	304
ネズミ算（式にふえる）	305
値段を切りつめ	310
根回しする	305
～年以上勤務している	50
年季の入った	305
年功序列	305
念頭にある	83

の

の間に	105
の言うことにも一理ある	133
の引用です	74
能動態	219
能力開発部	232
の後援で［のもとに］	264
残されている	114
の言葉で	73
残り［未解決］の問題	123
の重要な決め手	96
の情報格差を埋める	110
のセリフを引用します	74
望ましい	136
望ましくない	136
望みを託す	305
の～と申します	49
喉元過ぎれば熱さ忘れる	306

の背景をお話したいと思います	58
の初めの部分で	86
野放しで／野放しにする／野放しの	306
伸び悩む	306
伸び率たるものや群を抜いて	199
のようだ	110
乗りかかった船	307
乗り気になる	307

は

は～と一致する［同じ］	120
背水の陣（で戦う）／背水の陣を敷く	307
配属され	200
はいっそうの～を求める	101
配布資料	186
配布物	186
売名行為	307
場数を踏む	308
はかどる	308
は、～から（見て）も明らかである	124
歯切れのいい	308
歯切れの悪い	309
拍車をかける	309
伯仲する	309
薄利多売	310
歯車（の歯）	310
歯車が狂う	310
箔（はく）がつく／はくをつける	311
励ましのプレゼンテーション	17
はご存じでしたか	69
はこれまでにまったく研究されなかった	147
は避けられない	101

は残念である	132
馬耳東風である／馬耳東風と聞き流す	311
箸にも棒にもかからない	311
初めに、次に、最後に	62
始める前に1つ伺います	68
は重要です	70
畑違い	200
肌によい	82
場違い	312
はっきり言う	312
発言させてください	89
発想	217
発送部	231
発達	182
発達不十分の	116
パッとしない	312
発表します	91
八方手を尽くしてさがす	313
八方ふさがり／八方ふさがりになる	313
歯止め／歯止めをかける	313
は取り扱わない	149
話ができた	186
話したい項目は	61
話のテーマとして選びたいのは	57
話は変わりまして	314
話は違いますが	314
話はそれますが	342
話は別	314
話半分に／話半分に聞く	314
話を変えるつもりはないのですが	314
歯に衣を着せない	312
はポイント［重要な点／問

題点]ではない	145	
早まってはいけない	163	
腹をくくる	257	
パワー不足の	116	
はわからない	112	
班	228	
万策尽きる	314	
万事休す	313	
万事よろしくお願いします	180	
反対です	134	
班長	236	
班長補佐	236	
販売管理部	230	
販売業務部	230	
販売促進部	230	
販売店	233	
販売部	230	
反比例した	241	

ひ

光るもの必ずしも金ならず	242
引き起こす	126
引き抜く	315
引く手あまた	315
日暮れて道遠し	243
悲惨な状況にある	210
秘書（幹事）	236
非常勤取締役	235
秘書室	229
びっくりする	72
必然的に	140
ぴったり息が合って	159
必要なもの	122
必要は発明の母	245
美点	156
〈人〉が去った[亡くなった] 後の空洞を埋める	110
美徳	156

人ごとだとは思えなかった	210
人ごとではない	316
人ごとのように嘆くだけ	211
人手不足の	116
人と付き合う	316
一役買うことができる	214
非難の的になる	316
火に油を注ぐ	316
檜（ひのき）舞台を踏む	317
陽の照るうちに干草を作れ	245
批判を免れない	114
微妙な相違	109
飛躍する	204, 207
飛躍的に	317
180度の転向（転換）／180度の方向転換をする	318
百聞は一見にしかず	245
100万円 ▶アフガニスタン・メキシコ大地震	21, 208
100万円→茨木市のボランティア団体	21
100万円→南アフリカへAIDSの薬・食料	21, 208
100万贈呈いたします	209
百も承知（で）	317
百発百中	318
百歩譲って	318
評価	135
氷山の一角	319
標準［実際の値打ち］以下の値段をつける	116
瓢箪（ひょうたん）から駒	319
秒読みの段階	319
日和見	134

日和見主義／日和見主義者	319
開いてください	129
平社員	236
比例した	241
ピンからキリまである	320
品質管理本部	231
品質保証部	231
便乗値上げ	320

ふ

部	228
ファッションに関心がある	111
部員	236
不可抗力	320
不確定要素	112
不完全雇用の	116
不完全である	115
吹き込む	82
副会長	234
副支店長	236
副社長	234
覆水盆に返らず	244
副班長	236
副部長	235
福利厚生部	229
不言実行	242
不十分である	115
不十分な生産をする	116
不十分な保証金を払う	116
不十分な理由（説得力がない理由）	115
不純物をこして取り去り	195
舞台裏交渉	320
部長	235
部長代理	235
普通	148
太字	130

361

部に分ける		61
踏み切る		321
冬来りなば春遠からじ		246
プラス・アルファ		321
プラント製造部		231
振り返る		161
振り出しに戻る		321
プレゼン役を仰せつかった		
		44
プロジェクトで成功する		93
付和雷同（する）		321
文書課		229
踏んだり蹴ったり		322
文の作り方に見られる違い		
	23,	217

へ

平穏な居心地の良さ	213
ページ	129
ha（ヘクタール）	244
へそが茶を沸かす	322
別格（だ／の）	322
別問題	123

ほ

ポイントは	70
貿易部	230
防腐剤は使っていません	81
法務部	229
飽和状態	224
飽和状態に達する	226
飽和状態に近づく	226
保守的な意見	198
保存剤	195
保存料不使用	81
仏の顔も三度	322
ほとぼりがさめる	323
ほとんど試されなかった	
	147
ほとんど注意が向けられな	

かった	147
ほとんどわかっていない	
	147
骨を埋める覚悟で	323
掘り下げる	102, 323
本腰を入れる	324
本日ここに集まったのは	58
本日ここに参りました理由は	
	55
本日は〜についてお話しし	
ます	57
本日は〜についてご報告い	
たします	57
本社	233
本製品を世に送り出す	45
本題に入る	324
本題に戻る	140
本店	233
本場	324
本部	228
本部長	235
本末転倒／本末転倒する	
	325
本領を発揮する	325

ま

マーケティング部	229
マーケティング部〜（人名）	
	237
マーケティング部（門）で働い	
ています	237
マーケティング部門の責任者	
	237
前置き	325
まかぬ種は生えぬ	245
曲がり角	326
間口を広げる	326
負けっぷりのいい人	326
まさか！	326
まさかとは思うでしょう	

が／まさか〜ではないで	
しょうね／まさか〜とは	
思わなかった	327
まず〜についてご説明します	
	59
まず	85
まず考えなくてはならない	
（考慮すべき）ことは	98
まったく音を立てずに	159
まとめ	15
まとめたもの	131
まとめて	155
まとめる	155
マニュアル開発部	232
丸く収まる（収める）	327
満場一致で	327

み

見えにくい	67
未解決のまま	115
［未解決］の問題	123
身が引き締まる	328
右に出る者がいない	328
水に流す	329
水を差す	329
見せ場	329
乱れに乱れている	159
未定で	112
見てください	128
見所がある	330
見直す（人を）	330
皆様に自慢していただける	
	215
皆さん、おはようございます	
	46
皆さん、こんにちは	46
皆さん、こんばんは	46
皆さんご存じのように	107
皆さんと同じように	73
皆さんに望むこと	

	18,19,20, 199, 203	
皆さんのご質問に喜んでお答えします		66
皆さんの役割		199
皆さんはいかがでしたか		73
皆さんも私と同様		73
耳が痛い		330
耳にタコができる		330
見る影もない		331

む

昔	104
昔からそう決まっている	148
昔取った杵柄（で）	331
向かって	166
無関心な	328
無香料製品	81
無香料の化粧品	81
無国籍者	215
無国籍状態でいろいろな言葉が飛び交って	213
無国籍地	215
無国籍料理	215
難しい注文	331
無添加	81
無添加食品	81
無添加無香料	77
無添加無香料の製品	81
無用の長物	331
無理難題	332

め

目が利く	332
目頭が熱くなる	332
目から鱗が落ちる	332
目利き	332
恵まれない	116
目先の（が）利く	332
目玉商品	333
メッセージの伝え方に見ら	

れる違い	23,	217
目に見える以上のものがある		333
目の上のこぶ		337
目鼻をつける		333
目安		333

も

もし、ご質問があれば	65
持ち味を生かす	334
持ちつ持たれつ	334
持ち株会社	233
元の木阿弥（となる）	335
元はと言えば	335
もみ消す	335
問題発言	335
問題を避けて通る	336

や

やがて	106
役員	234
役立つ（効く）	70,118
役得	336
役に立つ	116
役に立つかもしれない	141
焼け石に水	336
安い値をつける	116
安請け合い	336
安らかにお眠りください	192
八つ当たりをする	337
厄介な人	337
厄介払いをする	337
やっつけ仕事	297
やぶさかではない	338
やむにやまれず	338
矢も楯もたまらず～する	338
槍玉に挙げる	338
やる気	338
やるだけやってみよう	207

ゆ

由緒ある	339
由緒ある学校	339
由緒ある家柄	339
由緒ある記念碑	339
由緒ある儀式	339
由緒ある刀	339
有事	215
優柔不断な	339
悠長に構える	339
融通が利かない	340
融通が利く	340
有名税	340
輸出営業部	230
輸出部	230
輸入営業部	230
輸入部	230
夢にも思わなかった	200, 201

よ

よい知らせがあります	89
容赦無用	340
要するに	145, 157
様子をつかむ	340
要点をまとめますと	145
要約	131
要約して説明する	59
要約しますと	157
良きスタートは成功の始まり	246
よく言えば～	341
よく考えれば	132
横におりますのは	54
横ばいである／横ばいになる	341
予算不足の	116
寄せ付けない	341
予想される	125

予想する	125	
余談になりますが	342	
予断を許さない	342	
余地がある	114	
世に送り出す	45, 155	
世の常	148	
より詳しい	170	
よろしくお願いします	179	
弱気市場	198	
世渡りがうまい／世渡りが下手	342	
世渡りの術	343	
世渡りの知恵	343	
弱みにつけこむ	343	
弱みを握る／弱みに触れる	343	
弱り目に祟り目（になる）	343	

ら

ライン部門	206
楽あれば苦あり	344
楽ではない	344
らちが明かない	344
楽観的に物を見る	344

り

力点［重点／ポイント］を～から…に移す	141
リュウマチの再発	110
利用する	207
量	96
量で競争する	310
良心の呵責（を感じる／を覚える）	345
両端の方	66
臨界質量	143

れ

例外なく	137
冷却期間	345
例をあげれば	136
連絡事務所	233

ろ

老婆心から	345
労務部	229
濾過装置	195

わ

和解する	346
わが社の概要	199
わからないこともない	346
わかりやすくする	67
和気あいあい	346
脇役に回る	346
枠を超える	175
話題になっている	111
話題を変える	139
私が知る限りでは	127
私としては	91
私のプレゼンテーションを聞いていただくと	71
私の本日の話の目的は	56
渡りに船	347
悪く言えば	341

を

を生き甲斐にする	145
を裏切って	124
を強調したい	93
を検討したいと思います	58
を考慮し	151
をご紹介いたします	54
をご紹介させていただきます	54
を市価で売る	81
をしている	52
をしている～と申します	53
を担当しております	51
を提案したいと思います	58
を念頭に	141
を離れ～に移る	139
を引き継ぐ	52
を見ました	72
をよく［詳しく／念入りに］見る［調べる］	141
を例として取り上げてみる	136

[著者略歴]

妻鳥 千鶴子（つまとり ちずこ）

　通訳翻訳ガイド業務から英語研修を行うアルカディアコミュニケーションズを主宰、主に英検1級対策指導に携わる。近畿大学非常勤講師 JICE（JICA）通訳、フリーランス通訳ガイド、スポーツ関連の株式会社WWA（ワールドワイド・アスリーツ）の語学アドバイザー担当なども務める。
　主な資格は、英検1級、通訳ガイド（大阪府第1236号）、ケンブリッジ英検プロフィーシィエンシィ（CPE）、TOEIC990など。バーミンガム大学大学院修士課程翻訳学修了（MA）。
　著書に『英語で意見を論理的に述べる技術とトレーニング』（ベレ出版）『TOEFL TEST 英単語スピードマスター』『ゼロからスタート英会話』（Jリサーチ出版）、『英語資格三冠王へ！』（明日出版社）『英語スピーキングスキルアップBOOK』（明日香出版社）などがある。

[連絡先]
Arkadia Communications
〒531-0072 大阪市北区豊崎5-3-23 ジュリアビル8F-A
E-mail : arkadia@m3.dion.on.jp
URL : http://www.h6.dion.ne.jp/~arkadia

CD BOOK 英語プレゼンテーションすぐに使える技術と表現

2004年10月25日	初版発行
2015年 4月16日	第12刷発行

著者	妻鳥千鶴子（つまとりちずこ）
カバーデザイン	竹内 雄二

© Chizuko Tsumatori 2004, Printed in Japan

発行者	内田 眞吾
発行・発売	ベレ出版 〒162-0832 東京都新宿区岩戸町12 レベッカビル TEL (03)5225-4790 FAX (03)5225-4795 ホームページ http://www.beret.co.jp/ 振替 00180-7-104058
印刷	株式会社文昇堂
製本	根本製本株式会社

落丁本・乱丁本は小社編集部あてにお送りください。送料小社負担にてお取り替えします。

ISBN4-86064-069-9 C2082　　　　　　　　編集担当　脇山和美

英文法日本人が繰り返す200の間違い

清水建二 著

A5 並製／定価 1575 円（5% 税込） 本体 1500 円
ISBN4-939076-50-4 C2082

外国の文法書を徹底的に研究したところ、日本で教えられている英語、特に学校英語の文法に、間違いや思いこみ、誤解の多いことがわかった著者が、それに気づかせてくれる 200 の例文を通して、これまで繰り返してきた間違いを正していきます。例文ごとの丁寧でわかりやすい解説で、これまでの疑問も、気づかなかった間違いもすっきり整理できます。

会社の英語 すぐに使える表現集

株式会社ディー・オー・エム 著

A5 並製／定価 1575 円（5% 税込） 本体 1500 円
ISBN4-939076-23-7 C2082

本書はあらゆるビジネスシーンを想定してつくられた、会社に必要な英語表現事典です。2つのパートで構成され、1章は書くための表現集。名刺に入れる部署の英語表現、FAX 送信状のフォーマット・実例集、E メールフォーマット・実例集、英文の会社案内など、会社で必要な英語表現が満載。2章はビジネス英会話。会社に1冊そろえておきたい本です。

場面別 会社で使う英会話

CD BOOK 2枚付き

㈱ディー・オー・エム・フロンティア／味園真紀／ペラルタ葉子 著

A5 並製／定価 2205 円（5% 税込） 本体 2100 円
ISBN4-86064-010-1 C2082

会社で英語を使う機会が増えました。本書はあらゆるビジネスシーンを想定してつくられた会社に必要な英会話の本です。訪問・紹介からプレゼンテーションや交渉まで、シーン別にダイアローグと応用表現・関連単語をとりあげました。ダイアローグ・応用表現はすべてCDに収録しています。本書に使われている表現は簡潔で覚えやすいものばかりです。まさに実践を意識した、使える英会話表現を厳選しています。

CD BOOK ビジネス場面の英会話

西川晴子 著

四六並製／定価 1680 円（5% 税込） 本体 1600 円
ISBN4-939076-18-0 C2082

訪問先、接客、海外出張などで使える基本的な表現が場面・状況別に紹介してあります。会社訪問、送迎、会食などの場面の表現から、お礼、お詫び、ほめる時などの気持ちを伝える表現まで、ビジネスの場面に必携の、そのまま使える表現が満載です。一息に言える簡単な表現ばかりですが、相手に好印象を与えられる丁寧な表現になっています。

ビジネスですぐに使える Eメール英語表現集

ディー・オー・エム・フロンティア／味園真紀／小林知子 著

A5 並製／定価 1680 円（5% 税込） 本体 1600 円
ISBN4-86064-034-9 C2082

海外とのビジネス、仕事上の連絡・つきあいにEメールは欠かせません。本書は、現場で日常的にメールで仕事をしているビジネスパーソンが作った使える英語表現集です。ビジネスシーンごとに項目を分け、実際のサンプルを紹介したうえで、そのシーンでよく使う単語・熟語をあげ、また組み合わせて使える応用表現を数多く紹介しています。簡単・簡潔な英文なのでそのままでも、または組み合わせても自由自在に使えます。

CD-ROM付き 英文ビジネスレター 実用フォーマットと例文集

高島康司 著

A5 並製／定価 1995 円（5% 税込） 本体 1900 円
ISBN4-939076-25-3 C2082

さまざまなケースに使える豊富な実用フォーマットと、組み合わせが自由自在のたくさんの文例で、さまざまな用件に対応したビジネスレターが、すぐに正確に書くことができます。本の内容を素早く検索でき、フォーマットと例文をコピーして使える CD-ROM が付いて、時間短縮に役立てられます。

フットボールの英語 Total Book

カール・R・トゥーヒグ 著

四六並製／定価 1785 円（5% 税込）本体 1700 円
ISBN4-86064-029-2 C2082

フットボールファンによるフットボールファンのためのイギリス英語学習本です（イギリス英語なのでサッカーではなくフットボール）。トピックはすべてフットボールに関すること！ パブでの会話、チームの応援歌、名・迷実況、試合中の野次…などなど、フットボールファンなら言ってみたい・知っておきたい内容満載！ コアなフットボールファンでなくても、近いうちにイギリスに行く！ という方、イギリス人と友達になりたい！ という方にもピッタリ。

イギリス英会話を愉しく学ぶ

小林章夫／ドミニク・チータム 著

A5 並製／定価 1785 円（5% 税込）本体 1700 円
ISBN4-939076-78-4 C2082

本書はイギリス人の会話をとりあげて、その独特のいい回しや会話のやりとりの妙、あるいはその会話に見られるイギリス人のものの考え方、文化の背景などを愉しく学ぶというものです。取り上げられた 25 のダイアローグは、イギリスの日常生活やイギリス英語の世界が堪能できるものになっています。NHK 講座「英会話 イギリス大好き」の講師 2 人がイギリス英語の愉しさを伝えます。

イギリス英語を愉しく聞く

小林章夫／ドミニク・チータム 著

A5 並製／定価 1785 円（5% 税込）本体 1700 円
ISBN4-939076-98-9 C2082

イギリス英語やイギリス文化が大好きという読者には特におすすめです。全体の構成は 5 つに分かれ、まず英語のリズムに慣れ、そのあと、あるテーマについて語られたもの、会話、ドラマ、講義を聞く内容になっています。イギリス英語を愉しみながら聞き、リスニング力をつけるためのワークショップ。